АЛЬБЕРТО ВИЛЛОЛДО

— нейробиолог, шаман —

КАК СОЗДАТЬ СВОЕ НОВОЕ ТЕЛО

ИСЦЕЛЕНИЕ С ПОМОЩЬЮ ДРЕВНИХ ШАМАНСКИХ
ПРАКТИК И НОВЕЙШИХ НАУЧНЫХ ОТКРЫТИЙ

МОСКВА

2020

УДК 613
ББК 51.204.0
В45

Alberto Villoldo
GROW A NEW BODY

Виллолдо, Альберто.

В45   Как создать свое новое тело / Альберто Виллолдо ; [перевод с английского Л. Линн]. — Москва : Эксмо, 2020. — 400 с. — (Энергия здоровья).

ISBN 978-5-04-106098-5

Книга содержит быстродействующую программу исцеления тела и духа, которая была составлена автором в период его смертельной болезни и помогла ему вылечиться. Будучи одновременно нейробиологом и шаманом, А. Виллолдо объединил открытия современных нейронаук с древней мудростью коренных племен Амазонки.

В книгу включены диета, рецепты и практические упражнения.

УДК 613
ББК 51.204.0

ISBN 978-5-04-106098-5

СОДЕРЖАНИЕ

СОДЕРЖАНИЕ

ПРЕДИСЛОВИЕ ДОКТОРА КРИСТИАН НОРТРОП

По роду своих занятий я была давно знакома с работой Альберто Виллолдо и слышала хорошие отзывы о нем от уважаемых коллег, но до весны 2016 года ни разу не была на его выступлениях и не читала его книг. Той весной я занималась в тренажерном зале одного из отелей Торонто и во время упражнений слушала запись интервью, которое Виллолдо дал на Всемирном саммите издательства «Хей Хаус». Он рассказывал о том, как перенес смертельное заболевание из-за множества различных патогенных микроорганизмов, которые проникли в его печень, легкие и мозг. Узнав о том, как он в буквальном смысле создал себе новое тело, я испытала потрясение. Я сразу поняла, что хочу учиться у этого человека. Он прошел сквозь пламень, но остался целым и невредимым — вот настоящий герой.

Конечно, я и до этого знала о случаях неожиданной ремиссии, у меня даже было несколько пациентов, которые внезапно излечивались от различных недугов. Но никогда прежде я не слышала, чтобы человек описывал процесс ухода в преисподнюю, где он фактически встретился с неизбежной смертью, и последующего возвращения из этого путешествия с подробной «дорожной картой», составленной с научной точностью, пониманием и, более того, духовным озарением.

Самое главное, что уроки личного путешествия Альберто и созданная им впоследствии программа омоложения актуальны для всех. Его привело на этот путь критическое состояние, но *вам* нет необходимости сталкиваться с угрозой пересадки печени или чем-то еще более пугающим, чтобы начать этот процесс. Истина в том, что по мере старения мы не обязательно должны разрушаться и мириться с болезнями, острыми или хроническими. Альберто Виллолдо освещает нам другой путь, указывая на силу, изначально присущую каждому из нас.

Очевидно, что современная медицина не может служить проводником в этом путешествии. Она с треском провалила задание. Средний шестидесятипятилетний мужчина в США принимает шесть прописанных ему лекарств лишь ради того, чтобы отдалить свою смерть, но жить достойной жизнью они ему не помогут. Что же касается программы Альберто Виллолдо «Создаем новое тело», то она полностью доказала свою эффективность. По моему опыту, никогда еще никто не разрабатывал такого полного руководства, позволяющего человеку преобразить свое тело и жизнь. Будучи одновременно и ученым, и шаманом, Альберто объединил мир традиционной западной мысли и культуру коренных племен, лучшие научные и философские знания с древними традициями мудрости людей, наиболее близких к самой Земле. Никакие аспекты тела, ума и духа не остались без внимания. На этих страницах представлено все, что вам нужно об этом знать.

История Альберто Виллолдо и его документально подтвержденные успехи произвели на меня такое впечатление, что я записалась на его ретрит в Чили в январе 2018 года. Там, среди знаменитой первозданной природы, вместе с двадцатью участниками из всех уголков мира я имела возможность испытать на собственном опыте, что значит «создать новое тело». Именно там я часто обедала с Альберто и его женой Марселой и проверила его рекомендации на себе.

Программа включала все аспекты — от шаманских сессий до микробиомных анализов. Обучаясь вместе с другими людьми, я стала свидетелем замечательных изменений и увидела, как всего за семь дней на их лица вернулся румянец, глаза заблестели, а походка стала пружинистой и бодрой. Что еще важнее, мы все объединились, научились делить друг с другом радости и печали, прониклись духом товарищества. Как международное племя первооткрывателей, мы близко и пристально изучали науку и технику, необходимые для расшифровки наших кодов ДНК, сумели перевести биологические часы и отбросить многолетние устоявшиеся стереотипы вкупе с накопившимися токсинами — будь они психическими, физическими или эмоциональными.

Когда Альберто сказал мне, что программа, которой мы все следовали, изложена в его работе *«Медицина единого Духа»*, я предложила ему внести некоторую правку и назвать книгу *«Как создать свое новое тело»*. Учитывая рост хронических заболеваний и общее ухудшение состояния людей во всем мире, я чувствовала, что в этой работе важно сосредоточить внимание на физическом здоровье. Альберто методично объясняет, что мы не должны мириться с возрастным ухудшением здоровья и хроническими недугами. Каждый из нас обладает способностью создать новое тело. Для этого необходимо провести детоксикацию кишечника и мозга, включить гены долголетия, чтобы продолжительность жизни соответствовала «периоду здоровья», перезапустить «часы смерти» и — возможно, это самое главное — открыть умы и сердца, чтобы принять новый способ существования и мышления.

И вот — свершилось! Теперь вы держите в руках (или слушаете) труд всей жизни подлинного целителя, первооткрывателя и визионера. Этой мудрости хватит на всех.

Важно осознавать, что наиболее действенный аспект программ «Медицина единого Духа» и «Создаем новое тело» — это наши отношения с собственным Духом. Это и есть тот единый Дух, на который Альберто Виллолдо указывает в первоначальном названии книги. Он красноречиво описывает процесс, в ходе которого наш дух организует физическую реальность в окружающем мире, точно отражая наши мысли и убеждения. Если мы решим придерживаться старых моделей поведения, предписывающих «винить и стыдить» (которые западная культура поддерживает на каждом шагу), то мы просто будем запускать одни и те же ветхие программы и воспроизводить давно знакомые болезни, преследующие наш род. Изменений не будет. Но есть и другой путь.

Книга «Создаем свое новое тело» содержит очень специфические, научно и духовно обоснованные практики для отхода от вредных убеждений и стандартов поведения, внушенных нам семьей и культурой. Альберто Виллолдо дает нам новое понимание возможностей, способных стать реальностью. На этих страницах найдутся ключи, с помощью которых мы раскроем свой огромный потенциал счастья, здоровья и радости.

Не обязательно ехать на шаманский ретрит и даже выходить из собственного дома, чтобы реализовать свое неотъемлемое право — начать чудесную работу по созданию нового тела. Вы просто должны быть готовы сделать первый шаг. Позвольте Альберто Виллолдо быть вашим гидом. Подарите себе новое тело и новую жизнь.

Кристиан Нортроп,
доктор медицинских наук, автор бестселлеров по версии New York Times «Богини никогда не стареют» и «Защититься от энергетического вампира. Как избежать токсичных отношений»

ВВЕДЕНИЕ

ДАРЫ МЕДИЦИНЫ ЕДИНОГО ДУХА

Вы можете создать новое тело. Вы это знаете, потому что однажды уже сделали нечто подобное. Десять пальцев на руках и десять на ногах, изящная красота вашего телосложения — все это выросло из яйцеклетки и сперматозоида, следуя точным инструкциям. И чтобы создать новое тело, вам нужно лишь подобрать пароль к своей ДНК, чтобы заново включить те же самые генетические коды.

Я знаю, что это возможно, потому что я сделал это.

Поймите правильно: у меня не было иного выбора.

До того как это случилось, у меня все шло хорошо. Я достиг вершин своей карьеры, занимался медицинской антропологией, написал и издал двенадцать бестселлеров, получил докторскую степень по психологии, стал известным во всем мире преподавателем и целителем. Общество четырех ветров, которое я основал, росло по экспоненте: более пяти тысяч студентов изучили под моим руководством энергетическую медицину, и многие из них сопровождали меня в поездках на Амазонку и в Анды. И это лишь те достижения, которые были известны широкой публике. Моему сердцу близки и другие дары, полученные в этих путешествиях, а самый ценный из них — это любимая женщина, с которой мы идем рука об руку по духовному пути.

В тот самый момент, когда мне показалось, что жизнь невозможно улучшить, мне пришлось остановиться. Внезапно я вступил в борьбу за выживание и вынужден был использовать все, что узнал за тридцать лет обучения у самых одаренных целителей мира. Видите ли, я по образованию нейробиолог, но я еще и шаман — меня посвятили в свои методы исцеления индейцы в джунглях и на горах Южной Америки.

Ясно, что тропические леса Амазонии — это не отель «Беверли Хилтон», и когда я рассказываю о своих увлечениях, люди часто восклицают: «Вы с ума сошли?» Я их понимаю. Путь шамана не для всех. Наука целительства — дело суровое, ответственное и трудоемкое, и годы, прожитые в джунглях, обошлись мне очень дорого.

На конференции по науке и сознанию в Мексике я был главным докладчиком и внезапно обнаружил, что не могу пройти и сотню шагов, не свалившись по дороге в обморок. Друзья отнесли это на счет моего сумасшедшего графика, но я знал, что со мной случилось что-то ужасное.

За несколько дней до поездки я прошел в Майами полный медосмотр у лучших специалистов. Результаты анализов я получил уже в Мексике, и они были неутешительными. По-видимому, за годы исследовательской работы в Индонезии, Африке и Южной Америке меня поразило множество вредных микроорганизмов, в том числе пять штаммов вируса гепатита, три или четыре разновидности смертоносных паразитов и куча вредных бактерий. Врачи сообщили, что мои сердце и печень держатся на честном слове, и даже мозг заполнен патогенными микробами.

Услышав слова: «Это ваш мозг, доктор Виллолдо», — я впал в отчаяние. Ирония судьбы заключалась в том, что я недавно опубликовал книгу под названием «Включи свой мозг: Нейронаука просветления». Врачи посоветовали мне записаться в очередь на трансплантацию печени. Теоретически можно вылечить и сердце, но где найти здоровый мозг?

После конференции моя жена Марсела собиралась лететь в Амазонию, чтобы возглавить одну из наших экспедиций Общества четырех ветров. Я стоял в зале вылета аэропорта Канкуна, уставившись на варианты: 15-й выход, рейс в Майами и посещение главного медицинского центра или 14-й выход, рейс в Лиму и оттуда в Амазонию, где я буду с Марселой — и там же мои духовные корни. Все результаты анализов показывали, что я умираю. Логичнее было выбрать рейс в Майами, но я поднялся в другой самолет и сел на свое место. Как только стюардесса предложила мне влажное полотенце, первобытный инстинкт заставил меня выпрямиться и собраться с духом, чтобы быть честным перед самим собой: нужно жить так, как я учил жить других.

В тот вечер я написал в своем дневнике:

Я знал, что должен отправиться в джунгли. Иначе я искал бы лекарство не там, где нужно. Теперь я с любимой женщиной возвращаюсь в тот цветущий сад, где впервые обрел духовный путь.

В Амазонии шаманы встретили меня с распростертыми объятиями. Эти люди, мужчины и женщины, дружили со мной уже не один десяток лет. И кто знал меня лучше, чем Мать-Земля? Она приняла меня, как способна принять только мать. Я прижался к ней всем телом и почувствовал, как она говорит мне: «Добро пожаловать домой, сынок».

В тот вечер проходил обряд с использованием отвара из лозы *Banisteriopsis caapi* (аяуаски), при помощи которого шаманы вызывают виде́ния и лечат пациентов. Я был слишком слаб, поэтому участвовать в обряде не смог и остался в доме у реки. От нашей семьи туда пошла Марсела. Погружаясь в легкую медитацию, я слышал посвист шамана на другом берегу и его песнопения, сразу западавшие в память.

Через несколько часов вернулась улыбающаяся Марсела. Мать-Земля ночью обратилась к ней со словами: «Я дарю рост всему живому на Земле. Я дам Альберто новую печень. Он сам знает, как вылечить все остальное». На следующий день в моем дневнике появилась новая запись:

После утренней йоги мне среди бела дня явилось существо. Это была женщина, она вышла из реки, и я видел ее как во сне. Она коснулась моей груди и сказала, что я — дитя Пачамамы, пообещав присматривать за мной, потому что моя работа на земле еще не закончена.

Мое возвращение в Амазонию стало началом исцеления. Но прежде предстояло проделать огромную работу. Я был тяжело болен. Мне пришлось взломать свою биологию, чтобы включить гены, которые создают здоровье — с их помощью можно вырастить новый мозг, новое сердце и новую печень. И я должен был напомнить себе: *«Нет никаких гарантий, Альберто. Существует разница между лечением и исцелением. Возможно, ты не вылечишься и умрешь. Но что бы ни случилось, твоя душа исцелится».*

Из Амазонии мы с Марселой полетели в Чили, в наш Центр энергетической медицины около Аконкагуа, самой высокой горы западного и южного полушарий. На языке инков «Аконкагуа» означает «место, где встречаешься с Богом». Это как раз то, что мне было нужно. Настало время для встречи, которую я так долго откладывал.

Мое тело было «дорожной картой» джунглей и гор, где я работал антропологом и привлекал смертоносных существ, которые селились во мне. Джунгли — это живая биологическая лаборатория, и если вы проведете там достаточно времени, то станете частью эксперимента. Я знал антропологов, которые умерли от тех паразитов, которых я теперь носил в своем организме.

В действительности девственный тропический лес Амазонии свободен от большинства болезней, но на пути к нему вам нужно проходить через замусоренные сторожевые посты западной цивилизации. Индейцы слишком мудры, чтобы разорять свои родные гнезда и загрязнять питьевую воду. Но белый человек окружил себя морем отходов и нечистот.

Духовная медицина, знание о которой мне передали шаманы в Амазонии, весьма мощная, но ее следовало дополнить западной наукой. Врачи назначили мне лекарства от гельминтов — тот же препарат, который я даю своим собакам, и антибиотики для уничтожения других паразитов. Мой мозг горел и плавился от ядов, образовавшихся под действием лекарств и из-за массовой гибели микробов. Я должен был провести детоксикацию мозга, чтобы избежать полного безумия.

Туман и смятение в мозге становились заметными, когда я пытался играть с Марселой в скраббл. Эта игра стала барометром моего психического здоровья. Я не мог подобрать слова и начал терять ощущение самого себя. Меня охватила паника: «Что, если я забуду, кто я такой? Что, если я потеряю *самосознание?»* Безумие пристально смотрело на меня с небосклона — я его видел, чувствовал, вдыхал. Это вызывало неприкрытый страх во всем моем существе.

По иронии судьбы, меня спас именно этот страх потерять себя: следующие три месяца я просто наблюдал за переживаемым безумием. У буддистов есть мощная практика самоизучения, которая начинается с вопроса: *«Кто я?»* Через некоторое время вы думаете: *«Кто задает этот вопрос?»* Поэтому я стал спрашивать себя: *«Кто сходит с ума?»*

Спрятаться было некуда. Я видел безумие; другие тоже его видели. Но, как всегда, у этой боли была и другая сторона. Глубину бездонной пропасти, в которую погрузился мой дух, компенсировала высота полета моей души. Я начал понимать, кем был с незапамятных времен и кем буду после смерти. Грызущему меня страху сопутствовали божественная любовь и пробуждающее переживание Единства, которого я раньше никогда не чувствовал.

Я позвонил своему другу Дэвиду Перлмуттеру, неврологу и соавтору моей книги «Зарядите свой мозг». Вместе мы разработали стратегию с применением мощных антиоксидантов и экстремального кетоза (когда организм в качестве топлива использует жиры вместо сахаров), чтобы запустить выработку нервных стволовых клеток для восстановления мозга. В течение следующих трех месяцев я начал понимать, как от нездоровых эмоций возникают болезни и как исцелить гнев и страх, чтобы восстановить здоровье. Энергии возникали, текли, натыкались на препятствия и снова двигались. Время шло медленно, как река в нижнем течении, а я вышел из этого потока, потому что должен был подружиться с вечностью.

В ту ночь мне приснился сон:

Я вместе с друзьями смотрю на могилу, покрытую цветами. Там похоронен я сам. Друзья говорят, что я могу остаться в могиле, если захочу. Но я отвечаю, что эти угодья мне не нужны, и вижу, как моя душа поднимается из земли.

Несмотря на все духовные дары, которые я получал во сне, тело чувствовало себя разбитым. Я воочию видел, как разум балансирует на краю пропасти.

Я знал, что у меня есть выбор, и мог бы остаться в мире Духа. Но какой-то голос твердил, что моя работа еще не завершена. Придется вернуться к обычной жизни.

Сначала я должен был посетить царство мертвых. Мне снилось:

Марсела и я на морском причале. Вокруг многочисленные пассажиры ожидают посадки на паром. У нас есть на двоих небольшая лодка, она принадлежит моему отцу. Люди помогают нам спустить ее на воду. Я знаю, как управлять этой лодкой, потому что меня научил отец. Не мой отец, а Небесный.

Я готовлюсь пересечь великую воду на собственном судне, а не на том пароме, куда заходят все остальные. Я отправляюсь в страну мертвых, но не вместе с умирающими. Я еду с женой-шаманом.

У меня образовалась новая миссия — быть шаманом. Но погодите! Разве я не ответил на призыв стать шаманом давным-давно? Я даже написал об этом книгу «Шаман, мудрец, целитель».

Теперь Дух предлагал мне еще одну жизнь внутри этой жизни. Меня призывали вступить в новую судьбу, без ощущения собственной важности, без коварного соблазна мирских достижений. Внешние обстоятельства могли остаться прежними, но мое отношение к ним должно было измениться.

Я чувствовал полное освобождение. Я был свободен. Той ночью мне приснилось:

Я подключен к дыхательному аппарату, и друзья прощаются со мной. Я не могу ни двигаться, ни говорить, но пребываю в блаженстве. Они отключают жизнеобеспечение. Я должен отсоединиться от аппарата, чтобы вернуться к жизни. Я понимаю, что могу найти вечность, не умирая. Я вырываю трубку изо рта и дышу. Я жив.

Я понял, что не обречен на гибель, мог остаться в живых и исцелить себя, чтобы помочь исцелиться другим. Сделав этот выбор, я почувствовал, как дух снова распространяется в теле. Когда туман в мозге начал рассеиваться, вернулись трепет и удивление, и я ощутил Единство, в котором жизнь и смерть плавно перетекают друг в друга, а я покоюсь в бесконечности.

Мой хороший друг Марк Хайман, автор книги «Полюби другую еду — улучши тело и работу мозга», помог мне составить план питания для исцеления тела. Мы с Марком проводим семидневные программы детоксикации для клиентов в разных экзотических странах. Его план лично для меня включал свежие соки по утрам, а также суперфуды и добавки, которые выводят токсины из печени и мозга.

Сегодня я полностью здоров. Если быть точным, я более чем здоров и стал новым человеком. Мой разум функционирует на более высоком уровне, чем в прошлые десятилетия. Обновились мозг и сердце. И у меня новая печень — не трансплантат, а собственная, полностью восстановленная. Я сумел создать новое тело.

Хирурги давно знают, что у человека можно удалить восемьдесят процентов печени, а через пару месяцев она отрастет снова. Вероятно, удивительная способность этого органа к регенерации обусловлена необходимостью противостоять воздействию токсинов, которую испытывали наши предки в те давние тысячелетия, когда они методом проб и ошибок выясняли, какие плоды и растения съедобны, а какие нет.

Печень — не единственный орган в теле, способный восстанавливаться. Каждые пятнадцать лет у вас вырастает совершенно новое сердце, вашим костям потребуется всего два года, легким и коже — около двух-четырех недель, а кишечник полностью обновляется за последние три дня. В процессе выздоровления я начал понимать, что старение тела происходит, когда оно теряет способность к самовосстановлению и больные и отмирающие клетки больше не заменяются здоровыми. Представьте, что произойдет, если вы сумеете сориентировать свое тело на строительство и рост только здоровых и живых клеток.

Секрет заключался в целебных растениях из бассейна Амазонки. Я обнаружил, что травы, которые наиболее высоко ценятся шаманами в тропическом лесу, могут помочь проникнуть в скрытые области ДНК с инструкциями по созданию нового тела. Но одних фитохимических свойств недостаточно, так мы лишь отпираем замок в хранилище кодов. Полная сила растений раскрывается только посредством духовных практик, описанных в этой книге.

В книге под названием «Зарядите свой мозг» я описал науку о нейропластичности и о том, как стимулировать выработку стволовых нервных клеток, которые восстанавливают мозг с помощью омега-3 жирных кислот. Во время болезни я узнал, что стволовые клетки производятся не только мозгом. Их вырабатывает каждый орган в теле, но мы должны научиться управлять генетическими переключателями, которые будут запускать процессы заживления и регенерации. Плюрипотентные стволовые клетки позволят нам создать новое тело, более здоровое и жизнеспособное. Я называю эту систему медициной единого Духа, потому что она требует силы духа для обновления тела. Одни только витамины, диета, пищевые добавки и суперфуды не справятся с этой задачей. Требуется опыт Единства, осознания реальности, в которой наша отделенность от творения и друг от друга остается иллюзией — фокусом ума. С точки зрения истины мы — одно.

В рамках медицины единого Духа я веду программу «Создаем новое тело», основанную на новейших достижениях в области нейронаук. Вот уже около десяти лет я предлагаю ее клиентам во время недельных ретритов под эгидой Общества четырех ветров. Участники уезжают от нас с обновленным телом и мозгом. В новом издании моей книги «Как создать свое новое тело» я расскажу о тех же

Вы можете добиться того, чтобы ваш период здоровья сравнялся с продолжительностью вашей жизни.

практиках, которые изучаются на ретритах, в том числе о лекарственных растениях, а также о духовных практиках, способных вернуть вам здоровье и помочь сохранить его на всю оставшуюся жизнь.

Мой кризис был более серьезным, чем у большинства больных. Но правда в том, что мы все ведем неустанную борьбу с токсичными силами современной жизни, которые так и норовят разрушить наше здоровье и благополучие. Благодаря знаниям, почерпнутым из этой книги, вы сможете добиться того, чтобы ваш «период здоровья» — отрезок времени, когда вы находитесь в оптимальном состоянии, — сравнялся с продолжительностью вашей жизни.

У одной из моих клиенток был диагностирован прогрессирующий остеопороз, но через год после завершения программы «Создаем новое тело» плотность ее костной ткани вернулась на тот уровень, который был у клиентки в возрасте около двадцати лет. Ее случай — не редкость. Остеопороз развивается у пятидесяти пяти процентов американцев старше пятидесяти лет. Вполне вероятно, что эти ошеломляющие статистические данные связаны с закисленной западной диетой, которая вынуждает нашу кровь использовать кальций для нейтрализации кислоты, а не для формирования костей. И большинство лекарств, предназначенных для борьбы с остеопорозом, не помогают или ведут к таким ужасным побочным эффектам, что вполне могут считаться опасными.

Новейшие исследования показывают, что добавки, используемые в моей программе и подобные им, помогут предотвратить остеопороз и восстановить утраченную плотность костной ткани. Доктор Роман Талер и его коллеги-исследователи из клиники Майо обнаружили, что «полученное из пищи соединение сульфорафан эпигенетически стимулирует активность остеобластов и уменьшает остеокластную резорбцию костной ткани, сдвигая баланс костного гомеостаза и способствуя приобретению костной массы и/или смягчению резорбции кости in vivo. Таким образом, сульфорафан относится к новому классу эпигенетических соединений, которые следует учитывать в новых стратегиях противодействия остеопорозу» (примечание 1 к «Введению»). Да, вы можете вырастить в своем теле даже новые кости и восстановить утраченную плотность костной ткани! В главе 6 вы узнаете больше о сульфорафане и других растительных веществах, которые могут в этом помочь.

Сейчас в мире с угрожающей скоростью распространяются ожирение, диабет, синдром дефицита внимания и гиперактивности (СДВГ) и болезнь Альцгеймера. У каждого третьего ребенка, родившегося сегодня в Америке, к пятнадцати годам разовьется диабет второго типа. Половина всех восьмидесятипятилетних здоровых мужчин и женщин подвержены риску болезни Альцгеймера (примечание 2 к «Введению»). Синдром Альцгеймера называют диабетом третьего типа и связывают с диетой, богатой пшеницей и, следовательно, глютеном, а также с перенапряжением мозга (примечание 3 к «Введению»).

Страшная статистика деменции и диабета не относится к числу неминуемых: мы можем избежать печальной участи при здоровом образе жизни. Исследователи из Финляндии изучили одну тысячу двести взрослых пациентов, подверженных риску снижения когнитивных способностей. Они обнаружили, что если кто-то из них придерживался диеты из цельных, необработанных продуктов, включающей оливковое масло холодного отжима, жирную рыбу, фрукты и овощи, богатые питательными веществами, то он был способен не только сохранить здоровье мозга, но и улучшить его на тридцать процентов по сравнению с контрольной группой (примечание 4 к «Введению»).

Программа «Создаем новое тело», которую я предлагаю на своих ретритах и в этой книге, может помочь вам не только излечиться от болезней, разрушающих нашу цивилизацию, но и сделать нечто бо́льшее. Древние врачи были мастерами *профилактики*. Не обязательно быть тяжело больным, чтобы начать искоренять физические, эмоциональные и духовные страдания и сбалансировать свою жизнь. Используя программу из этой книги, вы сможете почувствовать себя лучше уже через несколько дней, а спустя неделю начать очищать свой ум и исцелять мозг. Вы прочно встанете на путь обретения нового тела, которое быстро излечивается и спокойно стареет естественным образом, а также мозга, который поможет вам установить глубокую связь с Духом и испытать обновленное чувство смысла жизни.

Как пользоваться этой книгой

Я создал эту книгу, чтобы помочь вам создать новое тело, с которым вы достойно пройдете оставшиеся годы своей жизни. Это потребует от вас обновления мозга — благодаря этому вы сможете поддерживать состояние осознанности, которое я называю Единством. Чтобы вы получили максимальную пользу от этого процесса, я рекомендую читать главы в том порядке, в котором они здесь представлены, и использовать предлагаемые диету и упражнения, прежде чем читать дальше.

Часть I, «Открываем в себе внутреннего целителя», представляет медицину единого Духа, невидимый мир сияющей, живой энергии, которая передает информацию видимому миру чувств, и роль Духа как гармонизирующей силы. Вы познакомитесь с тираническим мышлением, которое господствовало в человечестве с момента зарождения сельского хозяйства, и поймете, как оно втягивает нас в войну с самими собой и друг с другом, подрывая наше здоровье и благополучие.

Часть II, «Избавляемся от прежних привычек», описывает множество природных и эндогенных токсинов, вырабатываемых организмом, и объясняет, как очистить тело и мозг. Вы узнаете о «втором мозге» в пищеварительном тракте, а также о том, как обновить полезные бактерии вашего биома, чтобы вывести токсины до того, как они попадут в кровь или мозг. Вы познакомитесь с суперфудами, которые способствуют восстановлению мозга и кишечника, узнаете о токсическом воздействии зерновых и сахаров, увидите, как белковые диеты портят здоровье, и поймете, как кетоз помогает сжигать полезные жиры и вырабатывать нервные стволовые клетки для «починки» и обновления мозга.

В **части III, «Преодолеваем неотступную смерть»**, вы научитесь трансформировать дисфункциональные эмоциональные паттерны, основанные на гневе и страхе, и узнаете о том, как особые питательные вещества помогают улучшить работу мозга и справиться со стрессом. Вы познакомитесь с митохондриями — энергетическими центрами клеток. Они передаются по женской линии и проявляют женскую жизненную силу. Вы узнаете, как переставить «часы смерти» клеток и включить белки долголетия, управляемые митохондриями. Вы поймете, как влияют на организм свободные радикалы и воспалительные процессы и как устранить их вред. Вы также откроете для себя шаманские техники, способные восстановить тело и мозг.

Часть IV, «Из тишины приходит перерождение», поможет вам избавиться от старых, нездоровых способов мышления, чтобы испытать исцеление с помощью медицины единого Духа. Вы узнаете, как отбросить затасканные сценарии прошлого и обрести новую, освобождающую личную историю. Преодолев страх потери и перемен, вы откроете новый смысл своего жизненном пути.

В **части V, «Программа "Создаем новое тело"»**, вы воплотите в жизнь то, что успели узнать. Вы посвятите этому плану семь дней и будете повторять его каждые три месяца.

Вы научитесь вносить изменения в меню и режим питания, чтобы входить в состояние кетоза и активировать те области мозга, которые позволяют испытать Единство. Вы также научитесь работать с диетическими нейронутриентами — эти вещества выводят токсины из тела и мозга, а также включают гены здоровья и долголетия. Наконец, вы узнаете, как оздоровить свою душу, восстановить живые и непорочные части себя, которые были потеряны из-за детских травм.

ЧАСТЬ I

ОТКРЫВАЕМ В СЕБЕ ВНУТРЕННЕГО ЦЕЛИТЕЛЯ

ГЛАВА 1

МЕДИЦИНА ШАМАНОВ

---

*Вы всего в нескольких днях
от хорошего самочувствия.*

У нас на Западе нет системы здравоохранения — у нас есть система ухода за больными, которая распознает тысячи заболеваний и описывает множество лекарств. Медицина единого Духа определяет только одно заболевание и дает одно лекарство. Болезнь — это отчуждение от наших эмоций и тел, от земли и Духа. Симптомы этого недуга выражены в виде физических и эмоциональных заболеваний. Лекарство — это опыт Единства, который восстанавливает внутреннюю гармонию и способствует выздоровлению от всех болезней, независимо от их происхождения.

Если наш ум, эмоции, отношения или тело выходят из строя, то мы часто игнорируем проблему, пока что-то не испортится окончательно. Наконец, нам ставят страшный диагноз, наши отношения разрушаются, умирает любимый человек — или мы просто оказываемся не в силах функционировать в повседневной жизни. Когда дела лишь немного ухудшаются, мы берем руководство по самопомощи или записываемся на соответствующий семинар. Когда все становится хуже некуда, мы пытаемся решить проблему и привлекаем экспертов: онкологов, чтобы избавиться от рака, неврологов, чтобы подлечить мозг, психологов, чтобы обрести покой и понять своих близких. Но этот фрагментарный подход к здоровью — всего лишь полумера. Чтобы по-настоящему исцелиться, нам нужно заново открыть для себя естественный рецепт хорошего самочувствия, созданный тысячелетия назад, — медицину единого Духа.

Медицина единого Духа утверждает, что лучший способ исцелить и сохранить здоровье — это планомерно *создавать новое тело*. Она видит тело как систему, а не как совокупность частей, которые можно пичкать лекарствами или заменять, если они выходят из строя. Невозможно восстановить работу сердца, не уделяя внимания кишечнику и мозгу, и наоборот. Но вы можете начать выращивать новое тело всего за семь дней. В Центре энергетической медицины, который я возглавляю, у каждого участника программы всего за одну неделю ослабевает почти семьдесят пять процентов всех симптомов заболевания. Вы можете достичь такого же результата, выполняя программу из этой книги.

Есть две пищевые привычки, которые не позволят вам создать новое тело: лишний сахар и лишний белок. Мы уже давно знаем о вреде сахара и сладких напитков. Но новая наука подтверждает правильность того, что практиковали наши предки в палеолите, которые были собирателями и не всегда везучими охотниками, — режима периодического дефицита белка. Оказывается, избыток белка отключает программы долголетия в нашей ДНК. Но об этом мы поговорим позже.

Мы все хотим, чтобы наш «период здоровья» совпадал с продолжительностью жизни. Медицина единого Духа поможет не просто лечить симптомы физических, психических и эмоциональных заболеваний, но и устранять их первопричины. Слово «исцеление» имеет тот же корень, что и слова «целый» и «цель». Когда ваш мозг избавляется от токсинов, тело начинает естественным образом восстанавливаться и обновляться, отношения перестают быть полигоном для борьбы эмоций, растворяется чувство отделенности от природы и Духа.

В основу программы «Создаем новое тело» положены следующие методы: новый способ выбора режима и состава питания, прерывистое, или интервальное, голодание, ограничение употребления белка, использование жиров как топлива для обновления мозга. Затем вы воспроизведете тщательно отрежиссированную природой встречу с невидимым миром с помощью своеобразного духовного испытания — квеста визионера, который ускоряет самовосстановление и регенерацию тела и соединяет вас с вашей самой глубокой целью. В культурах коренных народов Америки принято отправляться в дикие леса в поисках духовных видений. Первые христиане уходили в пустыню, чтобы поститься и молиться. Однако озарение может настичь визионера где угодно — даже на приусадебном участке или в шумном городском парке.

Подготовка мозга

Чтобы создать новое тело, мы должны очистить мозг от токсинов и заправить его топливом для более высокого уровня интеллектуальной деятельности.

Мать-природа программирует на долголетие все виды живых существ. Она хочет, чтобы долго жили и пчелы, и бабочки, и киты, и люди. Но ей безразлично, будет ли долгая жизнь у конкретной пчелы, кита и лично у нас с вами. Она просто программирует человека на воспроизводство. Чем больше у нас детей, тем больше шансов на выживание нашего вида. Она инвестирует в молодых и наделяет нас страстью к сексу. Поразительно, насколько быстро заживают порезы, ссадины и переломы у детей, и как трудно оправиться после аварии пожилому человеку. Молодые влюбляются, рожают детей и размножаются. Молодые сильнее всех, а выживает, как известно, сильнейший.

Природа ищет не только сильнейших, но и мудрейших. Интеллект свысока посматривает на крепкие мышцы, сухожилия и зубы. И только двум из миллионов живых видов на Земле природа позволяет дотянуть до старости. Почти у всех видов, кроме косаток и людей, самка умирает до наступления менопаузы, то есть возраста, когда она становится неспособной к размножению. У косаток и людей очень крупный мозг и высокие умственные способности. Бабушки-косатки наставляют юных внуков, показывая им бухты для удобной охоты и безопасные морские пути. А наши собственные бабушки традиционно были наставницами для молодежи, хотя сейчас эта роль постепенно обесценивается.

Природа любит разум. Древние называли эту мудрость *духовностью*. Это не религия, не фиксированный набор верований и догм о том, кто ваши враги и как устроен мир. Духовность — это исследование природы ума и ткани космоса посредством опыта, который древние называли переживанием Единства.

Позже мы узнаем из этой книги, как духовность требует от нас активации тех участков мозга, которые предпочитают сжигать жиры для получения топлива. Мы узнаем, что эти участки отвечают за творчество, исследования, музыку и науку, а также за изменение нашей биологии, позволяющее запрограммировать нас на долголетие и здоровье. Высшие мозговые центры не могут нормально функционировать на глюкозе — низкокачественном топливе, которое организм использует для повседневного выживания.

Как мы это делаем?

Сегодняшний прерывистый ритм жизни с ее стремительно меняющимися изображениями на всевозможных экранах, а также неуемными желаниями держит нас в постоянном стрессе. Нам нужно освободиться от гормонов стресса, которые формируют мышление типа «бей или беги», и начать производить химические вещества, способствующие здоровью, спокойствию и радости. Невозможно испытать Единство, просто повторяя «Ом» или произнося молитву. Вам нужна поддерживающая химия мозга. Вы можете создать ее с помощью нейронутриентов, благодаря которым шишковидная железа вырабатывает ДМТ, или диметилтриптамин — соединение, называемое «молекулой Духа».

ДМТ обнаружен не только в мозге человека, но и в природе, его производят все животные и растения, от всевозможных трав до могучих деревьев. Диметилтриптамин — основной компонент психоделического отвара аяуаска, с помощью которого целители Амазонии вызывают виде́ния и заглядывают в глубины сознания. Эта молекула блаженства обеспечивает основополагающую химию мозга, без которой невозможно испытать Единство. Мозг производит диметилтриптамин, когда мы спим, медитируем, занимаемся любовью — и особенно, когда умираем. Но он не может вырабатывать молекулы блаженства, если переполнен молекулами стресса. Сначала необходимо расслабиться и изменить режим питания.

Первым делом мы должны перейти на диету, богатую фитонутриентами, или питательными веществами растений. Корень «фито» происходит от греческого слова «растение»; фитонутриенты имеют антиоксидантные, противовоспалительные и другие удивительные свойства, присущие некоторым растениям.

Травы для питания в ходе семидневной программы «Создаем новое тело» насыщены эпигенетическими модификаторами, которые активируют более пятисот генов здоровья и отключают более двухсот генов, вызывающих болезни. Вы будете также принимать нейронутриенты, которые поддерживают здоровье мозга.

Избавление мозга и тела от токсинов играет огромную роль в восстановлении физического и психического равновесия. Вы не сможете излечить свои эмоции, если ум непрерывно мечется из-за детских травм, оставивших свой след в мозге, из-за пестицидов в пище или ртути в зубных пломбах. Добавки, которые вы будете принимать во время этой программы, помогут вам избавиться от токсинов, скопившихся в каждой клетке организма.

И наконец, необходимо обновление вашего биома, то есть восстановление тысяч видов полезных бактерий, живущих во рту, в кишечнике и на коже. Улучшение состояния кишечного биома (иногда его называют микрофлорой) поможет обновить мозг, стимулируя выработку нейротрансмиттеров, которые вам необходимы для переживания Единства.

Подготовка ума

Чтобы создать новое тело, не обязательно трясти погремушкой или бить в барабан, как это делали древние шаманы. Необходимо успокоить свой чересчур занятый ум и вернуть его к естественному, неподдельному «я» — к тому, кто вы на самом деле, без ролей и ожиданий, текстовых сообщений и списков неотложных дел, к подлинной сердцевине самого себя. Вы встретитесь с собой в тишине своего внутреннего мира во время квеста визионера и практики оздоровления души.

Шаманские упражнения помогут вам навсегда отбросить устаревшие истории из вашего прошлого, преодолеть ограничения верований и токсичного поведения, чтобы приступить к созданию новой судьбы, наполненной здоровьем и смыслом. Эти практики приведут вас к опыту Единства.

Вы доживете до ста лет

Филантропу Арманду Хаммеру приписывают такие слова: «Если бы я знал, что буду жить так долго, я бы лучше позаботился о себе». Сегодня ожидаемая продолжительность жизни шестидесятипятилетней американки составляет около восьмидесяти пяти лет, а японки — восьмидесяти семи. Мужчина и женщина должны планировать дожить до ста лет. Но стоит ли понапрасну тратить последние двадцать лет своей жизни, будучи прикованными к постели и неспособными вспомнить имена собственных внуков? Намного лучше до самых последних дней наслаждаться отличным самочувствием, юмором, жизненной силой, здоровьем и сексуальностью.

Нет сомнений, что образованные люди живут дольше. Проводя исследование, результаты которого опубликованы в *Журнале Американской медицинской ассоциации*, Радж Четти и его соавторы обнаружили, что один процент самых богатых американских женщин живут на десять с лишним лет дольше, чем один процент самых бедных, а разница в продолжительности жизни самых богатых и самых бедных американских мужчин достигает пятнадцати лет. (примечание 1 к главе 1). На ваше здоровье и долголетие влияет множество факторов: насколько хорошо вы питаетесь, занимаетесь физическими упражнениями и ухаживаете за собой, а также какую долю своего времени и энергии вы вынуждены уделять благополучию семьи. Американцы с высшим образованием тратят тридцать с лишним миллиардов долларов в год на пищевые добавки.

Каким бы ни было ваше финансовое положение, с помощью программы «Создаем новое тело» вы сможете поправить здоровье и увеличить продолжительность жизни. Для этого вы будете есть много овощей, а также жиры, некоторые белки, в том числе рыбу, и фрукты. Всем обитателям тропических лесов известны суперфуды — питательные вещества, которые я описываю в этой книге. Эти соединения запускают спящие антиоксидантные механизмы в каждой клетке, подавляют активность свободных радикалов в мозге и включают гены долголетия, которые предотвращают болезни из-за старения организма. Чтобы все это сделать, не обязательно быть богатым — достаточно быть умным.

Как я уже говорил, способ питания в программе «Создаем новое тело» основан на понимании того, что древние люди периодически испытывали дефицит белка. О рационе наших предков в палеолите написано множество книг. Некоторые из них только запутывают вопрос, но есть и блестящие работы — особенно хочу отметить Primal Fat Burner («Первобытный сжигатель жира») Норы Гедгаудас. Из других авторов мало кто жил среди потомственных растениеводов или изучал современные племена охотников-собирателей — как правило, писатель просто ознакомился с чьими-то чужими исследованиями. За годы, проведенные в Амазонии, я обнаружил, что обитатели тропических лесов питаются так же, как наши палеолитические предки, и благодаря этому не знают многих болезней, от которых сегодня умирают сотни тысяч горожан. Да, туземцы едят мясо, но не каждый день, и уж точно не в виде чизбургеров с беконом! Они могут пировать, а потом поститься, какую бы пищу им ни удалось добыть. Сегодня мы знаем, что чередование пиршества и голодания — это ключ к регенерации и созданию нового тела; нам известно, что мозг можно освободить от токсинов и существенно обновить, чтобы испытать Единство. Кроме того, помимо диеты, чрезвычайно важно жить без стрессов и накапливать опыт Единства со всей жизнью, знакомый всем коренным народам.

Чтобы обрести здоровье, не надо смотреть во все стороны. Нужно только заглянуть внутрь. И вы обретете медицину единого Духа.

ГЛАВА 2

ДУХ И НЕВИДИМЫЙ МИР

Существует океан сознания, и он универсален, хотя каждый из нас воспринимает его со своего берега. Этот мир содержит в себе всех нас, и все живые существа его переживают, но мало кто видит. Шаман — хозяин этого другого мира. Он одной ногой стоит в мире материи, а другой — в мире Духа.

Из книги «Танец четырех ветров» Альберто Виллолдо и Эрика Джендресена

Несколько лет назад я провел лето в тропическом лесу Амазонии. Один мой швейцарский знакомый, гигант фармацевтики, спонсировал эту поездку в надежде найти кору или коренья, которые могли бы стать новым сильным лекарством от рака. Ведь джунгли — это природная аптека, наполненная экзотическими растениями, возможности которых человечеству еще только предстоит открыть. Много месяцев я объезжал на каноэ затерянные деревни, где редко видели белого человека, и повсюду обнаруживал, что представители здешних племен не страдали ни от рака, ни от болезни Альцгеймера, ни от сердечно-сосудистых заболеваний даже в преклонном возрасте. Очевидно, что коренные жители этих мест знают о здоровье кое-что такое, что недоступно нам на Западе. В чем же их секрет?

Я вернулся домой с пустым рюкзаком, к досаде и раздражению моего спонсора, который ожидал, что я, как герой блокбастера, непременно привезу ключевой ингредиент для лекарства, которое и обогатит нас, и спасет многие жизни. Однако я вернулся с чем-то, что казалось мне более ценным, — мудростью целителей Амазонии, которые взяли меня под свое крыло. Я узнал, что для поддержания здоровья необходимы два волшебных компонента. Первый можно найти только в невидимой матрице вселенной — это то, что я называю Единством. Вторая составляющая здоровья — растения, которые укрепляют организм, но не предназначены для лечения каких-либо конкретных заболеваний. Я обучался у местных целителей не один год, прежде чем начал понимать, как эти два компонента работают вместе.

Когда вы прочувствовали невидимую матрицу перекрывающихся полей сознания, вы осознали, что видимый мир чувств, то есть физический мир, — это не единственная реальность. На самом деле, это даже не доминирующая реальность. Видимые и невидимые миры неразрывно связаны, а их взаимопроникновение характеризуется почти математической точностью, и открывший это для себя может легко перемещаться между ними.

Древние знали все об этих двух мирах. В индуистских Ведах невидимый мир называется акашей, или пространством, — эта область мудрости составляет основу космоса. Западная наука уверена, что космос состоит из энергии и материи, а коренные народы считают его живым, разумным полем, и называют Духом.

Второй компонент происходит из мира растений — частей кустов, кореньев и трав, которые запускают «гены здоровья» и отключают «гены болезни». Сегодня мы называем их эпигенетическими модификаторами, а ученым они известны как «активаторы Nrf2». Из следующей главы вы узнаете, как использовать эти добавки и как они работают.

Обширный и вездесущий Дух

Дух — это обширное и невидимое поле, с которым мы сотрудничаем, чтобы воплотить в жизнь мечты о будущем этого мира. Это не божество с людскими прихотями, настроениями, вспышками ревности и гнева, как у греческих и римских богов. Дух не попросит вас приносить в жертву своих первенцев, убивать неверных или сравнивать с землей города, чьи граждане погрязли во грехе. Дух — это творческая матрица, которая поддерживает развитие космоса и его обновление.

Дух всегда присутствует в вашей жизни — проявляясь в плоти и крови, вы выражаете его бесконечный потенциал. Вы и Дух неразделимы, и потому вы можете пережить на опыте Единство всего творения внутри себя. Но наше личное, индивидуальное осознавание — это лишь капля в океане всеобщего сознания. В отличие от вашего разума, который считает вас центром вселенной, ваш дух свободен от одержимости каким-либо «я».

В современном мире мы высоко ценим осознание своей индивидуальности, но она растворяется, когда мы находимся во всеобъемлющем состоянии Единства в невидимом мире.

И когда возвращается осознание «я», когда мы снова ощущаем себя в привычном мире, наши повседневные проблемы почему-то кажутся менее обременительными.

Взаимодействуя с Духом, мы обнаруживаем, что он всегда дает нам самые нужные ответы, даже если мы не сразу его полностью понимаем. И наши отношения с Духом — это отношения взаимности, поэтому, когда Дух зовет, мы должны быть готовы откликнуться на призыв, не важно, понимаем ли мы его просьбу и хотим ли ее исполнить. Библейская история об Ионе, которого проглотил кит, когда он отказался ответить на зов Всевышнего, указывает нам на необходимость чутко прислушиваться даже к Божьему шепоту.

Несколько лет назад, когда мои дети были еще маленькими, я говорил Духу, что начну следовать своему призванию, когда они подрастут. То есть использовал детей в качестве предлога, чтобы избежать выполнения своей миссии. Но если вы откладываете реагирование на зов Духа до неопределенных времен — когда накопите достаточно денег, выйдете на пенсию или хорошенько выспитесь — то контракт с ним наверняка не удовлетворит вас или не оправдает ожиданий. Когда я преподавал в Университете Сан-Франциско, у меня был один коллега. Он всегда мечтал играть на виолончели и все время твердил, что на пенсии посвятит себя музыке. Увы, через неделю после выхода на пенсию он скончался.

Гармонизирующая сила

Большинство из нас привыкло считать жизненные неприятности следствием того, что мы нарушаем правила, установленные неким сверхъестественным существом, или как-то оскорбляем богов. Но Дух — не ветреное божество, которое могло бы мстить, проверять нас на верность или требовать воздаяния. Более того, Дух — это вообще не божество. Это великая уравновешивающая сила самой жизни. Он приносит гармонию, а не наказание.

Несчастья и болезни — это просто нарушение природной гармонии. Они возникают, когда мы отдаляемся от мудрости невидимого мира, когда попадаем в ловушку ограничивающих и тревожных историй нашей жизни. Если мы видим только материальный мир, включаются наши инстинкты выживания. Мы ошибочно полагаем, что единственный способ избежать болезней, конфликтов и страданий — это борьба за выживание и влияние на других людей. Но на самом деле причины всех эти неприятностей, которых мы так стараемся избежать, заключены именно в нашей жадности, эгоизме и попытках манипулировать окружением.

Это не значит, что мы сами создаем все наши беды. Иногда то, что мы испытываем, — это последствия дисбаланса, к которому мы лично не причастны. Примером может служить лихорадка Эбола. Ее смертоносный вирус когда-то обитал лишь в одном африканском лесу площадью в двадцать квадратных километров, но после того как лес был вырублен, вирус утратил свою естественную среду обитания и быстро распространился среди животных и людей во всей округе. Многие местные жители, умершие от лихорадки Эбола, не имели никакого отношения к лесозаготовкам, однако пострадали из-за них.

Большинство микробов причиняют вред только тогда, когда ваше тело разбалансировано и иммунная система не реагирует должным образом на их вторжение. Восемьдесят пять процентов вашей иммунной системы находятся в пищеварительном тракте и регулируются флорой кишечника. Нет гарантии, что на вас не нападет смертельно опасный паразит, но всегда есть возможность предотвратить расстройство кишечной среды или устранить его. Нарушение равновесия означает, что вы отделяетесь от Духа. Чтобы воплотить в жизнь мечты о здоровье и счастье, нужно исправить отношения с Духом. Но прежде следует наладить работу пищеварительного тракта (подробнее об этом рассказывается в главе 4).

Завеса между двумя мирами

В своем стремлении к научному исследованию вселенной мы не уделяем внимания невидимой сфере ума и не знаем, что там можно найти. На Западе мы применяем разум для изучения природы с помощью математики, но забываем использовать ум для изучения самого ума. Когда вы обращаете свой ум внутрь, чтобы взглянуть на самих себя, вы обретаете покой и свободу от страданий в материальном мире. Вы находите мудрость, которая пронизывает все творение. Подобно тому, как микроскоп позволяет изучать очень мелкие объекты, разум служит инструментом для изучения невидимого мира. Но если невидимый мир так прекрасен, почему мы не проводим там все свое время?

Мудрецы говорят: мы рождены как тела в физическом мире, потому что нам предстоит развиваться и расти, обретать зрелость и мудрость. Используя метафору из физики, можно сказать, что при воплощении мы подобны фотону в состоянии частицы, а в невидимом мире мы ведем себя как фотон в состоянии волны. Состояние частицы — это наша «локальная» природа, это вещество — плоть и кровь, которые сидят на диване и читают книгу. Волновое состояние — это наша «нелокальная» природа, это поле, которое едино со всеми явлениями и простирается до самых отдаленных уголков вселенной. Когда мы умираем и покидаем это тело, мы возвращаемся к своей нелокальной природе, к волновому состоянию, к невидимому Единству. Но древние мудрецы научились переживать себя в виде поля задолго до смерти, и потому способны вкусить Единство, даже пребывая в физическом мире.

Волновое состояние, в котором мы живем между рождениями, охватывает все творение. Эта область невещественна: у нас недостаточно материи, в которой могло бы содержаться осознавание. Древние майя называли сознание, необходимое для переживания этого состояния Единства, «телом ягуара». Ягуары-шаманы — это люди, которые победили смерть, развили осознавание бесконечного волнового состояния и вернули эту мудрость своим повелителям. Вот почему все американские индейцы так почитают ягуара — эта дикая кошка символизирует путешествие за пределы смерти, обретение всеведения в мире и возвращение в физическую жизнь. Принимая мудрость ягуара, мы осознаем, что между нами и невидимым миром никогда не было запертых дверей. Невидимый мир существует в непосредственной близости от видимого, он всегда доступен. Мы в любой момент можем принести его мудрость в наш мир, чтобы обеспечить исцеление и гармонию.

Чтобы сделать это, мы активируем в мозге совокупность нейронных связей, которая позволяет ощутить общность со всеми явлениями и существами в космосе. Эти сети высшего порядка, как и все нейронные сети, состоят из соединенных друг с другом клеток мозга — из нейронов, которые обмениваются информацией и стимулируют друг друга. Они находятся в области мозга, известной как неокортекс, или «новый мозг». Эта зона отвечает за блаженство и опыт Единства, в то время как другие области больше озабочены выживанием и отделением друзей от врагов. У этой недавно выявленной части мозга есть любимый источник питания — кетоновые тела, или жиры, которые подобны реактивному топливу для мозга. Вы не сможете исследовать невидимый мир Духа с потребительским и более примитивным лимбическим мозгом, который кормится в основном сахаром и боится смерти, теней и призраков, скрывающихся в ночи.

Сегодня интерфейс между нашими органами чувств и подвластными нам устройствами постоянно открывает перед нами перспективы мгновенного доступа ко всем знаниям мира. Но это не то всеведущее осознавание, которое имеется в виду. Состояние, о котором я говорю, — это способность ума как поля испытать космос непосредственно, постичь самые отдаленные уголки пространства и времени. Это и есть волшебное зелье, которое я обнаружил в Амазонии, лекарство, способное исцелить душевные желания и помочь нам справиться со стрессами в повседневной жизни. С помощью этого зелья мы можем стать архитекторами судьбы, неотделимой от здоровья и долголетия.

Проходимость коридора между нами и невидимой матрицей регулируется сахарами в нашем рационе, избытком белка в пище и токсинами в мозге. Если мы изменим диету, восстановим свой растревоженный мозг и научимся использовать жиры в качестве топлива, мы сможем сломать врата, которые отделяют нас от Единства, доступного высшему мозгу.

Когда первые конкистадоры прибыли в Америку, коренные жители побережья Мексики не заметили их деревянных кораблей. Туземные часовые видели только вздымающиеся белые паруса. Индейцы не были ни слепцами, ни растяпами, ни безумцами. Поскольку у них не было представления о существовании таких больших лодок, их умы просто стерли то, что видели глаза. Как известно из многих исследований, наши психические отклонения настолько сильны, что мы легко игнорируем сенсорную информацию, которая не соответствует нашим предвзятым представлениям о реальности. Полтора века назад врачи смеялись над идеей о том, что инфекционные заболевания вызываются вирусами и бактериями. Если эти вредители не видны глазу — разве они могут быть реальными? Мы не понимаем, что находится прямо перед нашим носом. Наш разум отклоняет верную информацию.

Световое энергополе

Как невидимый мир Духа влияет на здоровье и исцеление? Вокруг физического тела находится световое энергетическое поле, или СЭП, которое информирует наши клетки и биомы (то есть сообщество микроорганизмов внутри тела и на его поверхности) о том, как жить в гармонии. СЭП невидимо, хотя есть люди, которые воспринимают эту энергию как ауру, цветной ореол вокруг тела человека. С помощью практики и вы научитесь чувствовать СЭП. Попробуйте это сделать прямо сейчас: несколько секунд быстро потрите ладони друг о друга, затем разведите их на небольшое расстояние и постарайтесь ощутить между ними тепло или что-то вроде статического электрического разряда.

СЭП можно рассматривать как «программное обеспечение», которое посылает инструкции по восстановлению тела вашей

ДНК — «аппаратному обеспечению». Энергополе передает их посредством мозга и нервной системы, а также через чакры, то есть энергетические центры в теле. Вы можете улучшить качество СЭП посредством медитации, прогулок на природе и молитвы. Но если вы его не улучшаете, если ваш мозг полон токсинов и энергополе не способно обновить ваше тело, то вы просто ставите свое здоровье в зависимость от неверных программ, унаследованных от семьи и рода. Вы копируете физические недуги и психологические драмы, с которыми жили и умирали ваши предки.

Нам всем хотелось бы думать, что мы выгодно отличаемся от своих родителей и в интеллектуальном плане, и в человеческом. Однако мы склонны увековечивать и нести дальше их физические и эмоциональные проблемы, в той или иной форме воспроизводя все эти беды в собственной жизни. Если мы не улучшим свое энергополе посредством опыта Единства, мы будем жить так, как жили они, и умрем подобной же смертью. В наших телах начинают развиваться раковые клетки, которые забывают о непостоянстве и хотят жить вечно, а системы нашего организма, которые должны с ними бороться, не справляются со своей задачей.

Сегодня мы знаем, что человеческий организм на девяносто процентов состоит из бактерий, то есть не из «нас самих». Только десять процентов нашего тела составлены из нашей собственной ДНК, а все остальное принадлежит биому. Значит ли это, что «я» — это всего лишь десять процентов моего объема? Нет. Мы — это энергетическое поле, которое организует эту удивительную живую колонию, обладающую чувством «я», или самости. Сто триллионов клеток моей колонии гармонично сотрудничают друг с другом, действуя через мой мозг и нервную систему. Такими нас создала природа. Несомненно, она полагала, что лучше поручить координацию всего этого одному мозгу, чем дать каждой клетке отдельный разум и право решать, что лучше для всей колонии. Это привело бы не к свободе, а к анархии.

Ваше СЭП — это биомагнитное поле, которое не заканчивается поверхностью вашей кожи, а распространяется до самых дальних уголков вселенной, уменьшаясь по интенсивности, но никогда не исчезая полностью. В вашем СЭП есть звезды и галактики.

Возможно, вы слышали выражение, что мысли материализуются; именно так это и происходит. СЭП организует физическую реальность вокруг вас, чтобы верно отражать ваши мысли и убеждения. Если вы не накапливаете мудрость в своем СЭП, но предпочитаете вариться в одних и тех же старых мыслях типа: «Мама разрушила мою жизнь, аист высадил меня не в том доме, и мой род преследуют сердечные болезни», — то все эти заскорузлые истории воспроизводятся в вашей жизни.

В восточной философии эта причинно-следственная связь называется кармой. Зависнуть в карме — не самая увлекательная перспектива

Как можно вредить Земле или другим живым созданиям, если мы все неразделимы? И наоборот, как можно пренебрегать собственным исцелением, если вы желаете заботиться обо всех собратьях?

для жизненного пути. Если вы не хотите провести значительную часть своей жизни в коридорах поликлиник и в больничных палатах, то стоит ли оставаться воплощенным результатом прошлого, будь то фамильная генетика или детская травма?

Повышая качество своего СЭП, вы усилите экспрессию генов здоровья и долголетия, и жизнь станет более естественной и полезной. Для этого первым делом следует провести детоксикацию мозга, а затем обеспечить его нейронутриентами и топливом, которые дадут вам доступ к опыту Единства. Так вы сможете обновить свое поле; я называю это загрузкой версии 7.0 программного обеспечения человека.

Сегодня повысить качество нашего СЭП намного труднее, чем сто или десять тысяч лет назад, когда наши палеолитические предки жили в восхитительном единении с природой. В прошлых столетиях не было токсинов, которые сейчас в избытке попадают в наш организм и нервную систему — пестицидов, синтетических химикатов, ртути и других ядов. Лишь изредка мы ощущаем Единство со всем творением. Независимо от того, насколько усердно мы медитируем, невидимая матрица Духа все же ускользает от нас.

Но это не обязательно должно быть так.

Наше световое энергополе служит дверью в невидимую матрицу мудрости — а там все переплетено и взаимосвязано, каждая мысль воздействует на каждую клетку тела и молекулу космоса. Физика предлагает подходящую метафору — явление, известное как квантовая запутанность. Две частицы могут быть таинственным образом связаны: даже когда они находятся на противоположных концах галактики, при изменении спина одной из них тут же меняется спин второй. Сначала ученые подумали, что свойство запутанности может указывать на наличие доселе неизвестного способа передачи информации быстрее скорости света. Позже они поняли, что это просто природа связанных частиц. Мои учителя, мудрецы из Амазонии и Анд, считают, что квантовая запутанность — это природа всего творения и мы все связаны именно так. Вот почему они — и многие другие индейцы Америки — называют всех живых существ своими сородичами.

Участвуя во всеобщем осознавании Творения, вы поймете свое Единство со всеми существами и с природой. Как можно вредить Земле или другим живым созданиям, если мы все неразделимы? И наоборот, как можно пренебрегать собственным исцелением, если вы желаете заботиться обо всех собратьях? Когда вы пробуждаете в себе открытость Единству, желание заботиться о себе за счет других становится невозможным.

У каждого из нас есть свой список текущих дел, а пребывание в состоянии Единства не облегчает нам решение практических задач. Но как только вы ощутите взаимосвязь с космосом, содержание этого списка с большой вероятностью изменится и вам будет легче справляться с повседневными обязанностями без вреда для самих себя.

Пробуждение невидимого «я»

Во время ночного сна мы бодрствуем в сновидениях. Во время дневной активности мы крепко спим в той области, где происходят сновидения. Сны, медитация, глубокое созерцательное изучение, музыка и молитва — это обычные способы изучения невидимого мира. Но мгновения этого опыта мимолетны, и они исчезают, едва мы добираемся от кровати до кофеварки. Погружаясь в сон, мы оказываемся во вневременном мире, встречаем там давно умерших родственников или гуляем среди фантастических пейзажей. Но какими бы яркими ни были эти переживания, после пробуждения они улетучиваются. На Западе психологи, обученные анализу сновидений, — это чуть ли не единственные люди, которые понимают важность сферы сновидений. Однако жители Амазонии, у которых я учился, каждое утро рассказывали свои сновидения, чтобы находить в них ответы на насущные вопросы или извлекать из них мудрость, которой стоило бы поделиться с соседями по деревне.

Замечали ли вы, что во сне у вас обычно не бывает физического тела, вы почти никогда не наталкиваетесь на столы или стулья? В сновидениях мы — это чистое осознавание. В невидимом мире мы бесформенны и лишены самости в бесконечном и блаженном пространстве. Мы — это наше энергополе. Только в видимом мире мы натыкаемся на столы, падаем с обрыва, встречаем страдания и болезни — и, конечно, учимся и растем. Коренные племена не воспринимают воплощенную жизнь как единственную окончательную реальность: их первичная реальность — это невидимая сфера Духа, а световое поле — это долговечная сущность самого себя.

Создавая новое тело, вы углубите понимание своей природы как единства духовного и физического, волны и частицы. Это неизбежно. Вновь осознав себя бессмертными, вы сможете жить без страха.

Это осознание изгонит страх смерти из каждой клетки вашего тела. Высший мозг покажет вам, что за одной жизнью следует другая, а смерть есть лишь кратковременное изменение статуса, переход от видимого существования к невидимому.

А открытие вневременного себя позволит вам создать новое тело, которое излечивается, стареет и умирает иначе.

ГЛАВА 3
СВЕРЖЕНИЕ КОРОЛЯ-ТИРАНА

Знайте, что разум безумен.

В музеях и парках культуры и отдыха внимание детей привлекают фигуры самого жестокого ящера древности, которого мы знаем как тираннозавр рекс или Ти-рекс. Возможно, спинозавры и гигантозавры превосходили рекса своими размерами, а диплодок и апатозавр были даже в несколько раз крупнее его, но именно ему выпало счастье первым создать свой бренд — на рубеже XX века толпы викторианцев[1] охотно покупали билеты, чтобы поглазеть на скелет этого чудовища. Страшный ящер получил имя, вызывающее у восьмилетнего ребенка трепет и мурашки, и обрел мифологическую репутацию короля-тирана, который уничтожит нас, если мы не подчинимся его могуществу. Хотя сегодня мы знаем, что тело тираннозавра, скорее всего, покрывали перья, наше воображение по-прежнему рисует его

---

[1] Англичане в период правления королевы Виктории (1837–1901) (прим. ред.).

непобедимым хищником с толстой и грубой, непробиваемой шкурой.

Могущество свирепого правителя заметно и в вольерах зоопарка для крупных кошек. Когда за стеклом зевает лев, его острые клыки в разверстой пасти поражают наше воображение. Конечно, многим известно, что по-настоящему серьезную опасность представляет более миниатюрная охотница-львица, а самец выполняет скорее роль ее телохранителя — но все же возбужденные толпы посетителей не обращают внимания на табличку рядом с вольером и благоговейно взирают на «царя джунглей».

Клыкастый рекс и осанистый лев кажутся могущественными, потому что образ управляющего нами грозного существа глубоко укоренен в человеческой психике. Понятие воина-правителя усвоено настолько глубоко, что мы думаем о рациональном разуме как о доминирующей силе, которая господствует над нашими мыслями, чувствами, телом и духом. С пеленок нам твердили, что именно большой и сложный мозг отличает нас от представителей животного мира. Обычный разум искренне видит себя хозяином, полагая, что он управляет нашими мыслями, эмоциями и жизнью в целом. Мы верим, что достаточно изменить разум — и изменятся наши привычки, пристрастия, отношения и чувства. Поэтому мы продолжаем менять мышление, не пытаясь улучшать отношения с людьми, поправлять здоровье и контролировать эмоции.

Правда состоит в том, что мы не можем по-настоящему изменить разум, не изменив мозг. И хотя разум не находится в мозге, он действует посредством мозга и нервной системы. После того как вы произведете детоксикацию мозга и начнете синтезировать в нем молекулы природного блаженства (диметилтриптамин), вы сможете преобразовать токсичные отношения, улучшить здоровье и обновить эмоции. Тогда вы обнаружите, что обычный разум не может служить основным инструментом для создания здоровья, изобилия, любви и благополучия. Это не значит, что он не сумеет помочь нам исцелиться. Связь между разумом и телом уже давно признана важным фактором влияния на здоровье и болезни. Разум, о котором я говорю, — это лимбическая система мозга, которая уверена в своей власти над нашей жизнью, но при этом живет в бедности, гневе и страхе. Именно этот мозг руководил нашими неандертальскими родственниками, именно он бунтует, когда все складывается не так, как ему хочется, и жаждет командовать парадом.

Вы откроете для себя более эффективный инструмент — отношения с Духом и невидимым миром. Но для этого нужно подключить к делу высший мозг, который способен иметь духовный опыт. Невозможно контролировать духовные переживания, им нужно просто отдаваться. Это функция более высокого разума, с которым мы соприкасаемся, когда начинаем использовать жиры в качестве топлива и сжигать кетон бета-гидроксибутират. Без этого мы будем похожи на ацтекских часовых, которые пропустили деревянные корабли европейцев, потому что никогда не видели таких массивных объектов в своей обычной реальности.

Владыка рассвета

Начиная карьеру в антропологии, я посещал общества, которые жили как их палеолитические предки. Там я с удивлением обнаружил, что в жизни этих людей на каждом шагу присутствует сакральное. Многие их легенды повествуют о небесном существе, которое исходило всю землю и привносило мудрость. Его звали

Кетцалькоатль — это был пернатый змей, владыка рассвета у ацтеков и хопи. Божество Кетцалькоатль связано с утренней звездой Венерой. Легенды гласят, что он возвращается в каждую новую эру, чтобы привнести обновление и мудрость, и представляет наше собственное бесконечное возвращение на землю, жизнь за жизнью. Его задача — постоянно обновлять плодородную почву, восстанавливать ваше тело, мышление и место, где вы живете. Кетцалькоатль учит, что смертное существование быстротечно и потому его необходимо оберегать и защищать, поскольку физическое тело чрезвычайно трудно обрести. Стоит прожить долгую и здоровую жизнь, чтобы выучить уроки этого мира. Шаманы обнаружили растения, богатые фитонутриентами, которые способны обеспечить нам хорошее здоровье в этой короткой жизни.

Наши предки-земледельцы в основном жили за счет сахаров. Наше тело и мозг по-прежнему страдают от последствий этих перемен в питании. Мозг, пропитанный сахаром, становится вялым и недалеким.

Между людьми и растительным царством существует удивительное сотрудничество. Мы идеальные симбионты: кислород, который при фотосинтезе выделяется растениями, дает жизнь людям, а углекислый газ нашего выдоха обеспечивает рост растений. Растения превращают солнечный свет в вещества, которые мы поедаем. Для наших предков выживание в дикой природе было естественным результатом уважительного с ней обращения. Чтобы знать, какие ягоды питательны, а какие ядовиты, и уметь находить съедобные коренья, людям нужно было общаться с растениями настолько тесно, что сегодня большинству из нас это показалось бы невероятным.

Индейцы, продолжающие традицию уважительного диалога с природой, скажут вам, что качества растений они познают не методом проб и ошибок. Нет, растения сами обращаются к ним. Шаманы обнаружили такие их виды, которые не лечат болезни, а создают здоровье.

Путешествуя по Амазонии, я заметил, что существуют две разные категории растительных снадобий. В первую входят лекарства от конкретных болезней. Например, если у вас болит голова или от малярии поднимается температура, вы пойдете к дереву, которое я называю аспириновым — белой иве, или хинному дереву, и приготовите настой из его коры. Такова медицинская практика на Западе: мы лечим симптомы.

Другая категория растений создает здоровье. Они помогают создавать новое тело, включают в каждой клетке гены долголетия, очищают мозг и запускают естественное производство плюрипотентных стволовых клеток. Они усиливают Nrf2, главный регулятор старения и детоксикации организма. В Амазонии в число таких растений входят кошачий коготь и десяток видов шиуауако. Китайские мудрецы уже более двух тысяч лет используют женьшень, а шаманы давно привлекают на службу здоровью нейропротекторные свойства растений, их способность включать производство нервных стволовых клеток, запускать гены долголетия (SIRT-1) и детоксикацию мозга (примечание 1 к главе 3).

Похожие свойства есть у овощей семейства крестоцветных, в том числе брокколи и брюссельской капусты, а также у пряностей, например у куркумы и черного перца. Они богаты фитонутриентами, которые выводят токсины и улучшают работу мозга. Этот тип растительных лекарств помогает включить схему, которая сильнее тиранического разума. Мы подробно рассмотрим эти суперфуды в главе 6, поскольку они необходимы для создания нового тела.

Как же мы утратили эту тесную связь с Духом и миром природы? Когда мы перестали разговаривать с реками и деревьями? Антрополог Джаред Даймонд утверждает, что десять тысяч лет назад, во время так называемой аграрной революции, люди сменили палеолитическую диету охотников-собирателей на диету, основанную на злаках. Даймонд называет этот диетический переход «самой страшной ошибкой в истории человечества» (примечание 2 к главе 3). По его словам, она привела к столетиям войн и конфликтов и породила общество жестоких господ, безжалостных воинов и несчастных рабов.

Благодаря диете, основанной на пшенице, ячмене, рисе и кукурузе — злаковых, обладающих высоким гликемическим индексом и повышающих уровень глюкозы в крови, наши предки-земледельцы в основном жили за счет сахаров. Наше тело и мозг по-прежнему страдают от последствий этих перемен в питании. Мозг, пропитанный сахаром, становится вялым и недалеким. В главе 4 вы больше узнаете о злаковых и о том, насколько они токсичны для пищеварительной системы и мозга, а также о вредном воздействии глютена — белка злаков.

Подъем сельского хозяйства привел к возникновению систем, в которых выживание и безопасность зависели от могущественного богоданного царя, способного сплотить воинов для защиты пастбищ, крестьян и зерновых складов. Люди стали опасливыми и воинственными. Прямой опыт божественного уступил место религиям, которыми правят торговцы влиянием и посредники между Богом и человеком.

Нам нужно вернуть связь с Духом и природными силами в уравнение исцеления. Чтобы обрести мир внутри себя и жить в гармонии со всеми существами на планете, необходимо перестать хранить верность тираническому мышлению, которое подпитывается сахарами и злаками. Мы должны вернуться к растительной диете древних людей и их способу переживания Единства космоса.

Чтобы достичь этого, нужно обновить нашу нейронную сеть.

Лимбический мозг и нейронные сети, отвечающие за страх

Когда разум становится тираном, он запускает древние программы выживания в лимбическом мозге, и первичной эмоцией становится страх. Будучи во власти этой эмоции, мы повсюду видим опасность. Программы лимбической системы мозга известны как «четыре "п"»: питаться, пугаться, противоборствовать и прелюбодействовать. Когда вы чувствуете грусть или неуверенность, лимбический мозг жаждет сладкой, комфортной пищи. Кормите его сахаром, и этот мозг будет всегда работать на тусклом уровне сознания, не позволяющем воспринимать Единство.

Этот мозг помог нам пережить ледниковый период, он одержим едой и сексом, жаждет алкоголя и наркотиков, склонен к агрессии, эмоциональной закрытости и самосохранению. Когда мы прекращаем поставки сахара, инстинкты этого мозга ослабевают, а инициатива переходит к неокортексу — «новому» мозгу, который позволяет учиться, творить и формировать будущее. Неокортекс запрограммирован на красоту, где бы мы ее ни находили — в музыке Моцарта или в элегантном решении математической задачи. Чтобы по-иному переписать программы древней лимбической системы, новому мозгу нужны кетоны. На углеводной диете он рассеивается, эпизодически разражается творческими откровениями, но не приближается к устойчивой мудрости.

Лимбический мозг, движимый поиском удовольствий и эмоциональных драм, не вдохновляется духовными открытиями. Он согласен отдаться религиям, которые превращают его предрассудки и опасения в божественные заповеди и отвечают базовым потребностям выживания. Он не жаждет изысканного танца с Единством.

Лимбический мозг развивался, пока мы тихо сидели у берега реки или наблюдали, как лениво садится солнце над африканской саванной, он не приспособлен к ритму цифрового мира. В состоянии стресса нас одолевают примитивные эмоции, мы слепнем от ревности или ярости, нас парализуют страхи или пронизывает тревога, из-за чего мы не можем мыслить объективно. В перевозбужденном состоянии лимбический мозг монополизирует весь нервный аппарат, ограничивая приток крови к лобным долям и блокируя творческие решения проблем.

Часто мы даже не сознаем, что действуем из инстинктивного страха. Мы думаем, что мир коварен, а за поворотом нас подстерегают тигры или вредные вирусы, и нам недостаточно ресурсов для спасения, причем смерть означает конец нашего существования. Подобные верования впечатаны в нейронные сети лимбического мозга. Мы укрепляем их всякий раз, когда погружаемся в темные или страшные мысли.

Нейронные сети — это информационные магистрали, которые быстро интерпретируют все, что мы воспринимаем посредством органов чувств. Они говорят нам, что красный цвет означает опасность, а зеленый разрешает движение, или подсказывают, кто сексуален, а кто нет. Они хранят динамическую картину нашего мира и схему работы нашей реальности. В них содержатся дорожные указатели, звуки, запахи, детские воспоминания и переживания. Многие из наших картин реальности формировались еще в утробе матери, когда гормоны стресса проникали к плоду через плацентарный барьер. И если ваша мать не была уверена, что партнер сумеет защитить ее и ребенка, то в вашей реальности вас будут окружать ненадежные люди, а мир не станет поддерживать ваши начинания. Если же мать могла спокойно рассчитывать на возлюбленного, семью и общество, то ваша картина откроет мир, на который можно полагаться, и именно на этой реальности будут строиться ваши отношения с людьми.

Сначала нужно очистить мозг. Помните, что яды из пищи и воды хранятся в жировых клетках, а мозг в основном состоит из жиров.

Эти нейронные сети укрепляются по мере того, как правильность картины подтверждается повседневным опытом. Каждый раз, когда вы мыслите привычным образом, создается все больше связей между нейронами. С годами этот способ мышления превращается в проторенную дорогу, а в конце концов остается единственным используемым маршрутом. Сканирование мозга безошибочно показывает, как «светятся» нейронные сети в определенной области мозга, когда вы погружаетесь в те или иные мысли. Верно также и обратное: когда нейронная сеть выходит из употребления, при сканировании мозга в этой области обнаруживается пустота. Таким образом, даже если во время медитационного ретрита вы испытали духовное пробуждение, необходимо предпринять сознательные усилия, чтобы укрепить это понимание, иначе все прозрения улетучатся, как только вы вернетесь к обычному, повседневному существованию.

Нейронные сети делают нас рабами привычек. Мы очень рано перестаем мыслить новаторскими и оригинальными способами.

Фактически большинство наших нейронных сетей фиксируется еще в раннем возрасте, когда мы прекращаем строить в своих фантазиях воздушные замки. А травмирующий детский опыт лишает нас устойчивости и творческого настроя, подтверждая негативные убеждения о реальности и укрепляя соответствующие нейронные пути в лимбической системе. Ранние травмы коррелируют с алкоголизмом, сердечно-сосудистыми заболеваниями, депрессией, подростковой беременностью и негативными поступками, которые, в свою очередь, изменяют наш мозг (примечание 3 к главе 3).

Детские страхи, гнев, страдания и чувство покинутости, закодированные в нейронных сетях, заставляют нас повторять основные темы этих воспоминаний, даже если мы не помним сами события. Размышляя о собственной жизни, я замечал, что всегда страдал от потерянной любви, обиды и заброшенности. И страха. Десятилетия назад я приехал на лето в Нью-Йорк и пришел в свое новое жилище жарким и душным днем. На ступеньках у входа сидела группа накачанных парней в мокрых от пота футболках. Я был уверен, что попал в квартал грабителей и убийц. Позже я обнаружил, что это мои соседи, познакомился с ними и понял, что они отличные ребята. Я неосознанно наложил страшные детские воспоминания на встречу с этими ни в чем не повинными парнями.

Психологические темы определяют атмосферу в семьях, передаются от родителей к детям. В Амазонии это называют проклятием поколений. Они могут вызвать болезни сердца или рак. Аутоиммунные заболевания, при которых иммунная система атакует собственные клетки тела, часто возникают в семьях с нечеткими эмоциональными границами — родственникам трудно отличать свое от чужого.

Бывает, что мы прилагаем огромные усилия воли для изменения своих привычек, но часто возвращаемся к старым схемам из-за наших бдительных нейронных сетей. Хорошая новость состоит в том, что мы можем заново перестроить нейронные сети, заложив в них потенциал радости и здоровых впечатлений. Но сначала нужно очистить мозг. Помните, что яды из пищи и воды хранятся в жировых клетках, а мозг в основном состоит из жиров. Невозможно проложить новые нейронные сети, способствующие счастью, творчеству или любознательности, если клетки мозга поражены токсинами.

Нейропластичность

Нейропластичность, то есть механизм, посредством которого наши переживания влияют на функционирование и структуру мозга, — относительно новое понятие. Тем не менее это передовое открытие лишь подтверждает те знания о воздействии окружающего мира на мозг, которые тысячелетиями передавали разные мудрецы. Не так давно мы полагали, что мозг развивается в детстве, а потом остается неизменным до конца жизни. Сегодня мы знаем, что отдельные нейроны меняются в ответ на травму, в результате прозрения или нового постижения, и в некоторых случаях может произойти даже крупномасштабная трансформация мозга, которую иногда называют кортикальным переназначением.

Нейронные сети действуют как фильтры — они отсеивают определенные переживания, позволяя нам воспринимать лишь ограниченный кусок реальности. Поэтому, как те самые ацтекские часовые, мы не замечаем вражеских кораблей, которые впоследствии оказываются столь заметными. При первой встрече с человеком мы не считаем эмоциональные предупреждающие знаки, а потом запутываемся в токсичных отношениях.

Ваши нейронные сети создают пророчества, которые исполняются сами собой. Если вы верите, что мир полон воров и лжецов, то именно с ними вы и столкнетесь. Разговорная психотерапия не очень эффективна в деле демонтажа нейронных сетей, сформировавшихся в результате детской травмы. Слишком часто она только закрепляет старые сценарии, вместо того чтобы помочь нам составить новые.

Исследования показывают, что мозг может перенастроить себя очень быстро, то есть старая цирковая собачка вполне способна освоить новые трюки. В 2005 году было проведено исследование, в рамках которого мозг студентов-медиков сканировали до и после экзаменов. Через несколько месяцев количество серого вещества в мозге молодых врачей значительно возросло, следовательно, обучение четко формирует новые нейронные сети и увеличивает объем мозга (примечание 4 к главе 3). С 2000 года ученые все больше обнаруживают, что нейрогенез — рождение новых клеток мозга, происходит *регулярно*, особенно в гиппокампе, то есть структуре мозга, связанной с обучением и памятью. Шаманы не читали научных докладов, но сами нашли растения, которые запускают производство нервных стволовых клеток.

Поверхностная встреча с Единством в разрозненной среде лимбического мозга может помочь вам перестроиться на другую полосу движения умственной супермагистрали, чтобы взглянуть на мир новыми глазами. Станет легче отбрасывать старые истории и писать новые, более интересные и полезные. Они помогут вам жить в благодати и без страха.

Сегодня мы обладаем научными знаниями — и первым делом избавляем свой мозг от токсинов, которые мешают испытывать Единство.

ЧАСТЬ II

ИЗБАВЛЯЕМСЯ ОТ ПРЕЖНИХ ПРИВЫЧЕК

ГЛАВА 4

ОСВОБОЖДАЕМ КИШЕЧНЫЙ МОЗГ ОТ ТОКСИНОВ

Я слушаю свой желудок и заставляю себя медитировать в ответ на его стоны. Мне кажется, что я вижу, как стенки моего желудка трутся друг о друга, мышцы напрягаются, и каждое сокращение вызывает у меня забытый образ из детства: мать, отец, пляж, счастье. Отец ушел. Испуг. Одиночество. Подростковый возраст, любовь, ложь, тщеславие и обман — все в одном. Кому молиться о прощении, если я больше ни во что не верю?

Хайрам Бингхем открыл Мачу-Пикчу, а я решил пройти по его следам через джунгли Перу к мифическому Городу света инков. Любопытно: когда «цивилизованному» путешественнику показывают места, где веками жили дикие племена, этого человека называют первооткрывателем — как будто туземцы скрывали свои жилища от остального мира.

Сейчас я нахожусь в пещере чуть ниже заброшенных руин. Три дня я буду голодать, прежде чем войти в цитадель. Шаманы говорят, что иначе я не сумею понять «духовность» Мачу-Пикчу. Тогда вместо незримого города над руинами я увижу всего лишь нагромождение камней. Смогу ли я заглянуть сквозь туман, раздвинуть завесы перед древним дворцом?

Но почему я должен делать это натощак? Старик сказал: «Так ты сможешь встретить зверя внутри себя и оставить его за пределами этих руин». Зверем оказывается все мое прошлое: поиски славы, замаскированные под приключения, и ласкающие мое эго успехи в деле раскрытия сокровищ древних культур. Зверь — это я сам.

Все невысказанные обиды, испорченные отношения, все печали и радости — удивительно, какие вещи всего за пару дней успевают выйти на поверхность, когда вы отказываетесь от трехразового питания. Я знаю, что даже при моей стройной комплекции в моем теле достаточно жира, чтобы месяцами обходиться без пищи. Но голод — великий учитель. Неудивительно, что западная психология — и оральная, и анальная.

Из «Танца четырех ветров» Альберто Виллолдо и Эрика
Джендресена

В кишечнике у вас есть второй мозг, и он так же важен, как его собрат в черепной коробке. Этот второй мозг представляет собой сеть из более чем ста миллионов нейронов, которые напрямую сообщаются с головным мозгом. Эти нейроны образуют сетчатую оболочку, окружающую весь ваш пищеварительный тракт, — своеобразную трубку примерно десятиметровой длины, которая проходит от рта до ануса. Этот «кишечный мозг» не имеет отношения к поэзии, любви и философии, не задается вопросом, есть ли жизнь после смерти. Его работа — ежедневное усвоение пищи, он расщепляет ее для извлечения питательных веществ, поглощает эти вещества, а затем устраняет отходы. Кишечник обменивается информацией с головным мозгом посредством блуждающего нерва, который проходит через всю брюшную полость и сообщает мозгу, насколько вы голодны или сыты, а также передает свои инстинктивные сообщения.

Желудок производит девяносто процентов всего серотонина, содержащегося в организме. Серотонин — это одновременно и гормон, и нейротрансмиттер, он играет решающую роль в развитии переднего мозга, области неокортекса, где происходит обучение и переживаются духовность и высшие эмоции, например любовь или проявление альтруизма. Серотонин также способствует образованию нейронов в гиппокампе — области мозга, позволяющей получать и усваивать новый опыт. Когда эта часть мозга повреждена гормонами стресса — кортизолом и адреналином, мы больше не учимся ничему новому. Мы живем в мире «был там, сделал то-то», мы не способны к новым переживаниям, прозрениям, открытиям или новой влюбленности. Вы видели, как пожилые супруги гуляют в парке, нежно держась за руки? Вам нужен серотонин, чтобы поддерживать этот уровень влюбленности — каждое утро просыпаться рядом с одним и тем же человеком и всякий раз открывать для себя что-то новое.

В гаснущем свете вечерних сумерек наша шишковидная железа превращает серотонин в мелатонин, давая таким образом мозгу сигнал, что пора отпустить обычный мир и вступить в царство сна и сновидений. Серотонин — вероятно, самый древний и универсальный гормон в эволюции, его находят в растениях, животных, грибах и даже бактериях. Некоторые называют его гормоном «хорошего самочувствия» или «счастья». Он химически аналогичен диметилтриптамину — «молекуле Духа», описанной выше. Но если флора кишечника повреждена, она не будет вырабатывать серотонин, и вы не сможете производить молекулы блаженства или наслаждаться поэзией Руми.

Если несчастливы микробы в вашем животе, то несчастливы и вы, даже если вы прочли сотню книг по самопомощи и по много часов в день занимаетесь йогой.

Сегодня многие западные искатели используют диметилтриптамин как портал в духовную территорию, хотя раньше только шаманы и туземные психонавты обладали монополией на эту область человеческих знаний. «ДМТ может… по-настоящему раскрыть слои вашего эго, — объясняет Митч Шульц, режиссер документального фильма «ДМТ: Молекула Духа» о новаторском исследовании психиатра Рика Страссмана в области духовного опыта. — Снимая слой за слоем, вы все больше обретаете совершенное осознавание своего существа. И для меня, с вашего позволения, это реальнее реального. Это живее, чем та галлюцинация, в которой мы живем изо дня в день».

Под воздействием того количества диметилтриптамина, которое вырабатывает шишковидная железа, мы не сможем «увидеть» музыкальные ноты или испытать психоделические видения. Однако его достаточно, чтобы мы пережили опыт

Единства и взаимосвязи со всем творением. Избыток серотонина нужен для того, чтобы медитировать, заниматься любовью, прощать себя и других. В этом вам поможет забота о здоровье кишечного мозга, в котором и производится серотонин. Добавление в пищу незаменимой аминокислоты триптофана позволит повысить уровень серотонина, уравновесить настроение, лучше спать и поддерживать выработку ДМТ.

Западная медицина игнорирует кишечник

Западная медицина делает все возможное, чтобы свести к минимуму разрушения, вызываемые нашими дурными пищевыми привычками и малоподвижным образом жизни. По данным Фонда семьи Кайзер, девяносто процентов американцев старше шестидесяти пяти лет постоянно принимают как минимум один прописанный им лекарственный препарат (примечание 1 к главе 4). У нас есть тысячи снадобий для лечения симптомов, но вряд ли хоть одно из них способно устранить первопричины расстройства, которое ведет к болезням.

Многие недуги современной жизни начинаются в кишечнике, причем нарушения в колонии кишечных микроорганизмов влияют на функционирование головного мозга. Когда в биоме преобладают вредоносные бактерии, они производят токсины, которые разрушают иммунную систему и ухудшают настроение. Если несчастливы микробы в вашем животе, то несчастливы и вы, даже если вы прочли сотню книг по самопомощи и по много часов в день занимаетесь йогой.

В вашем кишечнике есть от десяти до двенадцати слоев полезных бактерий, которые отвечают за превращение рыбного филе, брокколи или омлета в *вас самих* и вырабатывают все необходимые вам витамины. Каждый слой составляют разные виды микроорганизмов; после «обеда» бактерии первого слоя «какают» — и этими отходами питается население следующего слоя. Каждый слой питается испражнениями предыдущего — и так до тех пор, пока самый последний из них не «облегчится» аминокислотами, витаминами и минеральными веществами, необходимыми нашему телу для роста и восстановления. Мы — самая нижняя ступень этой пищевой цепочки!

Подумайте об этом, когда в следующий раз потянетесь к черничному кексу или насыщенному сахаром батончику. Придется ли это блюдо по вкусу крошечным жителям вашего кишечника? Или они расстроятся, потому что на самом деле им нравятся овощи, богатые клетчаткой, а также жиры и белки, которые легко превратить в нужные нам аминокислоты?

Антибиотики эффективно убивают нежелательных паразитов в организме, но при этом они без разбора уничтожают и полезные бактерии, которые *необходимы* в нашем биоме. Эта атака на флору наносит ущерб кишечнику. Полный курс антибиотиков способен разрушить пять или шесть слоев бактериального «бутерброда» в желудочно-кишечном тракте. В этом случае, даже если вы едите очень полезные для здоровья органические продукты, их питательные вещества не усваиваются, потому что исчезли полезные бактерии, которые выполняли нелегкую работу по расщеплению пищи. А плохие микробы между тем развивают устойчивость к нашим лучшим антибиотикам, вынуждая докторов бороться с ними все более мощными средствами, которые наносят еще бóльший ущерб чувствительной микрофлоре. Многие фирмы торгуют пробиотиками — хорошими бактериями для пополнения кишечного биома, однако скоро вы узнаете, почему прием этих веществ редко дает ожидаемый эффект.

Даже если вы давно не принимали антибиотиков, они могут влиять на ваш кишечный биом, пробираясь к вам неожиданными путями! Знаете ли вы, что семьдесят пять процентов всех антибиотиков, продаваемых в США, покупают фермеры? Они кормят этими препаратами свой скот, который затем попадает к нам в тарелку и в конце концов в *наши тела*. Вот почему так важно покупать экологически чистое мясо без антибиотиков.

Микроорганизмы кишечника весьма разумны — так же, как разумны муравейники или колонии пчел. Наша флора хочет защитить здоровье своего сообщества и относится к вредным пришельцам с такой же неприязнью, как и мы сами. Если она здорова, то защищает нас от вторжения паразитов и вирусов. Когда она повреждена, всего десять бактерий сальмонелл способны вызвать желудочно-кишечную инфекцию, из-за которой у вас поднимется температура и вы будете часто бегать в уборную. Для возникновения такой же инфекции при сильной микрофлоре требуется более миллиона таких бактерий (примечание 2 к главе 4).

На Западе, если вы страдаете от беспокойства, депрессии или затуманивания мозга, большинство врачей или психологов не станут обращать внимание на баланс между полезной и бесполезной флорой вашего кишечника. А гастроэнтеролог вряд ли полюбопытствует, не испытываете ли вы психический или эмоциональный стресс. Недавно я привел свою маму к врачу, и тот начал прием с вопроса: «Какие лекарства вы принимаете?» В тот же день я привез к ветеринару свою собаку, и доктор первым делом спросил: «Чем вы ее кормите?» Я решил, что если заболею, то лучше обращусь к ветеринару!

Мы знаем, что наши мысли, убеждения и чувства влияют на физическую структуру мозга. Мы также знаем, что кишечник регулирует наше настроение, и дисбаланс флоры способен вызвать депрессию и тревожность. Как только вы обновите свой кишечник с помощью суперпробиотиков из главы 6, вам станет легче менять привычки и взаимоотношения.

Задайте себе следующие вопросы:

• Хорошо ли я сплю?
• Могу ли я утром, после пробуждения, вспомнить свои сны?
• Могу ли я осознавать свои сновидения и понимать, что сплю?
• Быстро ли я учусь?
• Легко ли мне адаптироваться к новым ситуациям?
• Могу ли я оставить рабочий стресс в офисе и не тащить его домой?

Если на любой из этих вопросов вы ответили «нет», вам нужно обновить кишечник.

Токсины, ухудшающие работу мозга

В нашем кишечнике содержится более тысячи разновидностей полезных микробов, так что один исследователь называет их «реальным зоопарком бактерий». Их число в десять раз превосходит количество клеток, которые мы можем определить как «собственно наши». Как я уже сказал, колонии микробов на коже, во рту и кишечнике не любят чужаков, и особенно им не нравятся крупные условно-патогенные грибки, такие как *Candida albicans,* которые обильно размножаются при питании сахаром и злаками. Кандидозные инфекции сегодня стали эпидемией, и мы совершенно не умеем их лечить.

Плод в утробе матери свободен от микробов. Затем, проходя по родовым путям, ребенок начинает приобретать миллионы бактерий, которые позже составят его биом. Это одна из причин, по которой грудное вскармливание так важно: из материнского молока и кожи вокруг соска новорожденный получает полезные микробы, которые становятся частью его кишечной флоры. Еще больше микробов попадают в кишечник позже, когда ребенок начинает исследовать окружающий мир — сосать пальцы ног, целовать родителей и домашнего пса, а также грязными руками запихивать в рот разные предметы. Один из моих друзей-микробиологов недавно предположил, что люди целуются с одной целью: чтобы наши внутренние жильцы проверили, поладят ли они друг с другом!

Площадь нашей кожи составляет чуть менее двух квадратных метров — а поверхность кишечника приближается к двумстам восьмидесяти квадратным метрам. Это сравнимо с площадью теннисного корта (без забегов и боковых коридоров). Посредством потребляемой пищи наш кишечник постоянно тестирует окружающую среду. Можно прямо сказать, что основное средство взаимодействия с миром — это кишечник, а не руки, не кожа и не разные гаджеты. Желудочно-кишечный тракт не сможет правильно функционировать, если в нем не будет достаточно разнообразной и полезной флоры. Если же мы принимаем антибиотики, то производим «зачистку» всей кишечной флоры, как вредной, так и дружественной.

Мы уничтожаем популяцию многих бактерий, но не грибков Candida, которые затем счастливо размножаются.

Из следующих глав этой книги вы узнаете, как восстановить кишечник и устранить возбудителей кандидоза, используя пробиотики, которые можно самостоятельно приготовить дома.

Токсическое действие грибков Candida

Почти в каждом кухонном шкафу вы найдете самый смертоносный из токсинов — сахар. Типичный взрослый американец за год съедает почти семьдесят килограммов чистого сахара, включая кукурузный сироп с высоким содержанием фруктозы, а также заменители сахарозы, такие как аспартам, сахарин и сукралоза (примечание 3 к главе 4). Основными источниками потребляемого сахара служат обработанные злаки. Даже в тех продуктах, которые мы не считаем сладкими, например кетчупе, арахисовом масле и йогурте, часто содержатся сахар или его заменители. Этот восхитительный греческий йогурт, который вы едите на завтрак и считаете невероятно полезным, может содержать больше сахара, чем банка пепси-колы. Поэтому обязательно просматривайте таблицу химического состава и энергетической ценности продуктов, чтобы выявлять скрытые источники сахара!

Кто-то может подумать, что в чай лучше добавлять не сахар, а его заменители. Но искусственные подсластители могут оказаться еще более вредными. Поддельные сладости сбивают с толку ваш мозг, заставляя его ожидать еды даже тогда, когда вы не очень голодны. В результате вы удовлетворяете свою тягу к насыщению с помощью настоящих сахаров и злаков — той самой пищи, которая питает дрожжевые грибки Candida в кишечнике и приводит к увеличению веса.

Сахар во всех формах (кроме меда) также снижает уровень нейротрофического фактора мозга (BDNF) — гормона, который запускает рост стволовых клеток в мозге и восстанавливает его важные структуры. Некоторые эксперты считают, что связь между диабетом и болезнью Альцгеймера — это горячая тема в наши дни, объясняется типичной западной диетой с высоким содержанием сахара (примечание 4 к главе 4).

Тяга к еде — не просто психологическая проблема, и она не в голове, а в животе. Вам может показаться, что вы съедаете шоколадный торт или пачку чипсов, потому что вам нравится их вкус, но настоящая причина, по которой вы не можете остановиться после первого кусочка, состоит в том, что грибки Candida в кишечнике живут за счет сахара. Ради того чтобы получить свою дозу, они выделяют химические вещества, которые заставляют вас хотеть углеводов, или сахаров. Когда лабораторным крысам, которые пристрастились к кокаину, предоставляется выбор между кокаиновой водой

Всякий раз, когда вы потакаете своим желаниям и открываете упаковку печенья или заказываете порцию макарон, грибок Candida выигрывает битву за ваш кишечник.

и сладкой газировкой, они неизменно выбирают газировку (примечание 5 к главе 4). Сладкий вкус возбуждает в мозге те же центры, которые стимулируются наркотиками, такими как героин и кокаин. Сладости высвобождают нейротрансмиттер дофамин, вызывая реакцию удовольствия, поэтому еда рождает приятные ассоциации. Желая получить еще больше удовольствия, вы едите все больше. Цикл продолжается, и вы становитесь зависимыми от вкусной пищи. И производители продуктов питания знают об этом!

Грибки Candida ничем не полезны человеческому организму. Их работа состоит лишь в том, чтобы способствовать правильному разложению вашего тела после смерти за счет определенной ферментации. Какое изящное решение придумала природа для уничтожения трупов! Когда тело разлагается, белки и жиры начинают разрушаться и становятся пищей для этих грибков. Но зачем давать им такую возможность хотя бы на день раньше срока?

Чрезмерный рост Candida становится причиной микоза стоп, а женщинам знакомы вагинальные инфекции, вызываемые этими грибками. Большинство врачей продолжают рассматривать кандидоз как локальную проблему. Однако сам факт, что он пробрался во влагалище или поразил ногти на ногах, указывает на его обилие в кишечнике, причем в патогенной форме. Candida может находиться в безвредном «комменсальном» состоянии, и во вредном грибковом состоянии. Те же самые микробы, которые могут вызывать опасные для жизни заболевания, долго остаются безвредными обитателями слизистой оболочки, пока не начинают выходить из-под контроля и нарушать баланс в колонии. Помните: всякий раз, когда вы потакаете своим желаниям и открываете упаковку печенья или заказываете порцию макарон, грибок Candida выигрывает битву за ваш кишечник.

Грибок Candida имеет около шести тысяч генов, и он имеет огромный размер по сравнению с хорошими бактериями кишечника, у которых всего примерно двадцать восемь генов. Антибиотики уничтожают бактерии, но не действуют на грибки. После курса антибиотиков Candida лишь размножаются и часто создают биопленки, чтобы прятаться под ними. Они переезжают в лучшую недвижимость в вашем кишечнике — занимают все удобные апартаменты и парковочные места. Потом вы проглатываете немного пробиотика в надежде, что он пополнит вашу кишечную флору и прогонит грибок, но кандидоз просто смеется над вами. Представьте себе, что вы приходите в бар, где выпивают байкеры, разодетые в черную кожу, и просите одного из «Ангелов ада» убраться и уступить вам место!

Чтобы восстановить в кишечнике власть хороших бактерий, вы должны победить антигероя — грибки Candida. Пока он не побежден, все ваши пробиотики прямиком отправляются в канализацию, потому что им просто негде разместиться. Иногда врачи назначают противогрибковые препараты: они убивают грибки и не трогают полезные бактерии. Однако это создает другую проблему. Умирающие грибки начинают выделять токсины, которые вызывают когнитивные нарушения, симптомы гриппа, жар и даже боли в теле. Затем вам придется иметь дело с невиданным количеством мертвых грибков внутри организма. Это называется реакцией Яриша — Герксгеймера, или реакцией отмирания.

Противодействие кандидозу с помощью сахаромицетов буларди

Тайный враг грибков Candida — это полезные *Saccharomyces boulardii* (сахаромицеты буларди). Это неколонизирующий, непатогенный штамм дрожжевых грибов, который соперничает с Candida и вытесняет его, перемещая через желудочно-кишечный тракт и выводя со стулом, но не убивая. Сахаромицеты буларди великолепны тем, что остаются внутри организма всего пять или шесть дней, после чего удаляются естественным путем. Эффект отмирания при этом не возникает. С их помощью вы за две недели очистите желудочно-кишечный тракт от бо́льшей части Candida. Все это время вы должны принимать качественный многокомпонентный пробиотик, чтобы полезные бактерии могли пробраться к вам в кишечник и заселить освободившуюся там недвижимость (в главе 6 я даю конкретные рекомендации по суперпробиотикам).

Возможно, вы не знакомы с сахаромицетами буларди, но они уже более шестидесяти лет прекрасно проявляют себя в качестве пробиотика. Компания «Флорастор» продала в США более одиннадцати миллиардов доз этого вещества. Эти дрожжевые грибки были обнаружены в 1923 году антропологом Анри Буларом, который выделил этот штамм в Юго-Восточной Азии из кожуры личи китайского и мангустина. Сахаромицеты буларди можно покупать отдельно от других пробиотиков.

Один из видов микроскопических грибков семейства *Saccharomyces* широко известен — это *cerevisiae,* или пивные дрожжи, которые используются для ферментации пива и выпечки хлеба. Сахаромицеты буларди отличаются тем, что проходят через желудочно-кишечный тракт менее чем за неделю, вытесняя в этом процессе вредные грибы Candida. Принимая сахаромицеты буларди, вы также получите пользу от мощных побочных продуктов их жизнедеятельности — метаболитов. Другой пример метаболитов, полученных из дрожжей, — это пиво, полученное с помощью *cerevisiae.* Я полагаю, что метаболиты на самом деле столь же мощны и полезны, как и сами грибки буларди. Согласно исследованиям, они резко сокращают популяцию бактерии *Helicobacter pylori* в кишечнике до такого уровня, при котором она не способна вызвать язвенную болезнь или рак (примечание 6 к главе 4).

Каким бы удивительным ни было воздействие сахаромицетов буларди, просто принять несколько капсул и ожидать чудес не получится. Очень мало кто из производителей пробиотиков добавляет в свои продукты это вещество. Причина заключается в том, что оно вызывает метеоризм и вздутие живота у тех пациентов, в рационе которых присутствует много сахара. Если по вашему кишечнику путешествует именинный пирог, то грибки буларди не станут бороться с кандидозом. Вместо этого они с удовольствием набросятся на шоколадное печенье и картошку, которые вы только что съели на ужин. Тогда вы почувствуете себя надутыми, как воздушный шарик, и в смущении обнаружите, что пускаете газы. Нельзя принимать сахаромицеты буларди, когда в организме находится много сахара.

Но если отказаться от сахаров и продуктов переработки злаковых на два-три дня и затем принимать сахаромицеты буларди, то это станет мощной стратегией устранения кандидоза. Сахаромицеты буларди нетоксичны, и если у вас нет ВИЧ или угнетенного иммунитета, они не останутся внутри тела. Кроме того, они почти никогда не приводят к фунгемии — грибковой инфекции, вызванной попаданием дрожжей в кровоток. Сахаромицеты буларди используются даже для лечения недоношенных детей, поскольку предотвращают рост патогенных микроорганизмов, в том числе кишечной палочки *Escherichia coli* (примечание 7 к главе 4).

Мощность сахаромицетов буларди зависит от дозировки. И в этом суть проблемы: в большинстве случаев эти грибки продаются в магазинах диетических продуктов, их выращивали в лаборатории и кормили белым сахаром, а затем транспортировали на большие расстояния в нестабильных температурных условиях. Другими словами, эти дрожжи несчастливы. Выжившие микроорганизмы крепко спят в желатиновой капсуле, и последнее, чего им хотелось бы, — это проснуться в желудке, полном кислоты. Эти воины прибывают в ваш кишечник полусонными и изголодавшимися.

Им никак не выстоять в битве с террористами из племени Candida, которые все это время пировали внутри вас и накачивали свои мускулы.

Прежде люди сами возобновляли свое бытие: наша еда была экологически чистой, отходы легко перерабатывались, и мы строили дома из натуральных материалов, таких как глина и солома.

Эту проблему легко решить, если по нашему рецепту вырастить свои собственные дрожжевые грибки буларди в домашних условиях (см. стр. 335–336). Вскормленные высококачественным сахаром из ваших любимых органических фруктов, эти сахаромицеты будут гораздо более мощными, чем купленные в магазине. Ваши буларди превратят все сахара в сильные метаболиты и через два или три дня будут готовы. Когда процесс ферментации закончится, сахаромицеты перейдут в пассивное состояние. В этот момент следует поставить их в холодильник и в течение двух недель принимать по столовой ложке по утрам, перед завтраком.

Теперь вы получили очень живое вещество — в нем содержатся миллиарды клеток сахаромицетов буларди, готовых приступить к работе и вытеснить Candida из вашего организма. Я сравнил бы эти сахаромицеты с миротворцами, которые отправляются в неспокойные районы и изгоняют оттуда грабителей и насильников. Чтобы подготовить сахаромицеты буларди к выполнению такой важной работы, начните выращивать их сами, исключив из своего рациона все сахара и злаки. Принимайте эти дрожжи по утрам, когда у вас в кишечнике нет сахара — так вы избежите вздутия живота.

В нашем Центре энергетической медицины в чилийских Андах находятся большие порции сахаромицетов буларди, они выращиваются на основе многих поколений грибков, каждое из которых становится сильнее и умнее предыдущего благодаря нашим молитвам и добрым намерениям. Я наблюдал случаи, когда паразиты у пациентов исчезали после недельного курса буларди. Путешествуя по Азии или тропическим лесам Амазонии, я всегда вожу с собой капсулы буларди. Эти сахаромицеты не такие мощные, как те, что я выращиваю дома, однако они способны за считанные часы остановить диарею у детей и взрослых. Если вы сумеете приготовить этот пробиотик в домашних условиях, то начнете устранять упрямые Candida и подготовите свой кишечник для приема широкого спектра полезных микробов. Это важный шаг к обретению нового тела.

Как справляться с токсинами окружающей среды

Подавляющую долю токсинов в нашем организме составляют экологические яды. Нас грубо атакуют пестициды, промышленные химикаты, консерванты, и даже антибиотики и противозачаточные препараты, спущенные в канализацию, рано или поздно проникают в водопроводную воду. Исследование

Геологической службы США показало, что эстроген, попадающий в реки и другие водоемы, приводит к увеличению числа рыб с характеристиками «интерсекс» — самцов с незрелой икрой самок в репродуктивных органах (примечание 8 к главе 4). В настоящее время в мире используется более восьмидесяти тысяч промышленных химикатов, которые не были известны еще сто лет назад. Сжигание ископаемого топлива и утилизация отходов производства добавили в нашу среду обитания еще больше загрязняющих соединений, которые попадают к нам в тарелки и в питьевую воду, увеличивая токсическую нагрузку.

Наши предки были в значительной степени защищены от таких проблем. Тысячелетиями Земля легко приспосабливалась к изменениям, вызванным вмешательством человека. Наше влияние на почву, по которой мы бродили, и на водоемы, в которых мы рыбачили, было незначительным и не наносило экосистеме постоянного ущерба. Мы сами возобновляли свое бытие: наша еда была экологически чистой, отходы легко перерабатывались, и мы строили дома из натуральных материалов, таких как глина и солома. Мы не производили генетически модифицированных продуктов питания, пластиковых бутылок с периодом полураспада в десять тысяч лет или лака для ногтей с добавлением формальдегида.

Однако все изменилось, когда мы начали добывать такие вещества, как свинец и ртуть, и в изобилии использовать их в домах и телах — в виде красок, лампочек, сантехники и зубных пломб, а в последнее время питаться загрязненной рыбой и морепродуктами. Ртуть — это известный нейротоксин. Свинец и ртуть вносят свою лепту в проблемы развития человека, приводя, например, к снижению способности к обучению, синдрому дефицита внимания и гиперактивности. Говорят, что британское выражение «безумный как шляпник» указывает на психические расстройства, от которых в XVIII и XIX веках страдали изготовители фетровых шляп, вдыхая на фабриках пары ртути. Металлы типа свинца и ртути скапливаются в жировых клетках человека, в том числе и тех, которые составляют шестьдесят процентов объема мозга (примечание 9 к главе 4).

Тяжелые металлы — не единственные токсины, влияющие на наше здоровье. За прошлый век мы сбросили в окружающую среду миллиарды тонн химических веществ, созданных человеком. Молекулы, синтезируемые в лабораториях, присутствуют во всем, от пестицидов, одежды, шампуней, посуды с антипригарным покрытием, электрических приборов и пластиковых бутылок до химикатов, используемых в горнодобывающей промышленности и производстве, и даже в лекарствах. Мы располагаем лишь скудными данными о том, как эти вещества влияют на нас: из восьмидесяти тысяч химикатов, одобренных для использования в США, только четверть прошли тестирование с точки зрения их воздействия на человека. Но ни одну из этих молекул не может без вреда для себя съесть насекомое или бактерия, чтобы затем переработать в вещество, полезное для человеческого организма или окружающей среды. Есть причина, по которой картофель фри из ресторана быстрого питания

> **Говорят, что британское выражение безумный как шляпник указывает на психические расстройства, от которых в XVIII и XIX веках страдали изготовители фетровых шляп, вдыхая на фабриках пары ртути.**

не теряет свой цвет или форму, пролежав месяц под сиденьем в семейном внедорожнике: ни один уважающий себя микроб не станет иметь ничего общего с такой ядовитой пищей.

Прискорбные последствия выражаются в том, что большинство произведенных нами химических веществ остается в окружающей среде. Даже девственные озера швейцарских Альп полны ила, который содержит ртуть, кадмий и свинец — элементы отходов, сброшенных в воду за десятилетия до того, как использование этих токсичных элементов было запрещено международными правилами. Некоторые старые здания все еще покрыты краской на основе свинца, а дно многих рек загрязнено канцерогенными химическими веществами. Фармацевтические препараты, которые мы выбрасываем в мусорные баки или спускаем в канализацию, смешиваются с токсинами в земле, воде, почве и воздухе. В число наиболее распространенных в США загрязняющих веществ входят антипирены, которыми насыщено практически все, что производится человечеством. Огнезащитные составы предназначены для покрытия поверхностей, но при отслоении микроскопических частиц они связываются с пылью и циркулируют в воздухе. Исследователи обнаружили антипирены во множестве популярных продуктов, заполняющих полки супермаркетов, в том числе в масле и арахисе. Еще сильнее тревожит то, что они нашли антипирен в женском грудном молоке.

Эта проблема затрагивает не только людей. Косатки, которые недавно выбросились на берег в проливе Джорджия, были настолько заполнены ПХБ (полихлорированные бифенилы, группа химических веществ, запрещенных в США в 1979 году) и другими токсинами, что этих животных объявили опасными для здоровья, подобно ядовитым отходам.

Человеческий мозг не обучен справляться с токсинами, которые мы сбросили в окружающую среду за последнее столетие. Многим читателям это давно известно. Однако вы все же откроете для себя кое-что новое: эти нейротоксины мешают нам достичь опыта Единства, который так легко обретали наши палеолитические предки.

Я говорю своим студентам, что с самого рождения мы в каждой клетке своего тела носим мешочек с токсинами, которые накапливаются с течением жизни. У кого-то из нас их больше, у других — меньше. Как только этот мешочек заполняется до краев, у нас появляются симптомы разных заболеваний. Тогда вмешивается западная медицина и приступает к лечению патологии. Но нужно регулярно опорожнять эту емкость, прежде чем возникнет болезнь. Когда тело полно токсинов, клетки не способны восстанавливаться и обновляться. Мы не можем создать новое тело.

Генно-модифицированные продукты

Помимо разрушений, которые мы производим с помощью искусственных химикатов, есть и другая, еще более коварная угроза. Она исходит от еды, ежедневно попадающей к нам на стол. Определенная токсическая перегрузка кишечника обусловлена генно-модифицированными продуктами. В большинстве случаев мы даже не сознаем, что в нашем меню есть яды. Ученые все чаще вносят изменения в ДНК сельскохозяйственных культур, чтобы продукты питания дольше хранились, были более устойчивыми к болезням и вредителям, отличались более изысканным вкусом и внешним видом.

Растения не могут убежать от своих врагов, поэтому природа оборудовала их механизмом синтеза химических веществ, которые действуют как естественные инсектициды для отпугивания хищников. Но более чем в девяноста процентах зерна, выращиваемого в США, содержится генетически модифицированный ген, благодаря которому растения вырабатывают еще более мощный инсектицид. Если насекомые пытаются есть это зерно, они мгновенно гибнут от разрыва желудка. В зерновые и хлопковые культуры внедряют ген почвенных бактерий *Bacillus thuringiensis* (Bt). Пищевая промышленность уверяет нас, что токсин Bt представляет лишь незначительную угрозу для людей или животных, поскольку быстро разрушается в желудке. Тем не менее у мышей, которых подвергли воздействию Bt, обнаружились заметные изменения — от аллергических реакций до повреждения кишечника (примечание 10 к главе 4).

В настоящее время Bt-токсин находят почти в восьмидесяти пяти процентах всех водотоков и водных путей Америки. Он также выявлен в крови более девяноста процентов беременных женщин (примечание 11 к главе 4). Очевидно, что поведение Bt не согласуется с заявлениями представителей пищевой отрасли и очень велика вероятность того, что он достаточно устойчив и оказывает длительное воздействие на наш организм.

Еще одна культура, которая почти полностью подвергается генной модификации, — это соевые бобы. ГМ-соя Roundup Ready фирмы «Монсанто» разработана таким образом, чтобы проявлять устойчивость к пестицидам, содержащим глифосат. Современные ученые выяснили, что трансгенные белки кукурузы и сои способны переносить свои гены в ДНК дружественных микроорганизмов вашего кишечника, где они могут еще долго функционировать даже после того, как вы перестанете есть сою или кукурузу.

Обычным явлением становятся генно-модифицированные помидоры, тыква и сахарная свекла. Измененные гены мы находим не только в растительных продуктах, но и в тех отделах супермаркета, где меньше всего ожидаем чего-нибудь такого — например, на рыбном прилавке. Многие виды рыб выращиваются на трансгенном зерне. Фактически более семидесяти процентов всех продуктов на полках продуктового магазина содержат пищевые вещества, полученные посредством генной инженерии. Если на купленном вами товаре нет четкой маркировки «Органический продукт, сертифицированный Министерством сельского хозяйства США», то вы принимаете участие в генетическом эксперименте, беспрецедентном для долгой истории Земли.

Токсическое действие злаковых

Современные пищевые продукты опасны для кишечного мозга не только измененными генами. Во всем мире растет число заболеваний, обусловленных употреблением в пищу злаков. Проблема состоит в том, что сегодняшняя пшеница — уже не та, которую люди ели всего лишь семьдесят пять лет назад. Чтобы справиться с голодом в Советском Союзе, «зеленая революция» после Второй мировой войны вывела сорта высокопродуктивной засухоустойчивой карликовой пшеницы. В них содержится в двадцать раз больше глютена, чем в старых европейских сортах (глютен — это белок, придающий тесту эластичность). Это изменило состав хлеба, который мы едим. Именно с этим связан резкий рост появления целиакии — аутоиммунного расстройства, при котором глютен повреждает слизистую оболочку кишечника, и в целом высокая чувствительность к глютену.

В 2000 году гастроэнтеролог Алессио Фазано и его команда обнаружили в пшенице белок зонулин (примечание 12 к главе 4). Это вещество вскрывает плотные соединения между выстилающими клетками кишечника, позволяя частицам пищи и кишечным бактериям проникать в кровь и вызывать местный иммунный ответ, поскольку бактерии в нашем кровотоке отсутствуют. Похоже, что человеческий организм не распознает зонулин и что чувствительные к глютену люди имеют повышенный уровень зонулина в крови, хотя у них не диагностирована целиакия. Фазано считает, что *ни один* человек не усваивает глютен полностью.

Пищеварительная система человека развивалась не для того, чтобы хорошо функционировать на зерновой диете. Кто-то страдает глютеновой болезнью, кто-то — нет, но суровая правда заключается в том, что мы *все* стали удивительно нетерпимы к глютену. Это может быть связано с тем, что злаковые культуры относительно недавно вошли в рацион человека, а разрушение кишечной флоры антибиотиками лишь усугубляет трудности с перевариванием глютена. Для многих из нас злаки стали токсичными, и богатые злаками диеты продолжают вредить кишечнику.

Когда мозг питается сахарами из зерновых, он возвращается к примитивному, хищническому режиму выживания, который отрицательно сказывается на наших эмоциях и на общем состоянии здоровья.

Токсины изнутри

Не все токсины, влияющие на кишечный мозг, поступают из окружающей среды. Некоторые из них вырабатываются паразитами в кишечнике, а другие возникают в результате расщепления гормонов. Эти токсины называются эндогенными, потому что появляются внутри организма. Микробы поглощают пищу и оставляют отходы так же, как и мы, и эндогенные токсины, которые они производят, могут воздействовать на мозг.

Исследователь из Медицинской школы Кека при университете Южной Калифорнии Генри Лин разработал новый подход к пониманию того, как токсины в кишечнике влияют на мозг. По словам Лина, своенравные микроорганизмы, мигрирующие из толстой кишки в тонкую, обычно свободную от бактерий, способны провоцировать бактериальный дисбаланс (примечание 13 к главе 4). Это вызывает реакцию иммунной и нервной систем и может приводить к бессоннице, тревожности, депрессии и нарушению когнитивной функции. Уровень серотонина падает. Лин описал довольно распространенную проблему: синдром избыточного бактериального роста (СИБР) в тонком кишечнике поражает тысячи людей в США. Эту проблему можно решить с помощью комбинации сахаромицетов буларди и диеты, свободной от сахара и крахмала.

Происходящее в кишечнике не остается в кишечнике

То, что происходит в кишечнике, влияет на все тело. Здоровый кишечник наполнен триллионами полезных бактерий, которые участвуют в переваривании пищи, синтезируют витамины В и С, помогают уменьшить воспалительную реакцию на клеточном уровне[2]. Они также играют важную роль в создании и поддержании иммунной системы слизистой желудочно-кишечного тракта. Они даже обучают вашу иммунную систему выявлять патогенные микроорганизмы, из-за которых вы могли бы заболеть.

Природа решила, что хороших бактерий в кишечнике должно быть намного больше, чем вредных, однако злаковые и сахар слишком часто нарушают баланс вашей флоры. Гормоны, антибиотики и другие химикаты, содержащиеся в мясе, птице и молочных продуктах, тоже способствуют росту дрожжевых грибков и размножению вредных микробов. У все бóльшего числа людей диагностируется изнурительная форма колита, вызываемая бактерией *Clostridium difficile,* или C-diff, и связанная с применением антибиотиков. Пациенты, принимающие антибиотики, в семь-десять раз чаще страдают от этого заболевания во время приема лекарств и в последующие месяцы.

Больным с диагнозом C-diff может помочь прием фекалий от здоровых людей. Это звучит отвратительно, но если из-за серьезной кишечной инфекции ваша жизнь окажется в опасности, то можно преодолеть брезгливость. Исследование, представленное в *Медицинском журнале Новой Англии* в январе 2013 года, показало, что при введении фекальных трансплантатов показатель выздоровления от C-diff достигает девяноста четырех процентов, тогда как при использовании мощного антибиотика

---

[2] Витамин С человек должен получать из пищи (прим. ред.).

ванкомицина он составляет всего тридцать один процент (примечание 14 к главе 4). Возможно, наступит день, когда в США можно будет излечивать от колита C-diff всех заболевших — а их ежегодно насчитывается до полумиллиона.

Большинство из нас не настолько больны, чтобы нуждаться в такой радикальной ревизии микроорганизмов желудочно-кишечного тракта, однако почти у каждого современного человека имеются признаки дисбаланса кишечника. Дело в том, что мы не всегда связываем появление газов, вздутие живота, боль в суставах, перепады настроения, легкую депрессию и аллергию с проблемами пищеварительной флоры.

Если мы отказываемся от глютена — обработанной пшеницы, хлеба и макаронных изделий — и возобновляем флору с помощью качественных пробиотиков, то пищеварительная система постепенно восстанавливает колонии дружественных микроорганизмов, при этом устраняя или ограничивая большинство вредных. Если же мы продолжим есть продукты, содержащие глютен, то результатом, скорее всего, будут воспалительные процессы, снижение иммунитета и состояние, известное как синдром повышенной проницаемости кишечника.

Ваша флора присутствует не только в кишечнике, но и во рту, в носу и на коже. Важно защищать здоровье всего биома целиком, а не только одной его части. Душ с хлорированной водой убивает полезную флору кожи, поэтому подберите хороший фильтр для воды во всем доме или хотя бы в ванных комнатах. И будьте осторожны, если пользуетесь жидкостями для полоскания рта: иногда они устраняют полезные бактерии, предотвращающие заболевания десен.

Опасность «дырявого» кишечника

Стенка кишечника имеет толщину, равную размеру всего одной клетки, и глютен, содержащийся в злаках, может ослабить плотные соединения в слизистой оболочке. Если она становится слишком проницаемой, или «протекающей», непереваренные фрагменты пищи и бактерии проникают в кровоток. Представьте себе сетку из эластичного материала, которая при растяжении становится более «дырявой». Когда в кровоток попадают посторонние вещества, состояние здоровья ухудшается.

Глютеновый белок воспринимается телом как инвазивный паразит. Оно запускает аутоиммунную реакцию, высвобождая хемокины и цитокины, и эти химические посланники иммунной системы побуждают клетки Т-киллеры атаковать слизистую оболочку кишечника. Результат — пищевая аллергия, сыпь, боль в суставах и воспаление по всему телу. Тем временем печень и почки всеми силами стараются перерабатывать токсины в крови. Их очень много, и часть этих ядов проникают сквозь гематоэнцефалический барьер — защитную мембрану, которая призвана удерживать токсины от попадания из кровотока в мозг.

Влияние синдрома повышенной проницаемости кишечника на мозг может быть сильным и обширным. Как правило, появляются такие симптомы, как головные боли, затуманивание сознания, плохая концентрация и кратковременная потеря памяти. Провалы в памяти нередко происходят именно из-за негерметичного кишечника. Некоторые люди испытывают депрессию или беспокойство. Другие становятся гиперактивными, импульсивными и вспыльчивыми. Токсичная нагрузка на мозг блокирует высшие зоны, отвечающие за любовь, красоту, творчество и радость.

При этом вы никак не можете понять, откуда берутся ваши внезапные капризы, почему вы то и дело забываете, куда положили мобильный телефон, и отчего мир кажется враждебным и угрожающим. В этом состоянии у вас абсолютно нет шансов достичь более качественного состояния сознания.

Чтобы устранить негерметичность кишечника и избавиться от перегрузки токсинами, необходимо, во-первых, исключить из рациона сахар и глютен, а во-вторых — пополнить состав полезных кишечных бактерий. Как я уже говорил ранее, восстановление дружественной флоры кишечника — это двухэтапный процесс. Сначала вы подготавливаете территорию с помощью сахаромицетов буларди, которые вымывают грибки Candida и паразитов. Затем вы принимаете качественный пробиотик. Он должен содержать множество различных видов микроорганизмов и быть мощным — не менее пятидесяти миллиардов КОЕ, то есть колониеобразующих единиц (конкретные рекомендации приводятся в главе 6).

Для детоксикации от сахара требуется исключить из рациона не только очевидные сладкие продукты, но и обработанные злаки, которые мгновенно превращаются в глюкозу, повышая уровень сахара в крови и питая среду Candida. Цельное зерно, в отличие от обработанного, содержит достаточное количество клетчатки для поддержания стабильного уровня сахара в крови. Поэтому во время семидневной программы «Создаем новое тело» вам нужно будет отказаться от *любых* обработанных злаков, а после ее окончания понемногу вводить в рацион цельное зерно. Если это требование кажется излишне строгим, то обратите внимание на то, что минимальная суточная потребность в *обработанных* углеводах равна нулю.

Удаление сахара подразумевает также отказ от таких фруктов, как арбуз и виноград, которые имеют более высокий гликемический индекс, чем даже конфеты. Фрукты и овощи с высоким содержанием клетчатки замедляют усвоение глюкозы, поэтому уровень сахара в крови не повышается. Чтобы сделать самый удачный выбор, стоит ознакомиться с гликемическим индексом ваших любимых блюд.

Далее вы узнаете, как запустить гены долголетия в коде ДНК.

ГЛАВА 5

ВКЛЮЧАЕМ ГЕНЫ ДОЛГОЛЕТИЯ

На протяжении миллионов лет мы поочередно то пировали, то постились. Когда пищи было много, природа запускала программу размножения. Женщины становились плодовитыми, представители обоих полов наращивали мышечную массу и запасали жир. Когда же наступала скудная пора, природа чувствовала, что нашему выживанию угрожает голод — и женщины теряли плодовитость, а в организме людей включались все системы восстановления и регенерации, обеспечивая нам выживание до более изобильных времен.

Если мы сможем создать условия, имитирующие голод, сохраняя при этом достаточный уровень питательных веществ, мы сможем активировать переключатели ДНК для создания нового тела.

Интервальное голодание

Обычай некоторое время воздерживаться от еды для очищения тела и ума имеет тысячелетнюю историю. Целители и целительницы из индейских племен, буддийские монахи, христианские мистики и многие другие по несколько дней не ели и только пили воду, чтобы молиться и восстанавливать оптимальное функционирование мозга. В этом процессе они поправляли здоровье и обновляли тело. Тем не менее нет необходимости исключать из рациона хорошие углеводы, в том числе фрукты, более чем на восемнадцать часов подряд. Восстановление мозга происходит быстро, и внутренний туман рассеивается в считанные дни. Даже во время месячного поста Рамадан, который представляет собой одну из самых священных практик ислама, мусульмане постятся только от восхода до заката. Если в это время вы пьете много воды и воздерживаетесь от тяжелых физических упражнений, вы сможете обнаружить, что чувство голода либо вообще не возникает, либо не очень вас беспокоит.

Одна из форм интервального голодания заключается в том, чтобы не есть злаковых или других продуктов, которые превратятся в сахар в крови, начиная с 18.00 и до следующего полудня. Этот ежедневный восемнадцатичасовой пост приведет к кетозу — метаболическому изменению, которое начинается, когда в клетках истощается энергия, полученная из углеводов и сахаров. При кетозе расщепляются жиры и синтезируются кетоны, которые мозг начинает сжигать в качестве топлива.

В идеале вы будете выполнять эту процедуру поста до конца жизни — или, по крайней мере, до тех пор, пока хотите сохранять здоровье. Перед началом трехдневного квеста визионера (глава 14), во время которого вы будете пить только воду, необходимо уменьшить количество токсинов в организме, не менее трех месяцев подряд соблюдая ежедневный восемнадцатичасовой пост, и научиться легко входить в кетоз и выходить из него.

Голодные спазмы желудка во время поста естественны: они показывают, что вы переходите с глюкозного топлива на кетоны и мозг начинает сжигать жиры. При этом древний лимбический мозг, работающий на сахаре, попытается убедить вас, что вы немедленно погибнете, если не съедите глазированный пончик. Не поддавайтесь на его уговоры. Просто наблюдайте за своими желаниями, помня, что на самом деле запасов топлива в вашем организме достаточно для того, чтобы прожить без еды еще сорок дней — хотя я и не рекомендую этого!

А вот «голодная раздражительность» — это другое дело. Если во время ежедневного восемнадцатичасового интервального голодания вы ощущаете досаду или злость — это означает, что в вашем желудочно-кишечном тракте развелось слишком много грибков Candida. Они ожидают пищи в виде сахара и хотят, чтобы вы не забывали об их потребностях, поэтому они выделяют токсины, которые подают вашему мозгу сигнал о повышении уровня грелина, «гормона голода».

Назначение интервального голодания — не потеря веса. Использовать его с этой целью неправильно и опасно. Вы поститесь, чтобы войти в кетоз, включить систему сжигания жира и запустить механизмы восстановления. Такой вид голодания приводит к детоксикации на клеточном уровне. Когда сахар и обработанные углеводы более полусуток не поступают в организм, в нем начинается процесс аутофагии: более девяноста процентов «отходов» внутри клеток перерабатывается в аминокислоты, которые клетки могут использовать для своего восстановления, а остаток удаляется как мусор. Клетки обладают чрезвычайно эффективной системой утилизации отходов. Если бы наши города так же хорошо справлялись с уборкой и переработкой мусора, свалки исчезли бы полностью.

Во время детоксикации вы удаляете клеточные отходы в кровь, откуда они попадают в желудочно-кишечный тракт, а затем печень выводит их из организма. Но если ваша печень не работает должным образом, то голодание может быть опасным. Дело в том, что если вы не выводите токсины из кровотока, то они *утилизируются*. И худшее место, где они могут в итоге оказаться, — это жировая ткань мозга.

Восточным аскетам и западным христианским мистикам во время голодания не приходилось справляться с токсическим бременем, которое несет в теле или мозге современный человек. Они не подвергались воздействию химикатов, которые сегодня в изобилии содержатся в наших продуктах, косметике, воде и воздухе. Это было еще до того, как чернобыльская ядерная катастрофа загрязнила воздух и сады Европы, а авария на АЭС «Фукусима-1» отравила воду в Тихом океане и морепродукты в нашей тарелке.

При вхождении в кетоз во время голодания организм переключается в режим восстановления, и активируются нейронные сети более высокого порядка в неокортексе. Человек достигает мистического Единства и начинает создавать новое тело.

Пока мы сжигаем углеводы, тело находится в режиме строительства, и когда мы строим мышцы, уровень инсулина остается высоким. Переставая использовать углеводы в качестве основного топлива, даже всего на несколько часов, мы входим в кетоз. Он позволяет организму утилизировать отходы и восстанавливать себя. Это запускает создание стволовых клеток в мозге и всех остальных органах, а также

Вы никак не можете понять, откуда берутся ваши внезапные капризы, почему вы то и дело забываете, куда положили мобильный телефон, и отчего мир кажется враждебным и угрожающим.

пробуждает нейронные сети высшего порядка, через которые мы можем получить духовный опыт, даже когда не ищем его.

Удивительно, но во время такого короткого поста с телом и мозгом подчас случаются невероятные вещи. Всего за двадцать четыре часа на тысячу пятьсот процентов увеличивается выработка человеческого гормона роста, и восстанавливаются клетки всех тканей тела. Если мы всего-навсего восемнадцать часов не едим углеводов, в организме включаются гены долголетия.

Если вы страдаете гипогликемией или диабетом, то к интервальному голоданию следует подходить с осторожностью. Пока не отрегулирован уровень сахара в крови, подолгу голодать нельзя. Не пытайтесь применять эту программу и одновременно поддерживать диету, состоящую в основном из обработанных углеводов и сахара. Это означает, что перед началом программы нужно совсем отказаться от пиццы, макарон, бубликов, круассанов, картофельных чипсов, сладкой газировки и т. д. Не забудьте включить в свой рацион много овощей с высоким содержанием клетчатки, авокадо, оливковое и кокосовое масла, свежие орехи.

Вот какую пользу приносит ежедневный восемнадцатичасовой пост.

- **Ускорение метаболизма.** Когда сахар в крови исчерпывается, клетки начинают сжигать жир для получения энергии.
- **Обеспечение высшего мозга качественным топливом.** Кетоны (из жира) служат реактивным топливом для мозга и активизируют нейронные сети высокого порядка, вовлеченные в процессы творчества, открытий и исследований,

в сострадание и переживание Единства, которое необходимо для выращивания нового тела.

- **Снижение уровня инсулина.** Работа инсулина состоит в том, чтобы удалять глюкозу из кровотока. Поэтому, когда вы понижаете уровень глюкозы в крови, уменьшается и потребность в инсулине. Рецепторы инсулина в клетке имеют шанс перестроиться, снизить резистентность к инсулину и риск развития диабета.
- **Детоксикация каждой клетки тела.** Кетоз стимулирует аутофагию, переработку клеточных отходов и удаление мусора.
- **Профилактика рака и замедление развития существующих раковых клеток.** Раковые клетки с готовностью используют как топливо глюкозу (сахар), но их нарушенный метаболизм мешает им сжигать кетоны (жир). Кроме того, при кетозе снижается уровень опухолевого маркера IGF-1. Это признак того, что кетоз предотвращает рост и распространение раковых опухолей.
- **Защита мозга.** Кетоз уменьшает воспалительные процессы в мозге и теле и активизирует производство стволовых клеток. Это достигается путем активации нейротрофического фактора (BDNF), который стимулирует обновление мозга.

Когда вы начнете сжигать жир в качестве топлива, в ваш кровоток из жировых тканей будут поступать токсины, и чтобы обеспечить их выведение из организма, необходимо поддерживать работу печени. В этом вам помогут цинк, витамин B_{12}, магний и глутатион. Без этих нутриентов печени будет сложно удалять токсичные отходы, и яды могут попасть в мозг.

Двухразовое питание

Кто сказал, что нам нужно есть три раза в день? Что завтрак, обед и ужин необходимы или желательны? Наши предки, кочевые охотники-собиратели, ели каждый раз, когда испытывали чувство голода (и имели доступ к еде). Когда европейцы впервые прибыли в Новый Свет, они обнаружили, что точно так же питаются представители коренных племен Америки. По мнению Эбигейл Кэрролл, автора книги «Три квадрата: изобретение американской кухни», европейцы полагали, что именно регулярное питание в «цивилизованное» время выгодно отличает их от туземцев, которые своими «дикими» пищевыми привычками напоминают животных.

Как же неудачно они выбрали режим питания!

Откажитесь от устоявшейся привычки трехразового питания с перекусами. Если вы хотите создать новое тело, то вам нужно следовать новому золотому правилу — есть всего один или два раза в день, пропуская завтрак (а иногда и ужин). Я предпочитаю отказываться от завтрака, а не от ужина. Благодаря такому режиму продлевается период кетоза и утилизации отходов — ведь именно на это нацелено интервальное голодание. В течение шестичасового интервала можно досыта есть органические растительные продукты, малокалорийные и насыщенные питательными веществами.

Вам потребуется несколько недель на то, чтобы кишечная флора освоилась с двухразовым питанием. Помните, что микроорганизмы едят первыми, а вы приучили их питаться три раза в день или даже чаще. Как только тело перейдет в режим сжигания жира, вам будет легко голодать восемнадцать часов и не испытывать неприятных ощущений. Когда вы избавитесь от кандидоза и перезапустите жиросжигающие механизмы, которые были неактивны в течение десятилетий, тяга к сахару постепенно исчезнет.

Кое-кому из обитателей вашего кишечника это совсем не понравится, особенно грибкам Candida, которые вы годами щедро пичкали сладостями. Так что приготовьте сахаромицеты буларди и принимайте их каждое утро!

Сколько белка нам действительно нужно?

Люди и животные долго сосуществуют на одной территории. Еще до расцвета сельского хозяйства мы одомашнили овец, свиней и коров. С тех пор мы постоянно едим продукты животного происхождения, в том числе молоко и мясо. Еще в эпоху охоты и собирательства наши предки с удовольствием поедали найденные птичьи яйца. Конечно, мясо им доставалось нечасто, поскольку его приходилось добывать охотой, однако в последние тысячелетия животный белок был для человека одним из основных продуктов питания.

Сегодня одна из самых кровавых кулинарных битв в мире разворачивается вокруг мяса. В развитых странах бо́льшая часть его поставляется крупными фермерскими хозяйствами, где с животными обращаются с необычайной жестокостью. Их кормят гормонами и антибиотиками, выращивают в антисанитарных и негуманных условиях. Однако небольшие порции здорового, экологически чистого мяса животных, которые питались настоящей травой, и рыбы, пойманной в естественных водоемах, помогут предотвратить болезни сердца, диабет, рак и деменцию.

Хотя белок нам нужен, наши клетки не умеют его использовать. Кишечные бактерии должны вначале расщепить его на аминокислоты, которые поэтому и называются строительными кирпичиками белков. При повреждении кишечной флоры вы не получите необходимых аминокислот. Храниться в запасе они не могут, а те, которые не используются, быстро превращаются в глюкозу или жир, а затем сжигаются в качестве топлива.

В природе много аминокислот, но только двадцать из них люди используют для создания белков. *Незаменимые* аминокислоты — это те, которые нужно получать из пищи, потому что организм их не вырабатывает. *Заменимые* аминокислоты организм производит самостоятельно.

Содержание белка составляет примерно тридцать три процента от веса говядины, следовательно, съедая стограммовый стейк, вы получаете 33 грамма белка. Для сравнения, в чечевице содержится всего девять процентов белка, а в мясе лососевых рыб — около двадцати пяти процентов. Большинству людей подойдет хорошее правило — ограничьте общее потребление белков (животного и растительного происхождения) до двухсот-четырехсот граммов в неделю, в зависимости от вашего веса. Вашему телу белок нужен не каждый день. Белки, особенно животные, стоит есть только в определенные дни недели, по циклическому графику, а в промежутке обходиться другими продуктами.

Не забудьте: мы то пируем, то постимся!

> **Большинству людей подойдет хорошее правило — ограничьте общее потребление белков (животного и растительного происхождения) до двухсот — четырехсот граммов в неделю.**

Если, читая эти рекомендации, вы думаете: «Да ладно! Это шутка? Моему организму нужно больше мяса!» — то, вероятно, ваша кишечная флора повреждена и вы не полностью усваиваете аминокислоты. Чем хуже обстоят дела с кишечником (возможно, из-за антибиотиков или возраста), тем больше белка требует человеческое тело.

Ключ к потреблению животного белка — его качество, а не количество. Если мы едим мясо, то для нас важно, чем питалось животное. Мясо животных, выращенных на не свойственной им пище, — не самый лучший источник белка. Ясно же, что зерновые культуры, которыми кормят коров на крупных современных фермерских хозяйствах, на пастбищах не растут. Лучше всего есть мясо животных свободного выпаса. Промысловая рыба полезнее, чем рыба, искусственно выращенная на ферме и вскормленная зерновой пищей.

Самое главное — забудьте о ежедневном потреблении белка и переключитесь на еженедельное. Помните, что наши предки были охотниками-собирателями и съедали весь белок сразу после удачной охоты. Они пировали и постились, циклически потребляя белки.

Ключ — цикличность. Я ем около трехсот граммов белка в неделю, что идеально подходит для моего веса (семьдесят пять килограммов) и уровня активности (умеренная физическая нагрузка). Бо́льшую часть этого белка я съедаю в первый и четвертый дни недели, в два приема. Так поступали наши палеолитические предки: по дороге домой они находили только что погибшего мамонта, отгоняли хищных птиц и приносили тушу животного в свою деревню. Различие в том, что вместо мамонта я ем, например, пару крутых яиц на обед и порцию рыбы на ужин.

Так что белковый пир у меня бывает по воскресеньям и средам. Иногда я хожу обедать в любимый рыбный ресторан, в другой раз выпиваю на обед двойной коктейль из растительного белкового порошка или заказываю тарелку черных бобов с рисом — типичное блюдо кубинской кухни с полноценными белками.

Я много путешествую, преподаю и читаю лекции, и мне часто приходится ужинать с организаторами моих программ. Если накануне вечером я съел белковое блюдо, то знаю, что у меня активизировался белок mTOR; поэтому мой ближайший ужин будет состоять из супа и салата без животного белка. Это успокоит мой mTOR. Что такое mTOR, я объясню в следующем разделе.

Ключ — циклическое потребление белков.

Я знаю, что мои слова противоречат распространенным представлениям о наших потребностях в белке, но не спешите с выводами. Несколько лет назад я сам был активным сторонником отказа от углеводов. С появлением нового исследования я испытал на себе пользу от ограничения потребления белков. Теперь я убежден, что, сокращая количество белковой пищи, мы получаем ключ к созданию нового тела, то есть к здоровью и долголетию. Я полагаю, что многие люди, сидящие на палеодиете, подвергаются повышенному риску рака и дегенеративных заболеваний из-за чрезмерного потребления белка (примечание 1 к главе 5).

Белок и эволюция

Чтобы понять свои базовые пищевые потребности, мы должны мысленно вернуться к тем временам, когда на Земле впервые появилась жизнь.

Около двух миллиардов лет назад на нашей планете возникли первые бактерии. Их миссия была проста — есть и размножаться. Когда было доступно много еды, бактерии прибавляли в силе и численности. В голодные периоды природа отключала функцию размножения, и все ресурсы микроорганизмов уходили на самообновление и выживание. Этим ранним бактериям нужно было научиться определять, сколько питательных веществ присутствует в окружающей среде — стоит ли размножаться или лучше поберечь энергию и потратить запасы дефицитной пищи на поддержание здоровья, готовясь к более сытым временам. Поэтому живые организмы обзавелись системой распознавания белков; она известна как TOR (мишень рапамицина) и используется всеми существами, от бактерий до китов и людей. Вскоре вы узнаете больше о TOR и о ее очень важной работе, но пока достаточно запомнить вот что: употребление в пищу слишком большого количества животного белка стимулирует сигнальный путь TOR, что может вызвать неконтролируемый рост раковых клеток. Раковые клетки хотят быстро размножаться.

Почему наши тела контролируются процессом, который способен их убить? Помните, что природа заботится о долговечности *вида*, а не индивидуального существа. Она хочет, чтобы мы размножались, чтобы наш вид не вымер — и если вы случайно погибнете на пути к выживанию вида, природа лишь пожмет плечами. Ваша задача в том, чтобы с помощью своего естественного интеллекта наслаждаться хорошим здоровьем и прожить дольше, чем живет ваша репродуктивная функция. Ограничьте потребление белка и успокойте TOR, и ваши шансы на долгую и здоровую жизнь значительно возрастут.

Для выживания вида рождаемость должна быть больше смертности, и это правило актуально даже в особенно трудные времена. Но природа не позволит ни одному животному размножаться в условиях голода или засухи. Причина в том, что вынашивание потомства и уход за ним, как это происходит у млекопитающих, требует огромного количества энергии. Это тяжелое бремя для матери, которая вынуждена кормить и себя, и детенышей. Когда мы практикуем интервальное голодание (при достаточной питательной ценности пищи), тело сосредотачивается на восстановлении и поддержании здоровья. Мы в буквальном смысле обманываем свой мозг, заставляя его чувствовать опасность голода и в результате он мобилизует свои ресурсы, чтобы создать более сильное и выносливое тело.

Программа «Создаем новое тело» действует путем калибровки уровня TOR в вашем организме!

В периоды нехватки продовольствия многие существа переходят в режим спячки, чтобы переждать долгую зиму. Мы видим это на примере медведей в берлоге и плесени на кожуре винограда. По мере приближения зимы дрожжевая клетка «засыпает». Когда наступит весна и еда опять станет доступной, TOR почувствует изобилие питательных веществ и «проснется». Некоторые бактерии способны выдерживать даже температуры кипения и замерзания воды, а также долгие годы подвергаться воздействию экстремальных климатических факторов, прежде чем система TOR обнаружит подходящие питательные условия для пробуждения от спячки. Большинство генов дрожжей на кожуре винограда зимой пассивно дремлют, однако сенсоры питательных веществ TOR все это время остаются активными. Они всегда готовы пробудить организм, если заметят достаточно пищи в окружающей среде.

Как я уже упоминал, у людей, как и у дрожжей, есть своя система TOR. Она называется mTOR; здесь буква «m» показывает, что это система млекопитающих.

В программе «Создаем новое тело» для получения описанного результата вы будете голодать не месяцами, а всего лишь часами.

Взглянув с научной точки зрения на механизм работы mTOR, мы теперь знаем, что можно выбрать такую диету, которая понизит активность этой системы (ограничивая потребление белка) и эффективно переведет наше тело в режим восстановления и долголетия.

Как работает TOR

В периоды голода или засухи женщины становятся бесплодными, а у мужчин резко снижается количество сперматозоидов — mTOR строго следит за тем, чтобы эти процессы происходили без сбоев. Все ресурсы организма направляются на устранение токсинов с помощью аутофагии, на запуск генов долголетия и усмирение генов, вызывающих болезни. Все эти фантастические стратегии позволяют организму долго и благополучно жить, пока источники пищи снова не станут обильными. Горбатые киты в тропических морях голодают по много месяцев, теряя до половины своего веса и избавляясь от болезней, следы которых заметны на их коже. Обновив таким образом свое тело, кит мигрирует на север, где в изобилии присутствует еда, и переключается в режим размножения и роста.

Сенсоры системы TOR выявляют присутствие аминокислот и сахаров. Миллиарды лет назад первые бактерии питались аминокислотами, найденными на молодой планете, и некоторые из них научились использовать свет в качестве источника пищи. Это были первые цианобактерии, или сине-зеленые водоросли. Они запустили фотосинтез — механизм, позволяющий питаться солнечным светом. Ранние растения превращали свет и минеральные вещества в углеводы, и потому на Земле в значительных количествах появились первые сахара. Позже эти растения стали пищей для крупных травоядных животных.

Самыми ранними источниками энергии (пищи) в почве были аминокислоты — строительные кирпичики белков и сахара. Сенсоры TOR засекали обилие или недостаток этих двух веществ. Когда все шло хорошо, TOR «давила на газ», ускоряя размножение. Когда доступных продуктов питания было мало, она нажимала на тормоз, замедляя деление и воспроизводство клеток и включая системы долгосрочного выживания. Для людей это означало, что начинается переработка клеточных отходов для захвата девяноста процентов аминокислот из поврежденных белков и поддержания постоянного уровня аминокислот в крови.

Подводя итог, можно сказать, что наша жизненно важная система TOR — это тоже своего рода «мозг», который чувствует питательные вещества и контролирует рост и продолжительность жизни всех живых организмов. Когда мы отказываемся от сахара и сокращаем количество белков, TOR велит нашим клеткам перейти в режим восстановления и долговечности. Активируются стволовые клетки и антиоксидантные системы, которые защищают мозг и все тело. Так вы предотвращаете возникновение рака и останавливаете рост существующих опухолей.

Открытие mTOR

Рапамицин — препарат, предотвращающий отторжение пересаженных органов, производится из бактерии, которая была обнаружена в 1960 году на острове Пасхи. Врачи удивились, когда заметили снижение заболеваемости раком у пациентов, которые принимали рапамицин. Дело в том, что это лекарство подавляет иммунную систему, без которой организм не может убивать раковые клетки. Но оказалось, что рапамицин подавляет систему mTOR (мишень рапамицина) (примечание 2 к главе 5). При этом организм переходит в режим восстановления и долголетия и уменьшает безудержную репликацию клеток — а это важное звено в цепи развития рака. Мы узнаем, что подавление активности mTOR путем интервального голодания дает нам ключи к профилактике рака и восстановлению организма.

Развенчиваем другие мифы о диетах

Единственная проверенная стратегия тридцатипроцентного увеличения продолжительности жизни и улучшения здоровья мышей и приматов — это сокращение общего количества потребляемых ими калорий, в первую очередь за счет углеводов, которые превращаются в глюкозу.

Мы знаем, что низкоуглеводная диета помогает поддерживать низкий уровень инсулина в организме. Еще недавно мы думали, что ограничение числа калорий при высоком содержании белка станет ключом к увеличению продолжительности жизни всех животных. Но выяснилось, что долголетие обусловлено белком под названием IGF-1, или инсулиноподобным фактором роста 1. Мы нуждаемся в нем в юные годы, когда у нас еще растут пальцы рук и ног, но у взрослых высокий уровень IGF-1 связан с патологическим ростом. Он также указывает на вероятность наличия или появления раковой опухоли. Снижая уровень IGF-1, вы уменьшаете вероятность развития рака.

Когда уровень сахара в крови высок, IGF-1 сообщает системе mTOR о наличии доступных запасов пищи. В ответ mTOR отключает функцию обновления клеток и запускает процесс их размножения и роста. Поэтому ключ к долголетию — снижение потребления и сахара, и белка.

Новая наука о диете

Оказывается, долгосрочное уменьшение калорийности пищи не снижает IGF-1. Однако к этому приводит ограничение потребления белков (примечание 3 к главе 5). Вы можете есть органические стейки, поддерживать низкий уровень сахара в крови и находиться в легком кетозе, сжигая в качестве топлива жиры вместо сахара — и эта комбинация позволит вам чувствовать себя прекрасно, худеть, очищать мозг от тумана и наслаждаться огромной энергией. Но mTOR по-прежнему будет активен из-за слишком большого количества животного белка. Если в пище чересчур много мяса, то вы не можете щелкать генетическими переключателями и создавать новое тело. Напротив, это может привести к ранней смерти, даже если у вас хороший тонус и крепкие мышцы.

Аминокислоты обнаруживаются системой mTOR напрямую. Для выполнения этой работы ей не нужны ни IGF-1, ни гормоны-посредники. Недавно ученый из Массачусетского технологического института Роберто Зонку и его коллеги провели исследование и заявили: «Благодаря значительному прогрессу в нашем понимании регуляции и функций mTOR выявилась критическая роль этой системы в возникновении и прогрессировании диабета и рака, а также в старении». Очевидно, что стоит не только исключить сахар, но и перестать объедаться белками. Вот к какому выводу приходят авторы: «Последние данные свидетельствуют о том, что сигналы, передаваемые системой mTOR, определяют скорость старения клеток и тканей. Поэтому ингибирование mTOR может представлять собой многообещающий способ увеличить продолжительность жизни» (примечание 4 к главе 5).

Диета с высоким содержанием белка и низким уровнем углеводов отлично подходит для того, чтобы сбросить вес и уверенно раздеваться на пляже. Вот почему этот режим питания снискал такую популярность. К сожалению, эта диета не обеспечивает длительного хорошего здоровья. Дело в том, что употребление слишком большого количества белков ускоряет старение и увеличивает риск рака. Мясо и яйца должны быть гарниром, а не основным блюдом. Я лично за неделю съедаю около трехсот граммов рыбы и от двух до четырех куриных яиц. Как правило, я избегаю красного мяса, но время от времени могу заказать стейк из бизона или говяжью вырезку из коровы свободного выпаса.

Цена вопроса

Оказывается, решение выглядит намного проще, чем мы ожидали. Белки, активирующие систему mTOR, представляют собой аминокислоты с разветвленной цепью (ВСАА). Есть три вида BCAA: лейцин, изолейцин и валин. Они встречаются преимущественно в продуктах животного происхождения, в том числе в красном мясе, молоке, сыре и яйцах.

Луиджи Фонтана и его коллеги из Вашингтонского университета в Сент-Луисе, штат Миссури, продемонстрировали: «Умеренно снижая общее количество диетического белка или избранных аминокислот, можно быстро улучшить метаболическое здоровье как у людей, так и у мышей. Уменьшение содержания в рационе белка или общих аминокислот снижает уровень глюкозы в крови натощак и повышает толерантность к глюкозе у обоих видов менее чем за шесть недель» (примечание 5 к главе 5).

Приговор вынесен. Виновник — животный белок.

Итак, сколько животного белка мы должны есть?

Очень мало — лучший ответ, какой я могу придумать. Похоже, что в невиданном распространении ожирения, диабета, сердечно-сосудистых болезней и рака отчасти виноваты основные компоненты западной диеты — мясо и молочные продукты.

Клеточный биолог из Университета Южной Калифорнии доктор Вальтер Лонго обнаружил, что если мышь, получающую химиотерапию или другую целевую терапию, посадить на голодную диету, то это защитит нормальные клетки и органы, а также сделает терапию почти на сорок процентов более токсичной для раковых клеток. Во время клинических опытов на людях Лонго обнаружил, что двух-четырехдневные периоды воздержания от пищи, повторяемые в течение шести месяцев, убивают старые и поврежденные иммунные клетки и запускают генерацию новых, здоровых клеток. «Мы не могли предвидеть, что более длительное голодание способно замечательно стимулировать регенерацию на основе стволовых клеток», — объясняет Лонго (примечание 6 к Главе 5).

Голодание вынуждает организм использовать запасы глюкозы и жира, а также разрушать лейкоциты. Истощение лейкоцитов запускает процесс регенерации новых клеток иммунной системы на основе стволовых клеток. При голодании понижается уровень фермента протеинкиназы А, который отвечает за продление жизни и связан с синтезом стволовых клеток и плюрипотентностью — способностью одной клетки стать основой для развития многих разных типов клеток. При голодании снижается также уровень фактора роста IGF-1, связанного с прогрессированием опухоли и риском развития рака.

Лонго объясняет: «Протеинкиназа А — ключевой фермент, который должен отключиться, чтобы эти стволовые клетки перешли в регенеративный режим... И хорошая новость, что во время поста организм избавился от тех его элементов, которые могли быть поврежденными или старыми, от неэффективных частей. Теперь, даже если ваш организм сильно поражен химиотерапией или старением, циклы голодания могут в буквальном смысле сгенерировать новую иммунную систему» (примечание 7 к главе 5).

Ограничение белка — ключевое условие. И обязательно исключите из рациона белковые батончики, полные сахара, и фабричные белковые порошки. Пусть вашим основным источником хороших аминокислот будут белки овощей и бобовых.

В невиданном распространении ожирения, диабета, сердечно-сосудистых болезней и рака отчасти виноваты основные компоненты западной диеты — мясо и молочные продукты.

Важно отметить, что в бобовых культурах содержатся лектины. Это антинутриенты — белки, которые могут связываться с сахарами. Данные соединения снижают способность организма поглощать минеральные вещества из пищи. Поэтому, если хотите приготовить бобовые, замочите их на ночь и хорошенько промойте. Мне нравится добавлять в них сахаромицеты буларди и оставлять на ночь для ферментации, чтобы дополнительно нейтрализовать содержащиеся в бобовых антинутриентные белки (инструкции по сбраживанию приведены в главе 6).

Правда об углеводах

Что касается «дешевых углеводов», то наихудшими считаются быстрые углеводы, содержащиеся в обработанных продуктах — в кишечнике они сразу превращаются в сахара. Например, ломтик белого хлеба поднимает уровень сахара в крови сильнее, чем столовая ложка рафинада. Если ваш организм работает на сахарах, то вы используете недолговечную энергетическую стратегию. Тело запасает глюкозу в виде гликогена, и печень способна хранить не более ста граммов этого вещества. Этого достаточно для двадцатиминутного занятия в тренажерном зале! Ваши мышцы могут хранить около четырехсот граммов — это полтора часа силовых упражнений. Но тело среднего семидесятикилограммового мужчины в хорошей физической форме содержит около двадцати пяти килограммов накопленного жира, который может использоваться для производства энергии — то есть почти в тысячу раз больше топлива, чем этот гликоген в печени!

Сложные углеводы, содержащиеся в брокколи, цветной капусте и спарже, — это длинные молекулы, которые кишечные бактерии тоже расщепляют на сахара. Однако сложные углеводы не повышают уровень инсулина и потому не наносят большого ущерба, и они также богаты питательными веществами и содержат фитонутриенты, необходимые для хорошего здоровья. Кроме того, овощи, похоже, успокаивают сенсоры системы mTOR.

Выбирайте свои овощи и фрукты по цвету. Обязательно каждый день включайте в рацион два или три блюда из овощей. А фрукты лучше всего есть на обед, чтобы днем можно было сжечь сахар и перейти к кетозу, ночью и утром сжигая жиры.

Вы вполне можете спросить: «Если я перестану употреблять углеводы (даже здоровые) и уменьшу употребление белков, то что же мне, черт возьми, есть?»

Для начала *жир*.

Факты о жирах

Большинство калорий должно поступать к вам из жиров. Когда вы придерживаетесь диеты с высоким содержанием жира, но почти без углеводов и избыточных белков, вы входите в состояние пищевого кетоза. Теперь ваше тело будет сжигать не глюкозу, а жир. Организму обычного человека требуется несколько дней на то, чтобы вспомнить, как сжигать жиры, — ведь наш метаболический двигатель очень долго работал на сахаре. Но как только эта печка начнет сжигать жир, вы заметите, что сознание начинает проясняться, мышечная масса растет, а вес сам по себе уменьшается. Когда падает уровень инсулина и в организм поступает меньше белка, снижается активность системы mTOR, замедляются воспалительные процессы и стабилизируется уровень лептина (гормона насыщения), от чего уменьшается тяга к еде.

Переходя на сжигание жиров, вы включаете клеточные системы утилизации, или аутофагию. Я часто говорю студентам, что самые важные работники в Нью-Йорке — это сборщики мусора. Если вы поздно вечером отправитесь гулять по Манхэттену, вы увидите на тротуарах груды пакетов с мусором. Но к утру все они уже исчезнут, и улицы снова станут чистыми. Представьте, что произойдет, если сборщики мусора объявят забастовку всего лишь на несколько дней! Аутофагия — это сбор (и утилизация) мусора в организме. Можно смело сказать, что у тех из нас, кто часто ест сахар, внутренние сборщики мусора много лет бастуют. Из-за этого внутри и снаружи клеток накапливаются клеточные отходы, а расщепленные белки не перерабатываются.

Сокращая количество углеводов и потребляя ограниченный объем белков, вы уменьшаете уровень системы mTOR и включаете аутофагию. Вуаля! Забастовка окончена, рабочие

Рис. 5.1. Преимущества ограничения белка и сахара

возвращаются убирать мусор, сломанные белки утилизируются, потребность в потреблении белков с пищей благодаря этому уменьшается, и вы начинаете выращивать новое тело.

На рисунке 5.1 показано, как это работает (примечание 8 к главе 5). Позвольте мне провести экскурсию.

Ограничив потребление углеводов и белков, вы получите три невероятных, но измеримых преимущества. Во-первых, вы запустите производство новых митохондрий — энергетических фабрик в каждой клетке тела. Это явление известно как митохондриальный биогенез.

Второе преимущество заключается в том, что вы увеличиваете уровень нейротрофического фактора мозга (BDNF), который инициирует выработку стволовых клеток в головном мозге. Несколько десятилетий назад мы не верили, что мозг способен к регенерации, что мы способны вырастить новые нейроны. Сегодня мы понимаем, что можем активировать рост новых нервных стволовых клеток, которые восстанавливают и обновляют мозг, запуская производство BDNF. Это также снижает уровень белка программируемой клеточной смерти BAX, который связан с гибелью нейронов в мозге. Это может быть важно для профилактики болезни Альцгеймера и других форм деменции.

Наконец — и, возможно, это важнее всего — при сокращении количества углеводов и белков включится сиртуин SIRT-1. Этот белок долголетия заглушает гены болезни и пробуждает гены здоровья. Мне нравится называть сиртуины семейства SIRT-1 генами бессмертия. Они активны только тогда, когда вы следуете низкоуглеводной диете с небольшим содержанием аминокислот. В среде с высоким содержанием углеводов и белков гены SIRT-1 замолкают.

Ключ к получению всех преимуществ, которые я только что описал, — это не только потребление бо́льшего количества жиров (в частности, авокадо и полезных масел, например кокосового, оливкового и органического сливочного), но и сжигание собственного жира посредством кетоза.

Даже если вы не особенно заинтересованы в потере веса, лучше, чтобы ваше тело работало в основном на жирах, а не на сахаре. Начиная перезапускать свой метаболический двигатель, добавляйте в рацион хорошие жиры, в том числе авокадо, кокосовое и оливковое масла и так далее. Но если все ваши жиры будут поступать только из этих внешних источников, вы не включите аутофагию. Мусор останется внутри клеток, а переработка аминокислот не будет такой эффективной, как при сжигании собственных жировых запасов.

Ваше тело в своей великой мудрости не позволит вам сжигать собственные жировые запасы, пока вы не избавитесь от накопленных в нем токсинов. Помните, что в жировой ткани организм накапливает различные токсины. В ваших жировых клетках может находиться много ядов: ртуть, которая попала туда из зубных пломб (ваших и вашей мамы) или осталась еще с тех времен, когда вы были маленькими и у вас в комнате разбился градусник. Или пестициды из пищи, которой вас кормили в детстве, свинец из водопроводных труб, алюминий из кастрюль или фольги, в которой вы что-то запекали. Все это хранится в жировой ткани вместе с эндотоксинами, или внутренне созданными токсинами, а также продуктами неполного расщепления и выведения израсходованных гормонов. Ваша жировая ткань долго цеплялась за все эти вещества.

Если вы думаете, что сжигание жира — это хорошо, а его употребление — плохо, то вам следует знать, что в 2015 году руководящие принципы диетологии были пересмотрены, и специалисты больше не рекомендуют ограничивать потребление жиров и холестерина. Насыщенные жиры, которые обычно содержатся в кокосовом масле, молочных и мясных продуктах, когда-то считались порочными. В них видели причину болезней сердца, которые в Америке были убийцей номер один. Сегодня мы знаем, что между этими жирами и сердечно-сосудистыми заболеваниями нет никакой связи.

На самом деле, чем больше насыщенных жиров вы потребляете, тем лучше для вашего мозга и здоровья. Они противовоспалительные, стабильные и не сразу окисляются (окисление — это процесс, при котором железо ржавеет, медь зеленеет, а надрезанное яблоко становится коричневым).

Жиры не вызывают скачков сахара крови или выбросов IGF-1. Это значит, что они не активируют систему mTOR. Напротив, они способствуют ее успокоению.

Правда о жире

Вот немного информации о различных типах жиров.

Насыщенные жиры. Наилучшими признаны триглицериды средней цепи (ТСЦ), которые быстро используются организмом и не попадают в жировые клетки. Лучшие ТСЦ содержатся в кокосовом и оливковом маслах, а также в сливочном масле и авокадо. ТСЦ служат реактивным топливом для мозга. Добавляя их в еду во время программы «Создаем новое тело», вы способствуете очищению разума, поскольку тело начинает сжигать жировые запасы. Это обеспечит отличный переход к новому состоянию, в котором вы начнете производить кетоны из собственных запасов жира.

Кто-то спросит: разве не вредно есть кокосовое масло и другие насыщенные жиры, ведь они повышают уровень холестерина? Оказывается, сердечные приступы вызываются другими жирами — теми, которые поступают в организм в результате употребления сахара и углеводов, а не жирной пищи. Вспомните, что печень превращает избыток сахара в жир. По сути, в этом и состоит роль инсулина: он перерабатывает сахар в жир. Здесь имеется в виду сахар, который наши предки ели в конце лета, когда созревали фрукты[3]. Примерно шесть недель люди накапливали в теле этот сахар, и затем он хранился там в виде жира, чтобы помочь им пережить долгую зиму. Насыщенные жиры поступают из таких продуктов, как сыр и масло, и защищают от сердечных приступов. Эти жиры необходимы для иммунной системы. Они повышают уровень холестерина низкой плотности ЛПНП, но увеличивают также и уровень холестерина высокой плотности ЛПВП («хороший» холестерин), который снижается под воздействием сахара. В кокосовом масле содержится сорок процентов насыщенных жиров. В странах, где потребляется больше всего кокосового масла, показатели сердечных заболеваний самые низкие на планете.

Традиционно и небезуспешно религия помогает нам отринуть или отсрочить ответы на глубокие и основополагающие вопросы.

---

[3] Речь идет не о сахарозе (белом сахаре), а о моносахаридах глюкозе и фруктозе (прим. ред.).

Заново обучая свое тело сжигать жиры в качестве топлива, вы можете использовать смесь масла ТСЦ (сделанного из кокосовых орехов) и собственно кокосового масла. Столовая ложка того и другого по утрам — отличный способ начать сжигание жира. Масло ТСЦ дает кетоны сразу, а кокосовое превращается в них постепенно, подпитывая вас в течение дня. Повторяйте прием этих масел два-три раза в день по мере необходимости.

Мононенасыщенные жиры. Это ваши хорошие друзья. Они содержатся в оливковом масле, авокадо, орехах и ореховых маслах, оливках и сливочном масле.

Полиненасыщенные жиры. Они бывают хорошими и плохими. Наиболее важные из них — омега-3 и омега-6. Омега-3 уменьшает воспалительные процессы, включает синтез стволовых клеток в головном мозге, помогает восстанавливать зоны памяти и усвоения информации, защищает от болезней сердца. Омега-6, напротив, способствует воспалительным процессам, поэтому с этим жиром лучше быть осторожными.

До того как на Земле появились города, наши доисторические предки употребляли омега-3 и омега-6 в соотношении 1:1. Сегодня мы получаем из готовых продуктов почти в двадцать раз больше омега-6, чем омега-3. В ходе Лионского исследования влияния диеты на работу сердца ученые в течение четырех лет наблюдали более трехсот испытуемых и такое же количество участников контрольной группы. Обнаружилось, что при ограничении потребления жира омега-6 и увеличении омега-3 заметно падают общая смертность и заболеваемость раком, а частота сердечных приступов снижается почти на семьдесят процентов (примечание 9 к главе 5).

Жирные кислоты омега-3 в изобилии содержатся в авокадо, органическом мясе, льняном семени и масле, а также в жирной рыбе, например, из семейства лососевых. Необходимо также добавить в свой рацион два-три грамма омега-3 в день.

Трансжиры. Вот где нас ждут проблемы! Несколько десятилетий назад изготовители бакалейных товаров и полуфабрикатов заменили в своей продукции сливочное масло гидрогенизированными маслами (трансжирами), чтобы снизить потребление насыщенных жиров. Теперь мы знаем, что именно эти масла способствуют деменции, различным воспалениям и диабету, а также повышают риск развития рака. Избегайте любых продуктов, на упаковке которых написано «гидрогенизированный»!

Держитесь подальше от таких растительных масел, как кукурузное, соевое, рапсовое и подсолнечное, а также от маргарина. Вместо этого выбирайте органическое оливковое масло холодного отжима. Вы можете добавлять его прямо в готовые блюда, в том числе в салаты, поливать им рыбу и сыры, например свежую моцареллу. Его невозможно переесть, но на нем не стоит жарить, потому что у него низкая точка дымления (в масле с низкой точкой дымления при термической обработке образуются токсины и свободные радикалы). А вот кокосовое масло имеет высокую точку дымления, поэтому используйте его для приготовления смузи, жарки овощей и так далее.

Ешьте жиры с каждым приемом пищи! И помните, что жиры прекрасно сочетаются с овощами, но если добавлять к ним крахмал и сахар — вы прибавите в весе и повысите уровень вредного холестерина.

ГЛАВА 6

СУПЕРФУДЫ И СУПЕРДОБАВКИ

*Будьте чрезвычайно осторожны с тем,
что вкладываете в свою голову,
потому что вы никогда это из нее не вытащите.*

Кардинал Томас Уолси о короле Генрихе VIII

Благодаря суперфудам и специальным пищевым добавкам из программы «Создаем новое тело», описанным в этой главе, вы практически исключите риск возникновения болезни Альцгеймера, рака, диабета и множества других болезней цивилизации.

Дикорастущие версии многих суперфудов составляли основу питания наших древних предков и продолжают занимать центральное место в рационе разных коренных племен. В немногочисленных сегодня сообществах охотников-собирателей очень редко встречаются или вовсе отсутствуют такие проблемы, как аутизм, деменция, диабет, рак и аутоиммунные расстройства. Возможно, это связано с тем, что диета этих племен за последние столетия почти не изменилась. Задолго до того, как центральным продуктом питания человека стали злаки, основными источниками пищи служили орехи, ягоды, фрукты, овощи и мелкая дичь. Сегодня большинство людей живет далеко от дикой природы и покупает еду на фермерских рынках или в продуктовых магазинах; в отличие от охотников-собирателей мы не добываем корм в дикой природе. Однако мы тоже можем приблизиться к идеальной диете, которая поддерживает создание нового тела, если поймем, что в нее входит и почему она полезна.

Антропологи уже давно перестали утверждать, будто важнейшим продуктом в ранней диете охотников-собирателей было мясо крупных животных. Люди развивались совместно с растениями, а не с животными, и на протяжении тысячелетий мы были на редкость неуклюжими охотниками — представьте себе, что вы пытаетесь прикончить внушительного зверя камнем или палкой. Даже после того как полмиллиона лет назад древние охотники изобрели копье, дикие животные легко могли опередить их и перехитрить. Мясо буйвола или мамонта было лишь редким дополнением к обычной диете, основанной главным образом на растениях и включающей простые источники белка: семечки, орехи, насекомых, иногда рыбу и мелкую дичь. Изредка удавалось поймать крупное существо — оно считалось подарком от великого Духа.

Около пятидесяти тысяч лет назад мы стали более искусными в охоте. Но к тому времени мы питались орехами, ягодами и зеленью уже пару миллионов лет, а животные считались священными, и их жизнь нельзя было воспринимать легкомысленно. Взгляните на происхождение английского слова «животное» — *animal*. Оно происходит от латинского *anima*, что означает «душа». Люди тоже принадлежат к животному миру, и дикие существа были нашими священными родственниками. До прибытия Колумба в Новый Свет на Великих равнинах Северной Америки паслось более шестидесяти миллионов бизонов, а к 1890 году в США их осталось менее двухсот голов. Безрассудная охота привела к почти полному исчезновению этого вида. Тогда был в моде глупый вид спорта — стрелять в этих великанов из последнего вагона пассажирского поезда, пересекающего равнины, и оставлять туши гнить на земле. В отличие от приезжих, индейцы никогда не охотились ради забавы. Убив животное, они использовали все его части: мясо для еды, шкуру для изготовления одежды, сухожилия в качестве строительных материалов и так далее.

Примерно шесть тысяч лет назад люди новой, сельскохозяйственной эпохи начали менять диету — переходить с дикорастущей зелени на зерновые, которые выращивали на своих полях. В зависимости от того, где они жили, основой их диеты становились пшеница, кукуруза или рис. Все эти зерновые составляют главную причину высокого уровня сахара в крови. По сути, люди начали подпитывать тело и мозг глюкозой.

Диета, основанная преимущественно на растениях, активирует более пятисот генов, предотвращающих болезни, и дезактивирует более двухсот генов, вызывающих болезни.

В наши дни каждый школьник сознает важность присутствия зеленых растений в рационе. Однако далеко не всем известно, что растения не просто обеспечивают сбалансированное питание, но и поддерживают жизненно важные функции организма. Ученые обнаружили, что растения служат важными регуляторами наших генов. МикроРНК, или мРНК, — отдельные нити растительного генетического материала, циркулируют через наш кровоток, включая и отключая гены (примечание 1 к главе 6). Эти микроскопические растительные нити регулируют наш уровень холестерина и руководят уничтожением вторгающихся вирусов и бактерий. Подобно образцовым пользователям социальных сетей, мРНК быстро отправляют сообщения отдельным генам. Как и растения, богатые белком Nrf2 (но с использованием других сигнальных путей), они способны включать гены здоровья и отключать гены, которые вызывают рак, сердечно-сосудистые заболевания, диабет и многие другие болезни цивилизации.

За тридцать с лишним лет клинических исследований в Медицинском центре Университета Калифорнии доктор Дин Орниш выяснил, что диета, основанная преимущественно на растениях, активирует более пятисот генов, предотвращающих болезни, и дезактивирует более двухсот генов, вызывающих болезни. Программа питания, разработанная доктором Орнишем, включает цельные зерна как часть растительной диеты. Однако я рекомендую во время семидневной программы «Создаем новое тело» полностью исключить любые зерновые. Это понизит уровень сахара в крови до точки включения аутофагии и подавления системы mTOR. После завершения программы вы сможете понемногу добавлять в еду цельное зерно, следя за тем, насколько хорошо ваш организм его переносит.

В программу «Создаем новое тело» входит приготовление сока из зеленых листовых овощей по утрам. В течение тысячелетий рацион на основе растений для людей был стандартным, однако большинство из нас не привыкли пить на завтрак свежие соки, есть салаты и овощные супы. Сок «Зеленая богиня», который вы будете пить каждый день на выходе из интервального голодания, управляет обновлением каждого органа и восстанавливает здоровье мозга. Коды, активированные зелеными листовыми овощами, запустят ремонтные механизмы во всем теле.

Большинство зеленых овощей отличаются очень низким содержанием сахара, поэтому, даже если вы выжмете из них сок и удалите бо́льшую часть клетчатки, они не повысят уровень глюкозы в крови. Овощи, богатые клетчаткой, вы получите позже. Клетчатка замедляет всасывание сахара, способствует пищеварению и питает кишечные бактерии. Имейте в виду, что корнеплоды, например свекла и морковь, содержат много сахара и мало клетчатки, поэтому их не рекомендуется использовать в программе «Создаем новое тело». Позднее вы сможете добавлять их в свой рацион в умеренном количестве.

Некоторые растения считаются суперфудами из-за эпигенетических инструкций, которые они дают вашей ДНК. Причина, по которой деревенские жители Амазонии не страдают от четырех великих недугов современной жизни: рака, сердечно-сосудистых болезней, диабета и деменции, — это фитонутриенты.

Овощи из семейства крестоцветных, помидоры, различные орехи и семена составляют ядро рациона людей, живущих в так называемых голубых зонах — районах, обитатели которых отличаются необычайным долголетием и хорошим здоровьем. Недавно было выделено несколько таких зон: Окинава в Японии, Сардиния в Италии, Никойя в Коста-Рике, Икария в Греции и Лома Линда в Калифорнии, где проживает большое сообщество адвентистов седьмого дня. Эта религиозная группа придерживается вегетарианской диеты, которая включает молочные продукты и яйца.

Как правило, чем ярче расцветка фрукта или овоща, тем больше в нем фитонутриентов и тем сильнее он действует как суперфуд. Фитонутриенты можно принимать и в виде пищевых добавок, однако их употребление в натуральной форме позволяет нам в полной мере использовать их живые и полезные питательные вещества.

Как бы внимательно мы ни относились к своему питанию, все равно велика вероятность, что мы упускаем из виду какие-то питательные вещества. Исследования показывают, что бо́льшая часть продуктов из супермаркетов содержит относительно мало фитонутриентов по сравнению с продуктами, которые продаются на фермерских рынках или растут у вас в огороде. И даже свежие деревенские овощи и фрукты

Как правило, чем ярче расцветка фрукта или овоща, тем больше в нем фитонутриентов и тем сильнее он действует как суперфуд.

не могут сравниться с их мощными дикорастущими родственниками. Автор книги «Вкус и цвет здоровья. Недостающее звено оптимального рациона» Джо Робинсон объясняет: «В дикорастущих одуванчиках, которые когда-то были весенним лакомством для американских индейцев, фитонутриентов в семь раз больше, чем в шпинате, который мы считаем суперфудом. В пурпурном картофеле из Перу в двадцать восемь раз больше антоцианов, способных бороться с раком, чем в обычном батате. Один дикий вид яблок содержит в сто раз больше фитонутриентов, чем Golden Delicious, что красуется на полках супермаркетов» (примечание 2 к главе 6).

Робинсон объясняет, что причина такой потери питательных веществ состоит в том, что в последние десять тысяч лет фермеры отбирали для культивации самые сладкие растения, отбраковывая горькие и кислые — а именно эти два вкуса больше свойственны диким растительным продуктам. Сегодня мы понимаем, что горький и вяжущий вкус некоторых овощей указывает на то, что в этих растениях много полифенолов, способных защитить их и вас от болезней. Но наши трудолюбивые предки выбирали растения с высоким содержанием сахара и низким содержанием клетчатки — быстрые источники энергии с приятным вкусом. Результатом стало неуклонное снижение полезности этих растений для нашего здоровья.

Для максимальной пользы мы должны есть овощи и фрукты, выращенные в своей местности, в свой сезон и без пестицидов. Фрукты и овощи, которые в большинстве продуктовых магазинов продаются как свежие, на самом деле собраны за несколько дней или даже недель до достижения спелости — предполагается, что они созреют по пути к прилавку. Это лишает их бо́льшей части вкусовой и питательной ценности, которую они обрели бы, если бы естественным образом созревали под солнцем. Вспомните, какие ароматные помидоры растут в вашем огороде — и какими пластмассовыми кажутся их собратья из продуктового магазина. Поддержка местных фермеров не только гарантирует свежесть сельскохозяйственной продукции, но и уменьшает углеродный след от транспортировки на большие расстояния.

Если в вашей местности нет хороших свежих фруктов и овощей, то наилучшей альтернативой будут замороженные органические продукты: их собирают зрелыми и сразу же подвергают быстрой заморозке. Консервированных фруктов и овощей следует избегать любой ценой. Эти обработанные продукты содержат всевозможные химические вещества и другие вредные добавки, а кроме того, часть их питательной ценности утрачена. Используйте любую возможность собрать дикие растения. Что может сравниться со вкусом салата из дикорастущей зелени одуванчика?

Активаторы Nrf2

Среди суперфудов в нашей Чаше Грааля есть овощи семейства крестоцветных, в том числе брокколи, цветная капуста, кочанная капуста и кейл. Понятие «крестоцветный» относится не к свойствам овощей, а скорее к их листьям, которые имеют форму креста. Отличаясь высоким содержанием клетчатки и антиоксидантов, а также фитонутриентов, крестоцветные овощи активируют белок Nrf2 внутри клеток и включают гены долголетия SIRT-1.

Nrf2 способен защищать все органы и любые виды тканей организма от таких заболеваний, как рак, болезни сердечно-сосудистой системы, деменция и аутоиммунные заболевания. Это одна из важнейших систем защиты клеток, предназначенная для устранения свободных радикалов и окислительного стресса, вызываемого токсинами и канцерогенами. Свободный радикал — это молекула, потерявшая электрон и потому нестабильная. Она попытается украсть электрон у другой молекулы.

Когда мы с доктором Дэвидом Перлмуттером исследовали некоторые растения, используемые народами Амазонии, то обнаружили, что многие из них ведут себя как активаторы Nrf2. Обычно белок Nrf2 связан с клеточной мембраной — до тех пор, пока он не активируется стрессом, ограничением калорийности или некоторыми растениями, в том числе чесноком, брокколи, куркумой и другими суперпродуктами. Тогда, высвобождаясь из мембраны, он проникает в ядро клетки и начинает работать, переключая производство антиоксидантов, детоксификаторов и противовоспалительных агентов. Рисунок 6.1 дает представление о том, как работает Nrf2, а также об отдельных продуктах и веществах, которые приводят его в действие.

Я сравнил бы Nrf2 с бойцами отряда «морских котиков» ВМС США. Обычно они сидят на военной базе и пьют кофе (или зеленый чай), пока не звучит сигнал тревоги. По этой команде

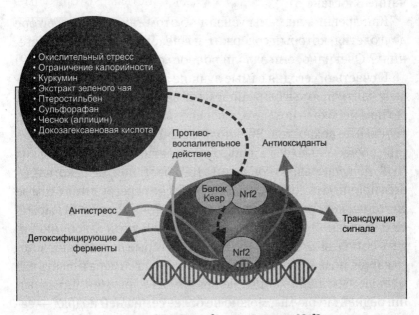

Рисунок 6.1: Пути детоксикации Nrf2

белки направляются в ядро клетки и в ДНК, там они устраняют террористов (свободные радикалы) и включают гены долголетия SIRT-1. Завершив работу, белки Nrf2 возвращаются к клеточной мембране, но остаются начеку.

Исследователи обнаружили, что Nrf2 может быть основным регулятором процесса старения. Ученые из Техасского университета утверждают: «Сигнализация Nrf2... активирует более двухсот генов, которые имеют решающее значение для метаболизма лекарств и токсинов, защиты от окислительного стресса и воспаления, а также играют важную роль в стабильности белков и в удалении поврежденных белков путем протеасомной деградации или аутофагии (примечание 3 к главе 6).

Как древние шаманы узнали об этом главном регуляторе долголетия, который содержится в некоторых зеленых растениях? Очевидно, они задали вопрос самим растениям.

К счастью, сегодня самые лучшие активаторы Nrf2 мы можем найти прямо в ближайшем магазине здорового питания. Но нам необходимо знать, как использовать эти мощные растительные лекарства. Брокколи можно есть в любом количестве по несколько раз в день, однако активатор сульфорафана Nrf2, получаемый из соцветий этого растения, не рекомендуется принимать дольше недели, чтобы не перегрузить те самые системы, которые вы хотите усилить. Точно так же вы можете ежедневно готовить соус карри с куркумой и воочию видеть ее полезность: жители Индии, которые потребляют много карри, подвержены риску болезни Альцгеймера в шесть раз меньше, чем американцы. Но принимать куркумин, активный ингредиент куркумы, можно не более семи дней подряд — затем необходимо дать организму отдохнуть.

Проще говоря, все растение целиком можно есть сколько угодно. Однако экстракт растения, его активный ингредиент, оказывает *дозозависимое* влияние. Это означает, что в определенных небольших количествах он помогает, но в больших его благоприятное воздействие прекращается. Этот эффект известен как гормезис (от греческого «быстрое движение»). Так обстоит дело со всеми активаторами Nrf2: низкая доза может помочь, а высокая — свести пользу к нулю. Через несколько дней после включения реакции Nrf2 с помощью экстракта брокколи (сульфорафан) или куркумина организм насыщается и отключает детоксикацию, из-за чего вы снова переполняетесь отходами!

Ниже приведены наиболее мощные растительные активаторы Nrf2 и регуляторы процесса старения.

Овощи из семейства крестоцветных	
Бок чой — китайская, или белая, капуста	Кейл
Браунколь, листовая капуста	Кочанная капуста
Брокколи	Листовая горчица
Брюссельская капуста	Цветная капуста

Брокколи происходит из Средиземноморья и упоминается в древнеримских текстах. Она широко применялась в итальянской кулинарии и впервые появилась в Америке, когда Томас Джефферсон привез ее из Европы. Брокколи обычно зеленого цвета, но бывает и фиолетовой. В пищу годятся как стебли, так и соцветия. Брокколи можно готовить на пару или на гриле, запекать, жарить или есть сырой в измельченном виде — например, в салате. Ее также используют в супах или запеканках, хотя густых сливочных супов и сырных запеканок лучше избегать, потому что в них добавляют молоко. Брокколи богата многими питательными веществами, в том числе кальцием, селеном и цинком. Она содержит сульфорафан, мощный активатор Nrf2. Сульфорафан обладает противоопухолевыми свойствами и повышает экспрессию генов долголетия внутри клеток.

Цветная капуста традиционно выращивалась как в Европе, так и в Азии. Обычно она белая, но есть также фиолетовые и оранжевые разновидности. Насыщенная питательными веществами и высоким содержанием клетчатки, цветная капуста часто используется в индийском блюде карри и обжаривается с куркумой, другим фитонутриентом. Как и брокколи, цветную капусту можно готовить на пару и гриле, запекать или употреблять в сыром виде, добавлять в супы или запеканки.

Кочанная и брюссельская капуста, узнаваемые по круглым головкам плотно прилегающих друг к другу листьев, тоже насыщены питательными веществами. В Древней Греции и Риме капуста использовалась для лечения множества болезней. Брюссельская капуста богата фолиевой кислотой и витаминами А и С, но если ее недоварить, она имеет горький привкус, из-за чего считается наименее любимым овощем в семействе крестоцветных. В жареном или запеченном виде она очень вкусна.

Бок чой, или белая капуста, — один из основных продуктов азиатской кухни. В Китае ее культивируют на протяжении более шести тысяч лет, а сейчас она выращивается и в Северной Америке. Бок чой содержит целых двадцать восемь видов фитохимических веществ (примечание 4 к главе 6), одно из которых предотвращает рак яичников (примечание 5 к главе 6). В этом растении много витаминов А, С, К и фолатов. Бок чой также служит хорошим источником кальция, поскольку, в отличие от шпината, в нем мало оксалата — вещества, которое связывает кальций и делает его недоступным для организма. Бок чой можно есть в приготовленном или сыром виде, его полезно добавлять в зеленый сок.

Кейл, как и шпинат и другие зеленые овощи, не образующие кочанов, приобрел на Западе широкую и заслуженную популярность. Кейл наполнен клетчаткой и фитонутриентами, это хороший источник витаминов С, К и бета-каротина, а также кальция и магния. Я каждое утро добавляю кейл в зеленый сок. Чем ближе цвет этого растения к синему, тем оно питательнее.

В зелени **листовой капусты** (браунколь) содержится неисчислимое количество фитонутриентов. Из всех овощей семейства крестоцветных это растение наиболее эффективно снижает риск развития

Если в вашей местности нет хороших свежих фруктов и овощей, то наилучшей альтернативой будут замороженные органические продукты: их собирают зрелыми и сразу же подвергают быстрой заморозке.

рака и сердечно-сосудистых заболеваний. Браунколь вместе с другими древнейшими представителями семейства капустных был популярен в Древней Греции. Он был доставлен в Америку из Африки во времена работорговли и настолько органично вписался в традиционную кулинарию, что Южная Каролина объявила его своим «овощем штата». Его можно готовить различными способами: широкие листья можно использовать вместо лепешек и заворачивать в них различные начинки, например гуакамоле.

Листовая горчица бывает и красной, и зеленой, а по вкусу она острая и напоминает руколу. Эта зелень невероятно богата фитонутриентами и в деле профилактики рака уступает только брюссельской капусте. Чтобы добиться максимальной пользы, нарежьте зелень, а затем оставьте ее постоять пять минут перед приготовлением.

Куркума

Наряду со всеми полезными овощами, составляющими основу питания в программе «Создаем новое тело», нужна также куркума. Эта пряность имеет массу полезных свойств. Будучи ключевым ингредиентом в блюдах карри, куркума важна для детоксикации и восстановления мозга. Это чрезвычайно мощный противовоспалительный, антиоксидантный, противогрибковый и антимикробный продукт. Куркума приносит максимальную пользу нашему здоровью, когда проходит термообработку, однако ее можно также смешивать с черным перцем и принимать в качестве пищевой добавки.

Считается, что куркума, полученная из корня растения *Curcuma longa*, усиливает сексуальное желание, поэтому она традиционно использовалась в брачных ритуалах в разных штатах Индии.

Куркума отличается сильным перечно-древесным запахом, в высушенном виде она имеет глубокий желто-оранжевый цвет, который символизирует связь с животворной силой солнца.

Орехи и семечки

Орехи и семечки служат отличными источниками полезных растительных жиров. Масла из кокосовых и грецких орехов, миндаля и льняных семян, как и оливковое масло холодного отжима, — это концентрированные источники жирных кислот омега-3. Длинный список их полезных свойств включает снижение уровня холестерина и даже снятие депрессии.

Среди всех орехов суперзвездами фитонутриентов признаны грецкие орехи, но другие сорта тоже обладают замечательными талантами. Миндаль отличается высоким содержанием клетчатки. Бразильские орехи содержат селен, способствующий профилактике рака. Два таких ореха дадут вам всю дневную норму селена. Кешью богаты железом, цинком и магнием, которые стимулируют мозг. Орехи пекан помогают предотвратить образование атеросклеротических бляшек. В макадамии содержится больше всего мононенасыщенного (хорошего) жира по сравнению с остальными видами орехов. Арахис относят к бобовым, а не к орехам — он насыщен питательными веществами, но его лучше избегать. Многие люди чувствительны к арахису, а аллергия на него очень распространенное явление и даже может привести к смертельному исходу.

Семечки — еще один хороший способ увеличить потребление белка и незаменимых жирных кислот омега-3. Отличный источник белка — семена конопли: в них присутствуют десять незаменимых аминокислот, а также жирные кислоты омега-3 и омега-6 в идеальной пропорции. Семена кунжута богаты кальцием и другими минералами. Семечки подсолнечника способствуют здоровому пищеварению, а тыквенные содержат лигнаны, снижающие уровень холестерина, и тоже улучшают пищеварение, регулируя прохождение пищи из желудка в тонкую кишку.

Орехи и семечки можно добавлять в салаты, включать в овощные блюда или есть отдельно. Чтобы максимально использовать их питательную ценность, обязательно покупайте необжаренные органические орехи и храните их в холодильнике, чтобы они оставались свежими и не покрывались плесенью.

Авокадо

Древние народы Северной и Южной Америки знали, что плоды дерева авокадо — это суперфуд, обладающий огромной пользой. Не пугайтесь высокого содержания жира: авокадо содержит полезные мононенасыщенные жиры, в том числе олеиновую кислоту, которая снижает риск рака молочной железы и способствует усвоению питательных веществ в кишечнике. Авокадо служит хорошим источником лютеина — каротиноида, который предотвращает дегенерацию желтого пятна, и фолиевой кислоты, то есть витамина группы В, снижающего риск сердечных заболеваний и инсульта. Авокадо, с его высоким содержанием клетчатки и низким гликемическим индексом, помогает регулировать уровень сахара в крови. Эти плоды также считаются отличным источником антиоксиданта глютатиона, и в сочетании со шпинатом или помидорами, богатыми альфа-липоевой кислотой, образуют оптимальный состав для защиты здоровья клеток. Из авокадо, помидоров, петрушки и небольшого количества лайма, соли и лука готовят гуакамоле — соус, богатый фитонутриентами. Просто не покупайте кукурузные чипсы, которыми принято зачерпывать гуакамоле, а вместо этого используйте нарезанные сырые овощи.

Ягоды

Черника — это рок-звезда фитонутриентов, содержащая птеростильбен, активатор Nrf2, который снижает уровень холестерина и кровяное давление, защищает от рака и деменции.

Черника всегда была неотъемлемой частью диеты североамериканских индейцев. Известная своими антиоксидантными свойствами, эта ягода также богата железом, селеном и цинком. Если у вас есть возможность собирать дикорастущую чернику, то непременно делайте это: ее питательная ценность еще выше. Я предпочитаю есть замороженные ягоды, собранные на пике спелости.

Ягоды годжи, также известные как волчьи ягоды, произрастают в Китае, где их веками считали ключом к долголетию. Они один из основных компонентов, использующихся в китайской медицине. Эти ягоды насыщены питательными веществами и в два — четыре раза превосходят чернику по своим антиоксидантным свойствам. В них есть все незаменимые аминокислоты — как источник цельного белка они не уступают мясу. Как правило, ягоды годжи едят сырыми, кипятят и пьют как чай или для лечебных целей добавляют в супы. Можно также использовать экстракт ягод годжи.

Что можно есть в скромных количествах

У древних людей не было круглогодичного доступа к фруктам, поэтому их организмы приспосабливались только к тем фруктам, которые росли в их местности и вызревали в определенный сезон. В любом климате, кроме тропического, сезонные плоды появляются в конце вегетационного периода — обычно на исходе лета. С эволюционной точки зрения роль гормона инсулина, который вырабатывается поджелудочной железой и стимулирует поглощение сахара тканями тела, заключалась в том, чтобы превращать эти фруктовые сахара в жир. В урожайный сезон этот жир накапливался в организме и потом всю долгую зиму снабжал энергией наших предков — охотников-собирателей. Однако сегодня долгая зима с ее дефицитом источников пищи не наступает никогда, поэтому мы так и остаемся с избытком жира, как правило, в области талии.

Поскольку эволюция не удосужилась приспособить наши тела к усвоению фруктов по истечении сезона вегетации, слишком большое их потребление нарушает секрецию инсулина и приводит к гиперактивации mTOR. Поэтому ешьте только умеренное количество фруктов и употребляйте их целиком, а не в виде соков, чтобы предотвращать «сахарные всплески» в крови и получать полноценную пользу от клетчатки. Если сезон уже закончился, но вам очень хочется фруктов, попробуйте съесть несколько замороженных ягод черники или добавить в салат небольшое количество сушеной вишни или изюма.

Ешьте только умеренное количество фруктов и употребляйте их целиком, а не в виде соков, чтобы предотвращать сахарные всплески в крови и получать полноценную пользу от клетчатки.

Исключение из правила «никаких соков» составляет зеленый напиток, которым мы начинаем свой день. Избегайте заранее смешанных свежих напитков, которые продаются на коммерческой основе. Большинство из них — просто сладкие фруктовые соки с добавлением небольшого количества капусты или шпината, которые придают им зеленый оттенок. Приготовление собственного сока из свежих листовых зеленых овощей обеспечит вам длительное поступление витаминов и микроэлементов, в том числе тех, которые отключают гены болезни и включают гены здоровья.

Начиная семидневную программу «Создаем новое тело», помните, что хорошие источники белка — это авокадо, орехи, семечки и яйца (если у вас нет на них аллергии). Во время участия в программе старайтесь не есть красного мяса, но после ее окончания, когда вы начнете модернизировать свой мозг, можно в умеренных количествах употреблять животный белок. Доктор Вальтер Лонго обследовал шесть тысяч американцев и показал, что белковая диета ведет к увеличению общей смертности на семьдесят пять процентов и трех-четырехкратному повышению риска заболеваемости раком по сравнению с растительной диетой с низким содержанием белка. (примечание 6 к главе 6).

Существует много неверной информации о том, что все необходимые белки можно получить из растений. Американская кардиологическая ассоциация заявила, что одних растительных белков недостаточно, поскольку в большинстве из них отсутствуют одна или несколько незаменимых аминокислот. Если бы вы всю жизнь питались одной капустой брокколи, вам не хватало бы целого ряда жизненно важных веществ. Но, готовя на обед две или три порции разных овощей, вы получаете все незаменимые аминокислоты, необходимые организму[4]. Единственное, чего недоставало бы вегетарианцам и что нужно было бы использовать в виде пищевых добавок, — это витамин B_{12}.

---

[4] Незаменимые аминокислоты можно получить из бобовых (прим. ред.).

Если же вы собираетесь есть мясо, берите самое чистое мясо или домашнюю птицу из всех видов, какие можете найти, — мясо животных, которые свободно паслись вместе с другими своими собратьями и потребляли естественную растительную пищу с высоким содержанием жирных кислот омега-3.

Когда наши предки переместились из африканской саванны на побережье, они включили в свой рацион рыбу и моллюски. Во всем мире цивилизации возникали вокруг морей, озер и рек. Императоры, чиновники и жрецы обедали морепродуктами и рыбой, а строители пирамид утоляли голод пшеничными лепешками. Сегодня рыба доступна большинству людей, которые живут рядом с природными водоемами или способны открыть банку сардин.

Рыба, содержащая незаменимую жирную кислоту омега-3, представляет собой превосходную пищу для мозга. Избегайте рыбы, выращиваемой на фермах, — часто ее накачивают антибиотиками и добавками для улучшения цвета, кормят соей и зерном, которые никогда не ест рыба в природных водоемах. Меньше всего токсинов содержат дикие виды, особенно холодноводные рыбы, например аляскинский лосось, сардины и сельдь. Но имейте в виду, что чем крупнее рыба, тем больше вероятность ее загрязнения ртутью, поэтому старайтесь не есть тунца и рыбу-меч.

Рыбий жир, богатый докозагексаеновой кислотой, ценился у индейцев тихоокеанского северо-запада настолько высоко, что им торговали как валютой. В так называемой рыбе-свече было так много «жира», что можно было просто вставить фитиль в рот засушенной рыбки, и она горела бы как свеча (примечание 7 к главе 6).

Ферментированные продукты

Ферментация — это древний метод приготовления пищи, восходящий как минимум к 8000 году до н. э., а ферментированные продукты можно найти в любой части мира. С помощью ферментации, основанной на культивировании дружественных бактерий, производится все — от вина, пива и сидра до хлеба, сыра и уксуса. Ферментированные продукты содержат необходимые ферменты и пробиотики, которые восстанавливают кишечник и помогают организму избавиться от токсинов, в том числе тяжелых металлов.

Мои любимые ферментированные продукты — это соленые огурцы, квашеная капуста и суп мисо. В интернете можно найти отличные рецепты приготовления ферментированных продуктов, а также видео с практическими рекомендациями по всему процессу. Если вы собираетесь самостоятельно сбраживать продукты, просто внимательно следуйте инструкциям, чтобы избежать загрязнения нежелательными бактериями.

Ферментация — это способ долго хранить пищу и максимизировать ее полезность для здоровья, используя естественные бактерии для преобразования сахара в молочную кислоту. Мелани Фэллон и доктор Мэри Дж. Эниг из Фонда Вестона Прайса — организации, которая публикует исследования и информацию о пищевых продуктах с высоким содержанием питательных веществ, — рассказывают о ферментации:

Крахмалистые вещества и сахара в овощах и фруктах превращаются в молочную кислоту под действием многих видов бактерий. Эти лактобациллы распространены повсеместно, присутствуют на поверхности организмов всех живых существ и особенно многочисленны на листьях и корнях растений под землей или непосредственно у земли. Человеку нужно только изучить методы контроля и стимулирования их распространения для собственных целей, точно так же, как он научился использовать определенные дрожжи для преобразования сахаров в спирт, то есть виноградного сока в вино (примечание 8 к главе 6).

Ночное сбраживание риса с сахаромицетами буларди

Во время программы «Создаем новое тело» мы ферментируем многие продукты, в том числе рис, с помощью сахаромицетов буларди. Если добавить две капсулы этих удивительных дрожжей к коричневому рису и замочить на ночь, то сахаромицеты нейтрализуют антипитательные вещества риса и превратят его в суперфуд, который обладает мощными противораковыми свойствами и препятствует росту лимфом (примечание 9 к главе 6).

Возьмите два стакана воды на один стакан риса. Вода должна иметь температуру тела. Смешайте с водой содержимое двух капсул сахаромицетов буларди (или одну столовую ложку ранее приготовленной закваски). Оставьте смесь на ночь в духовке с включенным светом, чтобы поддерживалась постоянная температура. На следующий день примерно полстакана воды перелейте в другую емкость, а остальное прокипятите.

Вы приготовили свой собственный суперфуд! Перелитую воду можно использовать как закваску для сбраживания следующей партии риса.

Пребиотики и пробиотики

Пребиотики и пробиотики необходимы для обновления кишечного мозга.

Пребиотики способствуют росту хорошей флоры в кишечнике. Пребиотиками называют овощи семейства крестоцветных, потому что они содержат клетчатку, которой питается ваша флора. Кроме того, они служат средой обитания и пищей для полезных бактерий. Чтобы обновить мозг и поддерживать его оптимальное функционирование, нужно потреблять много растительных волокон или необработанных продуктов. Клетчатка ускоряет прохождение пищи через пищеварительную систему, поглощая воду, которая размягчает каловые массы и облегчает работу кишечника.

Пробиотики — это здоровая флора, которая способствует пищеварению и защищает кишечник от вредных микробов. Много бактерий мы поглощаем при обычном взаимодействии с природной средой — когда вдыхаем пыль, которая поднимается от почвы, гладим домашнего питомца или просто держим за руку другого человека. Мы берем в руки немытые органические фрукты или овощи, купаемся в естественных водоемах и так далее — по правде говоря, мы вносим в свой организм здоровые бактерии бесчисленными способами. Один грамм земли — размером с небольшую монетку, содержит более сорока миллиардов бактерий. Чтобы улучшить работу мозга, дольше гуляйте на свежем воздухе или заведите собаку!

Если вы чувствуете, что получаете недостаточно пробиотиков, вы можете принять пищевую добавку. Лучшее, что я нашел, — это «умные» пробиотики, которые мой друг микробиолог Комптон Р. Бада собирает в пяти голубых зонах — регионах долголетия, по всей планете (вы можете заказать его пробиотики ProAlive на сайте ascendedhealth.com). «Умные» пробиотики Комптона могут обновить флору вашего кишечника за считанные недели, и по сравнению с этими добавками готовые формулы, содержащие мертвую или неактивную флору, не столь эффективны. Помните, что если у вас отмечается избыточный рост дрожжевых грибков Candida, то пробиотики не смогут заселить ваш кишечник!

Пищевые добавки на каждый день

Для создания и поддержания нового тела очень важно изменить привычки питания. Но следовать всем рекомендациям по питанию может быть непросто, особенно в те времена года, когда поблизости нет свежих местных фермерских продуктов. Ускорить процесс восстановления кишечника и обеспечить разумную диету вам помогут пищевые добавки.

Мы говорили о многих из них в предыдущей главе, но только в контексте нашей программы. Здесь мы рассмотрим их роль в повседневном питании. Все эти добавки способствуют восстановлению и регенерации мозга и внутренних органов. Обязательно проконсультируйтесь с врачом, прежде чем принимать какие-либо добавки, и прислушивайтесь к своему телу. Каждому человеку нужна своя правильная дозировка, и она меняется даже в зависимости от времени года. Обращайте пристальное внимание на свои ощущения и слушайте тонкие послания своего тела.

Вот какие пищевые добавки следует принимать на регулярной основе.

Докозагексаеновая кислота (ДГК) — омега-3 жирная кислота, необходимая для здоровья мозга. Жир мозга состоит из ДГК на сорок процентов, а жир грудного молока — почти на пятьдесят процентов. ДГК содержится в рыбе, орехах, семечках и некоторых растительных маслах. Поскольку организм не производит ДГК, нам необходимо принимать пищевые добавки из рыбьего жира или водорослей. Исследователи отметили, что у людей с высоким уровнем ДГК в рационе риск развития болезни Альцгеймера снижен на восемьдесят пять процентов (примечание 10 к главе 6). Обязательно принимайте ДГК вечером — тогда тело не может сжигать ее в качестве топлива, поэтому ДГК легко попадает в мозг и запускает производство нейротрофического фактора мозга (BDNF) и нервных стволовых клеток.

Раньше мы получали ДГК из рыбы, пойманной в дикой природе, но сегодня большинство рыбы выращивается на фермах, питается кукурузой и содержит очень мало ДГК. В результате мозг многих людей невозможно восстановить. Если вы замечаете, что окружающие становятся скучнее и теряют способность общаться, то вероятно, из-за недостатка ДГК в рационе у них нарушена работоспособность мозга.

Дозировка составляет 2 г в день.

Альфа-липоевая кислота (АЛК) присутствует в каждой клетке организма и играет решающую роль в детоксикации. АЛК будет преодолевать гематоэнцефалический барьер и выводить из мозга токсины, в том числе тяжелые металлы. Печень очень любит альфа-липоевую кислоту.

Дозировка составляет от 300 до 600 мг три дня в неделю (не стоит принимать ежедневно).

Куркума повышает уровень супероксиддисмутазы (СОД) и глутатиона — двух антиоксидантов, важных для функционирования мозга (они подробно описаны в главе 7 «Обнуляем "часы смерти"»). Куркума предназначена для профилактики рака, устранения свободных радикалов и поддержки работы сердца, печени и желудочно-кишечного тракта. У куркумы очень низкая биодоступность: из того объема, который вы съедаете, в вашу систему попадает менее пяти процентов. Добавляйте эту пряность в карри и салаты.

Дозировка составляет 1000 мг в день.

Витамин В$_{12}$ необходим для детоксикации печени и восстановления миелиновой оболочки вокруг нервов. Он также незаменим для сохранения целостности ДНК и для производства нейротрансмиттеров. У большинства американцев наблюдается дефицит витамина В$_{12}$. Принимайте метилкобаламин В$_{12}$ под язык — это более биодоступная форма.

Дозировка составляет 2500 мкг в день.

Витамин С необходим для всех процессов детоксикации.

Дозировка составляет 1000 мг в сутки.

Витамин D$_3$ — это форма витамина D, которая вырабатывается организмом под действием солнечного света. Но даже если вы проводите много времени на свежем воздухе, вряд ли вы получаете достаточно витамина D$_3$. С его дефицитом связаны сезонные депрессии, диабет, деменция и аутоиммунные расстройства. Люди, которые принимают 600 международных единиц (МЕ) или больше витамина D$_3$, вдвое меньше подвержены развитию деменции и болезни Альцгеймера по сравнению с контрольными группами (примечание 11 к главе 6). Дозировка варьирует в широких пределах, но, согласно обзору текущих исследований, который цитирует эксперт по витамину D доктор медицинских наук

Майкл Холик, терапевтические дозы для взрослых составляют от 1000 до 10000 МЕ в день. Мне нравится работать с дозой в середине этого диапазона.

Дозировка составляет 5000 МЕ в день.

Кокосовое масло и масло СЦТ (среднецепочечные триглицериды) — реактивное топливо для мозга. Триглицериды со средней длиной цепи проходят через стенку кишечника, не вызывая всплеска уровня инсулина, и попадают в митохондрии внутри клеток. Принимайте кокосовое масло по две столовые ложки в день — одну утром и одну в полдень вместе с маслом СЦТ в таком же количестве. Можно добавлять кокосовое масло в суп и чай. Мне нравится есть его прямо из банки, как мороженое!

Дозировка составляет 4 столовые ложки (¼ стакана) в день, предпочтительно утром.

Убихинол — более эффективная версия коэнзима Q10, который необходим для производства энергии митохондриями. Когда мыши, которых всю жизнь кормили убихинолом, достигали старости (эквивалент девяностолетнего возраста человека), они все еще резвились как молодые. Чего не скажешь о контрольной группе мышей, у которых были обнаружены онкологические и сердечно-сосудистые заболевания.

Дозировка составляет 200 мг в день.

Мультивитаминная и минеральная формула очень важна, поскольку даже самые красивые на вид органические овощи, которые вы найдете в магазинах, выращиваются на истощенных почвах. Купите качественные мультивитамины известного бренда и принимайте их ежедневно.

Дозировка указана на упаковке.

Цинк необходим для детоксикации печени. По оценкам Всемирной организации здравоохранения, каждый третий человек в мире испытывает дефицит цинка.

Дозировка составляет 15 мг в день.

Магний требуется печени для выведения токсинов из кровотока в желудочно-кишечный тракт. Это, наверное, самый важный минерал в организме, и большинство из нас испытывают недостаток магния, а симптомы этого дефицита включают мышечные боли, беспокойство и проблемы со сном.

Дозировка составляет 350 мг в сутки.

Новые пищевые добавки в этом издании

Эти добавки помогут вам сохранить крепкие кости и предотвратить болезни, а также обеспечат вас необходимыми сопутствующими факторами для выработки энергии в клетках.

Витамину К$_2$ в западной диетологии не уделяется большого внимания, и многие люди о нем даже не слышали. Витамины группы К$_2$, в частности вещество менахинон-7, не позволяют кальцию скапливаться в кровеносных сосудах и удерживают его в костях благодаря поддержке минерализации остеобластами (костно-формирующими клетками). Это увеличивает массу и механическую прочность костей, причем создаются твердые, но упругие кости, более устойчивые к переломам. Население в США испытывает недостаток витаминов группы К, потому что мы потребляем слишком мало зелени. В Японии люди получают менахинон-7 из ферментированного соевого продукта натто, этим объясняется снижение риска переломов и потери костной массы среди японских женщин. Витамин K_2 также снижает риск сердечных заболеваний.

Дозировка составляет 100 мкг в день.

Бикарбонат натрия, также известный как пищевая сода, поможет вам нейтрализовать чрезмерно закисленный западный рацион и восстановить уровень pH. Органический бикарбонат натрия служит отличным домашним средством от рефлюкса, поскольку нейтрализует желудочную кислоту. Пищевую соду нужно принимать не ранее чем через два часа после еды, чтобы не мешать пищеварению. В результате нейтрализации желудочной кислоты образуется углекислый газ, поэтому после приема бикарбоната натрия может появиться отрыжка.

Дозировка составляет ½ чайной ложки вечером, через два часа после еды.

Никотинамида рибозид — это недавно открытая природная форма витамина B_3, которая в сочетании с птеростильбеном на сорок процентов повышает концентрацию никотинамидадениндинуклеотида (NAD+) в мозге, обеспечивая более эффективное производство энергии. С возрастом уровень NAD+ снижается, и поддержание его с помощью никотинамида рибозида может обеспечить существенную защиту клеток мозга.

Дозировка составляет 125 мг в сутки.

Триптофан (также называемый L-трипрофаном) — незаменимая аминокислота, которая действует как природный стабилизатор гормонального фона и регулятор настроения. Добавление в рацион триптофана улучшает сон, устраняет беспокойство и может помочь сжиганию жира. Триптофан уменьшит тягу к углеводам и поможет снизить сахарную зависимость. Он также увеличивает выработку серотонина, нейромедиатора «хорошего самочувствия». Пищевые добавки с триптофаном помогут контролировать аппетит и облегчат потерю веса. Они также способствуют выработке диметилтриптамина (ДМТ) в мозге.

Дозировка составляет 1000 мг в день.

Во время программы «Создаем новое тело» вы будете принимать и другие пищевые добавки, описанные ниже в этой книге.

Пищевые добавки обладают большой силой и должны использоваться с осторожностью. Если вы решили принимать добавки, предлагаемые на этих страницах, то проконсультируйтесь с врачом и диетологом. При выборе добавок помните, что гелевые капсулы лучше обычных, а обычные капсулы лучше таблеток — так кишечник легче усваивает ингредиенты.

ЧАСТЬ III

ПРЕОДОЛЕВАЕМ НЕОТСТУПНУЮ СМЕРТЬ

ГЛАВА 7

ОБНУЛЯЕМ «ЧАСЫ СМЕРТИ»

Самая большая ошибка — попытаться перескочить через пропасть в два прыжка.

Дэвид Ллойд Джордж, премьер-министр Великобритании

Мать-природа хочет, чтобы вы «плодились, размножались и наполняли Землю», иначе человечеству грозило бы вымирание. Таким образом человеческая раса может рассчитывать на потенциальное бессмертие, хотя каждого индивидуума ожидает неминуемая смерть. Примерно в тридцать пять лет, к концу вашего репродуктивного возраста, жизненно важные системы восстановления и регенерации в теле начинают разрушаться. Вы перестаете вырабатывать гормон роста, который наращивает мышцы и сохраняет кожу молодой и упругой. Ваш уровень глутатиона и СОД (супероксиддисмутазы) — поглотителей свободных радикалов, к сорока годам падает почти до нуля. Появляются морщины, раны заживают не так быстро, как раньше, и теперь выражение «веселиться всю ночь напролет» означает, что вы будете в постели к одиннадцати часам вечера.

Когда вы выходите из детородного возраста, у природы на вас остается не так много планов. Не люблю это повторять, но биология явно плетет заговор в пользу молодых. По словам директора Центра питания и метаболизма при детской больнице Окленда (Калифорния) доктора Брюса Эймса, по мере взросления наш организм выполняет своего рода сортировку по приоритетам. Основные витамины и минеральные вещества он в первую очередь предлагает тем белкам, которые необходимы для выживания, обходя своим вниманием белки долголетия и долгосрочного здоровья, такие как SIRT-1 (примечание 1 к главе 7).

Многим из нас недостает одного или нескольких питательных веществ, обеспечивающих долголетие. У бедняков это во многом обусловлено недоеданием. А у состоятельных людей, которые часто потребляют много калорий, но мало питательных веществ, этот дефицит обычно связан с нарушением всасывания нутриентов кишечником, поврежденным антибиотиками. Печень способна хранить объем витамина B_{12}, накопленный за несколько лет, но если вы не можете усваивать B_{12} из пищи, то у вас образуется дефицит этого необходимого вещества. Почти все жители США испытывают недостаток магния и селена.

Брюс Эймс использует для примера витамин К, необходимый организму для свертывания крови и здоровья костной системы. Если вы не получаете достаточного количества этого витамина из потребляемых зеленых овощей, то ваше тело устанавливает своего рода очередность в оказании помощи разным органам — оно задействует имеющийся витамин К для выработки факторов свертывания крови, которые не позволят вам умереть от небольшого пореза. Но тогда вам не хватит витамина К для удаления кальция из крови и перевода его в кости, где он предотвращает остеопороз. А из-за накопления кальция в кровеносных сосудах вы становитесь кандидатом на образцовый инфаркт. Это еще одна причина, по которой хорошее качество поливитаминов так важно для вашего здоровья.

Мы все слышали, что «молодость впустую тратится на молодых». Коренные народы Амазонии ценят красоту юности, подвиги силы и выносливости, но также и мудрость зрелого возраста. Индейцы понимают, что знания хранятся не в книгах, а в памяти старейшин. Если эта мудрость будет утеряна из-за старческого слабоумия, вся культура окажется под угрозой. Не имея возможности объяснить, какие научные знания лежат в основе их открытий, шаманы Амазонки обнаружили растения, которые защищают мозг, когда мы становимся старше. Некоторые травы настолько эффективно удаляют мусор из клеток мозга и восстанавливают митохондрии — энергетические центры клеток, что даже самые старшие из индейцев легко помнят истории и песни ранней юности. Подобно этим мудрым старцам, мы можем работать с растительными веществами, чтобы после тридцати пяти лет вписать в книгу нашей жизни новую главу. Тогда у нас будет гораздо больше шансов наслаждаться долгим периодом здоровья и в более поздние годы сохранить здоровый мозг и отличную память.

Включение системы долголетия начинается с восстановления силовых агрегатов наших клеток — митохондрий.

Восстановление митохондрий

Наши предки, конечно, не знали, что такое митохондрии. Все, что предотвращает старение и упадок, они называли «женской жизненной силой». Сегодняшняя наука предлагает не столь мистическое объяснение.

Митохондрии представляют собой крошечные органеллы внутри каждой клетки, и их основная работа заключается в превращении углеводов и жиров в энергию в процессе метаболизма. На самом деле, митохондрии — это бактерии, которые эволюционировали от первых земных организмов, дышащих кислородом. Миллиарды лет назад ранние бактерии питались аминокислотами и множеством химических веществ в первозданном супе океанов Земли. Когда запасы продовольствия стали истощаться, появились первые сине-зеленые водоросли, которые обнаружили новый источник пищи — солнце, и способ использования солнечного света в качестве топлива. Появление фотосинтеза стало монументальным прорывом. Теперь в природе хватало пищи для любых организмов, способных питаться солнечным светом, и сине-зеленые водоросли стали самой преуспевающей формой земной жизни. Но растения производят в качестве побочного продукта очень ядовитый газ — кислород. Бо́льшая часть свободного кислорода в атмосфере была поглощена минералами, но когда они насытились, уровень кислорода в атмосфере быстро возрос. Поскольку живые организмы в то время не дышали кислородом, это привело к их вымиранию — глобальной катастрофе, когда исчезло девяносто девять процентов всех видов живого. Исключение составили митохондрии, первые и единственные дышащие кислородом бактерии, которые теперь заняли нишу самой успешной формы жизни на нашей планете.

В ходе эволюции митохондрии вливались в тела растений и животных, наслаждаясь гармоничными отношениями со своими хозяевами. В обмен на теплую и безопасную среду они поставляли хозяину топливо. Все нынешние растения и животные получают энергию для своих нужд из митохондрий.

У митохондрий есть своя собственная ДНК, отдельная от основной. Структура нашей основной ДНК представляет собой двойную спираль, а ДНК митохондрий, как и вся бактериальная ДНК, похожа на жемчужное ожерелье. У нас более двадцати четырех тысяч генов, а у митохондрий их всего тридцать восемь. Но как важны эти тридцать восемь генов! Митохондрии — это не только энергетические станции организма, но и хранители «часов смерти», они контролируют процесс гибели клеток, известный как апоптоз. Пока «часы смерти» идут правильно, старые клетки точно знают, когда им умереть, чтобы их место заняли молодые и здоровые. Но если «часы смерти» выходят из строя, то клетки забывают умирать, и в результате возникает недоброкачественная опухоль. Или они отмирают слишком быстро, и из-за этого ускоряется старение.

Топливо жизни

Митохондриальная ДНК передается по женской линии, и материнские гены в буквальном смысле слова представляют собой женскую жизненную силу. Миллионы лет назад первые эукариотические клетки — клетки с ядром — эволюционировали благодаря объединению с митохондриями. Точно так же сегодня могут развиваться тела людей, если мы будем поддерживать эту женскую силу. Митохондрии дают нам топливо, необходимое для жизни — аденозинтрифосфат (АТФ). Когда мы кормим их кетонами, в частности бета-гидроксибутиратом, они поставляют энергию для включения нейронных сетей, которые способствуют переживанию Единства.

Несколько лет назад я провел несколько недель в буддийском центре в Санта-Фе (штат Нью-Мексико). Как бы сильно я ни молился или концентрировался, мой разум продолжал блуждать по списку неотложных дел или по формам привлекательной женщины передо мной. Тогда я решил поголодать — пить только воду в течение четырех дней. Первые два дня были ужасными, я то и дело ерзал на своей подушке для медитации, а всех вокруг беспокоило урчание в моем животе. Но к третьему дню все изменилось. Чувство голода исчезло, и медитировать стало легче. Женщины больше не отвлекали, постоянная болтовня в голове прекратилась, и я испытал вновь обретенное чувство покоя. Все это произошло легко, без усилий.

Два-три дня уходит на то, чтобы выжечь остатки сахара в крови и перейти на использование жира в качестве топлива. Образовавшиеся кетоны включили более высокие функции мозга, к которым я пытался пробиться, сидя со скрещенными ногами на подушке для медитации. Мой лимбический мозг с его неандертальскими инстинктами не хотел иметь ничего общего с медитацией — он жаждал действовать, убивая драконов, спасая прекрасных дам или проверяя электронную почту. В тот день я понял: то, что мы называем духовными переживаниями, есть результат не только медитативной практики, но и химии мозга. Нам нужно и то, и другое.

Сегодня я каждый раз беру с собой на ретрит банку с кокосовым маслом и угощаю им всех участников программы «Создаем новое тело», чтобы помочь им преодолеть «перевал» двух-трех первых дней, необходимых для вхождения в кетоз.

Все дело в деньгах

Аденозинтрифосфат (АТФ) — это валюта организма: клетки тратят тот ее объем, который нужен им для восстановления и деления, а оставшиеся запасы кладут в банк — в печень. Там аденозинтрифосфат хранится до тех пор, пока он не понадобится телу для выполнения различных функций. Чтобы вырабатывать АТФ, митохондрии потребляют кислород — так же, как автомобильный двигатель сжигает кислород и использует энергию топлива, только процессы в теле куда менее взрывоопасны. Когда мы делаем вдох, кислород переносится кровью к нашим клеткам, где митохондрии с его помощью сжигают глюкозу и жиры для выработки АТФ.

Без здоровых, высокофункциональных митохондрий каждая клетка подвергается опасности. Примерно двести недугов, от которых мы страдаем сегодня — рак, болезни сердца, фибромиалгия, хроническая усталость, болезнь Паркинсона, деменция, цирроз печени, мигрени и так далее связаны с нарушениями работы митохондрий. Митохондрии легко повреждаются токсинами, в том числе из лекарств. Анализируя последние исследования, натуропат Джон Нойштадт и психиатр Стив Печеник обнаружили: «Лекарства стали одной из основных причин повреждения митохондрий, и этим можно объяснить многие побочные эффекты. Экспериментально доказано, что все классы психотропных препаратов повреждают митохондрии. Так же действуют статины, анальгетики, например ацетаминофен, и многие другие препараты» (примечание 2 к главе 7).

Поврежденные митохондрии размножаются быстрее и питаются только сахарами, в отличие от здоровых митохондрий, которые могут питаться и жирами. Поскольку раковые клетки с их аномальными митохондриями в качестве основного топлива сжигают глюкозу, исследователи считают, что ограничение или устранение углеводов, богатых сахаром, может служить эффективным средством лечения и профилактики рака (примечание 3 к главе 7).

Когда митохондрии повреждены, метаболизм становится вялым. У человека пропадает энергия. Тело больше не помнит, как сжигать жир, и потому человеку не удается похудеть. Жировые запасы в теле становятся хранилищами токсинов. Вероятно, вы будете чувствовать себя угрюмыми, утомленными и в целом нездоровыми. Ощущая упадок сил, вы наверняка прибегнете к простому решению — например, в виде сладкого батончика, который только усугубляет проблему, потому что подкармливает сахаропотребляющие дрожжи в кишечнике и повышает уровень глюкозы в крови. Из-за этого возникают воспалительные процессы, усугубляется окислительный стресс, и повреждается еще больше митохондрий.

Дефектные митохондрии накапливаются внутри клеток, ускоряя старение, а поврежденные клетки бесконтрольно множатся, образуя опухоли.

Аутофагия, или утилизация митохондрий

Устранение «испорченных» и поддержка энергичных и мощных митохондрий имеют решающее значение для восстановления мозга. Как мы узнали ранее, аутофагия — это система «мусоропровода» внутри клеток, процесс, посредством которого клеточные отходы разрушаются, а поврежденные митохондрии перерабатываются для выделения аминокислот — строительных кирпичиков новых клеток. В лесу есть микробы, которые разрушают мертвые растения и превращают их в пищу для новых растений, и точно так же у вашего тела есть система для переработки аминокислот из мертвых и поврежденных митохондрий ради создания новых клеток. Она называется «аутофагия».

Аэробные упражнения запускают аутофагию: они потребляют кислород, который истощает самые слабые митохондрии, способствуя росту более энергичных. Еще один способ запуска митохондрий — это детоксикация. А диета с высоким содержанием фитонутриентов запускает процесс выработки антиоксидантов внутри клетки, который восстанавливает митохондрии и способствует аутофагии. Но в конечном счете главный рычаг для включения аутофагии — это mTOR.

Самый эффективный способ поддержать аутофагию — голодание. Даже короткое восемнадцатичасовое воздержание от пищи между обедом сегодня и обедом завтра заставляет организм переходить в режим восстановления, так как датчики mTOR регистрируют падение уровня питательных веществ. Способность организма переключаться на сжигание жира давала нам преимущество для выживания в суровые зимы, когда было мало еды. Но наши митохондрии не смогут изменить ситуацию, если жировые отложения станут хранилищами токсинов. Тело в своей мудрости не будет сжигать жиры, если они полны яда. Чтобы перейти от сжигания углеводов к сжиганию жира, нужно переработать отходы и вывести токсины.

Потребление полезных жиров, например авокадо, кокосового и оливкового масел, питает мозг и сердце (и все наши митохондрии) кетоновыми телами, которые во много раз более эффективны, чем сахара (примечание 4 к главе 7). Но как только вы съедаете углеводы, митохондрии воспринимают сахар как первое блюдо, насыщаются и забывают об остальной еде. Дополнительный сахар должен куда-то уходить, поэтому поджелудочная железа вырабатывает инсулин для транспортировки сахара к клеткам, которые смогут его использовать. Но если в клетках и так уже много глюкозы, они откажутся от доставки и оттолкнут эту тарелку с десертом. Но нельзя же выбрасывать вкуснейший шоколадный торт — понимая это, тело постарается сохранить глюкозу в виде жира.

Когда высокий уровень сахара в крови становится хроническим, начинается преддиабетическое состояние. Неспособные поглощать еще больше сахара, клетки уменьшают количество рецепторов инсулина. Но поджелудочная железа, регистрируя повышение уровня сахара в крови, продолжает вырабатывать больше инсулина. Результатом является невосприимчивость к инсулину.

Потребляя большое количество углеводов, набирая вес в области живота, испытывая перепады настроения и когнитивную дисфункцию, вы движетесь в направлении невосприимчивости к инсулину и повреждения митохондрий. Если вы перейдете на диету с высоким содержанием растительной пищи и полезных жиров и низким содержанием углеводов, то ваша поджелудочная железа успокоит инсулиновую систему, которая активирует сигнальный путь mTOR. Аутофагия заработает. Токсины, хранящиеся в клетках, будут удаляться, а мертвые митохондрии — перерабатываться на аминокислоты. Система будет работать, как положено.

Снижение окислительного стресса и активности свободных радикалов

Митохондрии сжигают кислород ради производства энергии. При неэффективном обмене веществ поврежденные митохондрии производят опасные свободные радикалы — так старый, разболтанный автомобиль жжет масло и испускает черные клубы выхлопных газов. А свободные радикалы повреждают жиры, белки и даже ДНК в ядрах наших клеток.

Ситуацию ухудшают экологические токсины. Наиболее опасны пестициды: созданные для уничтожения митохондрий вредных организмов, они плотно прилипают к растениям и не смываются ни дождем, ни при мытье овощей в домашних условиях. Остаточные пестициды оказывают на наши митохондрии такое же смертоносное воздействие, как и на митохондрии насекомых-вредителей.

Чем больше окислительного стресса в вашем теле, тем больше вам понадобится антиоксидантов. Их можно получать из таких продуктов, как ягоды, но чтобы нейтрализовать миллиарды свободных радикалов, циркулирующих в теле, пришлось бы съедать более восемнадцати килограммов черники в день. К счастью, организм способен вырабатывать природные антиоксиданты, например глутатион и СОД, однако после тридцати пяти лет жизни человека эти эндогенные антиоксиданты перестают вырабатываться, а к сорока годам их уровень падает до нуля.

Удивительным открытием шаманов стали лекарственные растения, способные заново включать спящие антиоксидантные системы. Активаторы Nrf2, такие как транс-ресвератрол, куркумин и птеростильбен, восстанавливают ловушки свободных радикалов до тех уровней, которыми вы наслаждались в свои двадцать лет. И мы узнаем, как этого добиться всего лишь за семь дней.

Воспаления

Локализованное воспаление — это естественный и здоровый иммунный ответ. Когда вы падаете и разбиваете коленку, в область ссадины устремляются лейкоциты, чтобы задержать и нейтрализовать инородные вещества и бактерии. Но хроническое воспаление нарушает равновесие организма, а иммунная система начинает атаковать здоровые клетки и ткани, принимая их за чужеродных захватчиков. Когда воспалительный процесс не поддается контролю, «часы смерти» ускоряют свой ход и у человека развиваются болезни сердца и аутоиммунные расстройства, такие как ревматоидный артрит, диабет и рассеянный склероз.

Хроническое воспаление может повредить структуры мозга, в том числе гиппокамп, и привести к таким состояниям, как болезни Паркинсона и Альцгеймера. К счастью, активаторы Nrf2 в основе программы «Создаем новое тело» обладают на редкость сильными противовоспалительными свойствами. Исследователи обнаружили, что даже обычные противовоспалительные препараты типа аспирина и ибупрофена на шестьдесят процентов снижают риск болезни Альцгеймера (примечание 5 к главе 7) и на целых сорок пять процентов — болезни Паркинсона (примечание 6 к главе 7)!

Восстановление гиппокампа

Гиппокамп по форме похож на морского конька и помогает нам регулировать эмоции, сохранять воспоминания и учиться. Выработка любого нового навыка, от игры на музыкальном инструменте до здорового питания, требует участия гиппокампа. Поэтому при поврежденном гиппокампе угасают любопытство и жажда жизни. Мы становимся раздражительными и пугливыми. Но восстанавливая его при помощи рыбьего жира с содержанием омега-3 кислот, мы сможем излечить эмоции, улучшить память и способность к обучению.

Повреждение гиппокампа может ухудшить кратковременную память, но долговременную оставить без изменений. Этим можно объяснить, почему часто люди с деменцией хорошо помнят события своей молодости, но не могут восстановить в памяти то, что произошло на прошлой неделе или даже десять минут назад.

Гиппокамп не умеет определять время и потому часто путает сегодняшние события с тем, что произошло двадцать лет назад. Человек, с которым мы только что познакомились, пробуждает воспоминания о давнем любовнике, и мы уже не можем нормально с ним общаться. Кроме того, гиппокамп связан не только с событиями прошлого, но и со стереотипным поведением, давно отработанными мыслями и надоевшими чувствами. Когда он поврежден, мы снова и снова перемалываем одни и те же болезненные воспоминания, реагируя на них стандартными эмоциями. Мы не так открыты для новых впечатлений и знаний.

Несколько лет назад один мой друг пригласил меня на свадьбу — уже пятую в его жизни. Когда я напомнил ему об этом, друг ответил, что теперь все иначе. Он пытался обновить свой гиппокамп и получить новый опыт — и в качестве средства для этого выбрал еще один брак. Это не очень практичный способ восстановления мозга. Я предложил ему перестать искать идеальную партнершу и для разнообразия поработать над *собой*, чтобы самому стать идеальным партнером. Мой совет его не очень обрадовал. Через шесть месяцев после свадьбы друг позвонил мне и объявил, что его брак распался — и он сердился на меня за то, что я позволил ему жениться на такой жестокой и ветреной особе. Я напомнил ему высказывание ученого и мифолога Джозефа Кэмпбелла: «Если вы не усвоили урок, вам придется на нем жениться». И сказал другу, что если он не починит свой гиппокамп, то он так и будет искать и заново находить одну и ту же спутницу, только с другим именем.

Однообразное поведение моего друга не давало ему возможности открыть глаза и заметить что-то новое, обрести непривычный опыт. Часы тикали, время шло, а он все искал любовь тем же старым способом. С помощью программы «Создаем новое тело» вы сможете обрести новый мозг, который не зависает в прошлом, откликается на события свежими идеями и подходами, а если влюбляется, то по-настоящему.

Когда у нас поврежден гиппокамп, мы воспринимаем все вокруг как угрозу. По мере исцеления гиппокампа мы начинаем замечать возможности там, где совсем недавно виделась сплошная драма. Например, один из моих пациентов сколотил капитал, торгуя на фондовом рынке: в периоды неустойчивости и опасности он инвестировал в те компании, акции которых продавали все остальные игроки.

Гиппокамп можно восстановить, если повышать уровень серотонина (который производится флорой кишечника) и запустить синтез стволовых клеток в мозге. Пару десятилетий назад мы были

Когда воспалительный процесс не поддается контролю, часы смерти ускоряют свой ход и у человека развиваются болезни сердца и аутоиммунные расстройства.

уверены, что мозг не способен выращивать новые нейроны. Сегодня мы знаем, что он умеет производить стволовые клетки и восстанавливаться всего за шесть недель, создавая новые нейронные сети — при условии, что вы осваиваете непривычные для себя области знания. Чтобы изменить свою жизнь, не обязательно разводиться, искать другую работу или отправлять детей в деревню на все лето, а достаточно всего лишь изменить мозг. Для этого необходим здоровый гиппокамп.

Обновляя операционную систему на компьютере, мы можем запускать более мощные и современные программы. Точно так же обновление центров обучения в мозге настраивает нас на новое, более творческое мышление — а оно, в свою очередь, улучшает физическое и эмоциональное здоровье.

Становясь забывчивыми, многие люди подсмеиваются над своими провалами в памяти и в то же время втайне опасаются деменции и болезни Альцгеймера. Их пугает сознание того, что разум с возрастом разрушается, однако старение не обязательно должно вести к потере функций мозга. Недуги, которыми сопровождается старость в западных странах — сердечно-сосудистые заболевания, болезнь Альцгеймера, деменция и болезнь Паркинсона, вполне можно предотвратить. Их профилактика начинается с выращивания новых клеток головного мозга в гиппокампе, а также с диеты, которая будет питать мозг хорошими жирами.

Улучшение здоровья мозга с помощью BDNF, глутатиона и СОД

Наши палеолитические предки мало что знали о химии мозга, однако они отлично разбирались в растениях, которые запускают функцию его самовосстановления. Сегодня ученым известны три вещества, способных восстанавливать мозг. Поразительно, что эти субстанции пробуждают нашу способность вырабатывать нервные стволовые клетки и могут по-настоящему помочь в выращивании нового, более здорового мозга.

BDNF, нейротрофический фактор мозга, стимулирует развитие новых мозговых клеток. Он играет ключевую роль в перестройке мозга, благодаря которой спонтанно возникают новые способы мышления, восприятия и реагирования. Когда вы в последний раз заново влюблялись в своего мужа или жену? BDNF обновляет мозг, чтобы вы могли по-новому испытать очарование жизни и привычного мира.

Насколько важен BDNF? Его недостаток связывают с болезнью Альцгеймера, деменцией и депрессией. Токсины, стресс, дефицит физической активности и сладкая пища — все это снижает уровень BDNF. Если вы не получаете достаточного количества омега-3 кислот из еды, то для повышения уровня BDNF и улучшения мозга необходимо использовать пищевые добавки с содержанием омега-3 жирных кислот.

Как увеличить концентрацию BDNF. Этому поможет ночное голодание, выход из которого осуществляется с помощью жиров (например, авокадо), а не углеводов. Чтобы еще больше повысить уровень BDNF, можно во время семидневной программы «Создаем новое тело» устроить суточное голодание на одной воде. Еще один способ поднять уровни BDNF — это физические упражнения, однако выбирайте такую форму тренировок, которая вам нравится. Исследования показывают, что лучше действуют те упражнения, которые приносят удовольствие, а не просто выполняются из чувства долга.

Глутатион — это антиоксидант и противовоспалительное средство. Он нейтрализует свободные радикалы и в качестве активного детоксификационного агента действует подобно липкой щетке для ворса — собирает токсины в организме и переносит их в печень для переработки. Глутатион повышает иммунитет, помогает наращивать и сохранять мышцы. При низком уровне глутатиона свободные радикалы наносят больше ущерба митохондриям, которые, в свою очередь, хуже регулируют клеточные «часы смерти».

Как увеличить концентрацию глутатиона. Такие продукты, как капуста кейл, шпинат, авокадо и тыква, улучшают способность организма вырабатывать глутатион. Однако многим людям, включая меня, не хватает гена GSTM1, необходимого для производства глутатиона. В целом почти у половины населения Земли недостает одного или нескольких ключевых генов для этого процесса. Среди тяжелобольных этот процент еще выше: у большинства людей с хроническими заболеваниями уровень глутатиона незначителен.

Поскольку организм не может использовать глутатион в форме обычной пищевой добавки — он легко разрушается в кишечнике, я рекомендую перорально принимать S-ацетил-глутатион, который способен через кишечник проникать в кровоток. Во время программы «Создаем новое тело» вы будете принимать 1000 мг S-ацетил-глутатиона в день.

Можно также использовать NAC (N-ацетилцистеин), который помогает повысить выработку глутатиона. По сравнению с S-ацетил-глутатионом NAC хорош тем, что организм может использовать его для производства глутатиона со своей собственной скоростью, когда это необходимо, а не поглощать сразу большую дозу.

СОД, или супероксиддисмутаза — основной антиоксидант, фермент, нейтрализующий свободные радикалы в соотношении более миллиона к одному. Иными словами, одна молекула СОД уничтожает миллион свободных радикалов. Витамины

С и Е тоже считаются отличными антиоксидантами, но их эффективность — всего один к одному. В организме присутствуют миллионы свободных радикалов, поэтому одна маленькая таблетка витаминов с таким количеством не справится, и для эффективного снижения окислительного стресса требуется огневая мощь СОД.

Низкий уровень СОД отмечается при атеросклерозе — затвердевании артерий, и при разрушении коллагена в процессе старения кожи. Наш организм вырабатывает СОД естественным образом, этот фермент можно найти также в пищевых продуктах. Но чтобы полностью остановить лавину свободных радикалов, вызванную воздействием пестицидов и токсинов из окружающей среды, требуется серьезное вмешательство.

Как увеличить концентрацию СОД. Способность организма к производству СОД можно улучшить, принимая такие добавки, как транс-ресвератрол (500 мг в день) и куркумин (1000 мг в день). Другой способ повысить уровень СОД — добавлять в рацион птеростильбен или богатые им продукты, например чернику или виноград.

Увеличение концентрации BDNF, глутатиона и СОД помогает восстанавливать митохондрии и предотвращать серьезные разрушения, вызываемые болезнями старости. Эти вещества важны и по другой причине: они удаляют мусор в мозге и позволяют испытывать Единство. Переживание Единства способствует здоровью, а также мощным и творческим образом воплощает наши мечты о лучшем мире.

ГЛАВА 8

ОСВОБОЖДАЕМСЯ ОТ СТРЕССОРОВ

Основные достижения цивилизации — это процессы, практически разрушающие те общества, в которых они происходят.

Альфред Норт Уайтхед, британский математик и философ

Несколько лет назад мой наставник из амазонских шаманов сказал, что для постижения мудрости тропического леса я должен провести ночь в джунглях у реки Мадре-де-Диос. Перед закатом он привел меня на берег. То было прекрасное место — поляна, усыпанная белым песком, в окружении гигантских деревьев шиуауако. Неподалеку на естественном солонце кормились различные попугаи, которые поклевывали красную почву и глотали камушки, которые всегда входят в меню их завтраков и ужинов. В теплых лучах заходящего солнца синие и красные перья птиц казались полупрозрачными. А потом — внезапно, как это всегда происходит в тропических джунглях, — стало темно.

Я порылся в сумке и обнаружил, что старый шаман унес мой фонарик и спички, которые всегда держу при себе на такой случай. Я пытался убедить себя в том, что нахожусь в раю, что вокруг красиво и безопасно. Но едва наступила ночь, как меня охватил ужас от осознания того, что я остался один в темных джунглях. Меня тревожил каждый хруст ветки и шелест листьев. Казалось, что рядом затаился ягуар, готовый в любую секунду вонзить в меня свои острые клыки. Но потом наступило утро, и все снова стало хорошо — даже после того, как я увидел на песке свежие следы ягуара. Мне пришлось провести в тропическом лесу гораздо больше времени, прежде чем я понял, что могу спокойно продержаться даже с минимальными запасами еды. Я научился быть неуязвимым для ягуаров.

Мы становимся добычей хищников, когда они чувствуют наш страх. Ягуар отслеживает наш запах на расстоянии многих километров, как и городской грабитель мгновенно выбирает нас в толпе, потому что нутром чует слабого. Испуг запускает в мозге и гормональной системе каскад химических реакций, которые в буквальном смысле меняют запах нашего тела — мы начинаем пахнуть, как загнанное животное. Случалось ли вам бояться настолько сильно, чтобы даже от пота разило страхом? В таких ситуациях ваше сознание воспринимает весь мир как опасного хищника, и вы сосредотачиваетесь на самозащите: «Нахожусь ли я в безопасности? Хватит ли мне денег, любви или чего угодно еще, чтобы чувствовать себя защищенным?» Страх держит вас в состоянии хронического перевозбуждения, из-за которого вы можете превратиться в чей-нибудь ужин.

Наши страхи ведут к болезням. Многие проблемы со здоровьем вызваны неизлеченными эмоциями, и страх — самая болезненная из них. Эмоции — это древние программы выживания, закодированные в лимбическом мозге, и пока они довлеют над мышлением и нервной системой, вы подвергаете себя опасности. Чтобы из жертвы обстоятельств превратиться в героя и отправиться в грандиозное путешествие, полное открытий, необходимо исцелить свои эмоции. Для этого не обязательно делать что-то из ряда вон выходящее. Жизнь щедро обеспечивает нас сложными задачами и стрессами, которые позволяют преобразовать токсические эмоции, такие как страх и гнев, в позитивные чувства сострадания и любви.

Я предпочитаю делать различие между ядовитыми эмоциями, которые отравляют нас подобно гноящимся ранам, и чувствами, которые возникают как естественные реакции на происходящее и затем исчезают. Вы иногда злитесь на детей или супругу, и эти спонтанные вспышки посылают волну химических веществ через все тело и мозг, но вскоре это чувство проходит, и невозмутимость восстанавливается. Что же касается токсичных эмоций, то они склонны задерживаться в организме и селиться в нейронных сетях мозга на целые часы, дни или годы. Исследователь мозга Джилл Болт Тейлор описывает разницу между чувствами и эмоциями в книге «Мой инсульт был мне наукой» таким образом: «Через девяносто секунд после начала вспышки гнева его химический компонент полностью исчезает из моей крови и автоматическая реакция прекращается. Если же я продолжаю злиться и по истечении этих девяноста секунд, то это значит, что я *сознательно* позволила гневу уйти на следующий виток. Ежесекундно я делаю выбор: остаться в этой нейросхеме или вернуться в настоящее мгновение» (примечание 1 к главе 8).

Страх — одна из самых смертоносных эмоций. Из-за него мы делаемся слепыми к окружающим нас возможностям. Ужас не видит выхода. Под влиянием страха запускается система «бей или беги» — это так называемая ось ГГН, или гипоталамо-гипофизарно-надпочечниковая система. Она состоит из гипоталамуса и гипофиза (структуры размером с горошину), а также надпочечников, расположенных над почками. Когда вы чувствуете опасность, воображаемую или реальную, мозг запускает по оси ГГН реакцию бедствия, уменьшая приток крови к префронтальной коре, той части мозга, которая способна воспринимать благоприятные возможности.

Опасные ситуации действительно случаются. Но у человека всегда есть выбор, как на них реагировать. Чтобы перестать быть жертвой, необходимо отказаться от таких убеждений, из-за которых мы видим мир как враждебный. Стресс вызван именно вашими убеждениями, а не свойствами людей или внешних ситуаций. Поняв это, вы сможете жить в гармонии с окружающим миром и больше не будете чувствовать себя загнанными в угол или заблокированными в зоне боевых действий.

Эмоциональное давление, которое мы испытываем в повседневной жизни, часто бывает результатом наших ограниченных воззрений и чрезмерной склонности к реакции типа «бей или беги».

Ограничивающие убеждения

Ограничивающие убеждения не имеют ничего общего с IQ или образованием, но напрямую связаны с ранним опытом жизни — он формирует наше отношение к миру, а неизменно бдительные, но неразумные нейронные сети мозга интерпретируют все это как реальность. Иногда кажется, что чем больше у специалиста знаний, тем скорее он будет ослеплен своими убеждениями. До американского вторжения в Ирак множество экспертов уверяли правительство, что Саддам

Хусейн накапливает оружие массового уничтожения, но потом никто ничего подобного не нашел. «Факты», представленные американскому народу, были выдуманы. Эксперты, которые давали показания перед Конгрессом, не лгали, а были просто убеждены, что знают истину. Вы видели рекламу сигарет в журналах 1950-х годов? Вот ее текст: «Большинство врачей предпочитают Camel».

Формируя свое мнение, мы обращаем внимание на те факты, которые соответствуют нашим убеждениям, и с готовностью отбрасываем все остальные. Возьмем в пример тему «фейк ньюс». Двое друзей признают, что бóльшая часть публикуемых новостей не соответствует истине, однако на вопрос, что именно считать фальшивкой, они ответят совершенно по-разному. Западное общество полагается на интеллект и науку, не доверяет интуиции и редко объединяет эти два разных способа познания, чтобы шире смотреть на вещи. Когда я общаюсь с людьми, имеющими медицинское образование, они всегда спрашивают о том, какими научными исследованиями можно обосновать мои высказывания на темы здоровья, хотя инстинктивно понимают, что я говорю правду.

Ни для кого не секрет, что многие публикации, выдаваемые за серьезную науку, тоже бывают фальшивыми.

Это одна из причин, по которой в этой книге я столько пишу о науке: мы хотим быть уверенными, что древняя мудрость подтверждается авторитетными статьями в профессиональных журналах. Однако ни для кого не секрет, что многие публикации, выдаваемые за серьезную науку, тоже бывают фальшивыми. Иногда ученые подгоняют экспериментальные данные под свои гипотезы или основываются на исследованиях со слишком малой выборкой (примечание 2 к главе 8).

Однако чем строже мы ограничиваем себя в выборе способов получения знаний, тем скорее мы будем действовать исходя из предубеждений, о которых даже не подозреваем. Настаивая на том, что полагаться нужно только на науку, а интуиции доверять нельзя, мы упускаем возможность принимать более правильные решения, к которым привело бы сочетание этих двух подходов. Исследователи Дуглас Дин и Джон Михаласки в течение десяти лет исследовали ЭСВ (экстрасенсорное восприятие, то есть, собственно говоря, интуицию) у топ-менеджеров коммерческих компаний. Выяснилось, что те руководители, которые доверяют интуиции и идут на риск, полагаясь на свои предчувствия, добиваются значительно бóльшей прибыли, чем их коллеги, которые основываются исключительно на логике и «фактах» (примечание 3 к главе 8).

Интуиция вовсе не так далека от разума, как представляется заядлым рационалистам. Группа ученых, в которую входили нобелевские лауреаты Герберт Саймон и Даниэль Канеман, обнаружила, что, принимая решения с опорой на интуицию, эксперты в действительности полагаются на свой багаж опыта и знаний (примечание 4 к главе 8). Если же выбор сделан на основе необъяснимого ощущения «нравится/не нравится» — то его стоит считать чисто эмоциональным, но шансы быть верным или ошибочным у такого решения одинаковы. По моему убеждению, многое из того, что мы называем интуицией, — это на самом деле работа кишечного мозга, который отлично служит всем нам, когда мы обновляем кишечник и питаем колонию хороших бактерий, составляющих более девяноста процентов нашего организма.

Одно распространенное предубеждение может иметь серьезные последствия. Это вера в то, что мы не способны защитить собственное здоровье и потому должны полагаться на врачей, лекарства и методы лечения. Она приводит к ощущению бессилия и мешает нам самостоятельно действовать ради спасения своей жизни. Программа «Создаем новое тело» покажет вам, что зависеть только от лекарств и докторов не обязательно. Можно использовать силу суперфудов и нейронутриентов в сочетании с ресурсами Духа, чтобы поддерживать свою врожденную способность к самоисцелению.

Скованные ограничивающими убеждениями, которые хранятся в лимбическом мозге, мы постоянно рассчитываем на чужие советы. От докторов мы ждем рекомендаций относительно здоровья, от политических комментаторов — подсказок для правильного голосования, а от СМИ — разъяснений, кто нам друг, а кто враг.

Как правило, ограничивающие убеждения предписывают нам играть одну из трех ролей — жертвы, преследователя или спасателя. Эти три персонажа сидят в трех углах того, что я называю треугольником бесправия. Мы создаем драмы с их участием, а затем, по мере развертывания событий, ведем себя так, словно заблудились в лабиринте. И мы никогда не вырвемся из этого треугольника, если мертвой хваткой держимся за свои роли или просто меняем одну из них на другую. Неудивительно, что каждая ситуация кажется знакомой, ведь мы неизменно воспроизводим одни и те же привычные драмы, пусть и с новыми участниками.

Впервые появляясь у меня на курсе энергетической медицины, многие пациенты хотят, чтобы я был спасателем и исцелил их от любого недуга, который превращает их в жертв. Моя первая задача — отказаться от этой работы и помочь человеку найти собственные внутренние ресурсы для лечения. Если я этого не сделаю, он будет ожидать от меня волшебства, а сам останется пассивным наблюдателем.

Все эти роли — жертвы, преследователя и спасателя, заставляют нас пугаться, завидовать, обороняться и соперничать. Вместо того чтобы радоваться за других или восхищаться их полезными делами, мы страдаем от ревности или умаляем достоинства людей. Писателю Гору Видалу приписывают слова: «Каждый раз, когда мой друг преуспевает, умирает небольшая часть меня». У нас всегда есть возможность выйти за пределы наших ограничивающих убеждений и понять жизнь в более широком контексте, вне предрассудков, искажающих восприятие. Героические рассказы о людях, которые подвергались тяжким испытаниям, но пересиливали себя для излечения, вдохновляют гораздо сильнее, чем любые драмы с участием трех давно надоевших персонажей. С этим воодушевлением мы преодолеем неотвязные мысли о том, насколько несправедливо устроена жизнь.

Чтобы сменить внутренние сценарии, нужно выбраться из системы «бей или беги». Если перезапустить ось ГГН, будет легче отказаться от негативных эмоций, которые подпитывают депрессию, гнев и болезни, и развивать положительные чувства, помогающие восстанавливать тело.

Перевозбуждение и реакция «бей или беги»

Два стрессора, с которыми мы сталкиваемся сегодня — чрезмерная раздражительность и сверхактивная система «бей или беги», часто действуют заодно. Мы непрерывно подвергаемся интенсивной сенсорной стимуляции и получаем гораздо больше сведений, чем способны обработать. Этим и определяется наша ось ГГН.

Каждую неделю мы усваиваем из телевидения и интернета столько информации, сколько наш палеолитический предок не усвоил бы за всю жизнь. Чтобы не отставать от информационного прогресса, мы до изнеможения напрягаем свой мозг. Невозможно сосчитать, сколько раз я слышал такие слова: «Если бы не кофеин, я бы ничего этого не осилил!» Природа спроектировала наш мозг таким образом, чтобы мы могли убежать от одного рычащего льва, но она не рассчитывала на то, что против нас мобилизуются все джунгли. Сегодня наш мозг очень сильно перегружен, и ему просто недосуг сортировать поступающие данные, а тем более смотреть на них свежим взглядом и определять, что грозит кризисом, а что нет, и стоит ли сопротивляться, и если да, то как.

Средства массовой информации сообщают нам о войнах в отдаленных странах, но наша реакция «бей или беги» действует только в местных координатах и не понимает слово «*далеко*». Когда мы читаем о какой-то катастрофе, высший мозг понимает, что это происходит в другое время и в другом месте. Но когда нижний лимбический мозг, регулирующий реакцию «бей или беги», смотрит видеотрансляцию зверского убийства, он регистрирует это событие как происходящее здесь и сейчас и переключается в режим повышенной боеготовности. Чем сильнее наш гиппокамп поражен стрессом и токсинами, тем более близкой и опасной кажется беда. В худшем случае она видится прямо за порогом нашего собственного дома.

Об этом говорится редко, но система «бей или беги» на самом деле содержит в себе элемент «замораживания». При виде опасности вы можете разозлиться, испугаться, кинуться в драку или убежать — но вы также можете застыть как парализованный. При поступлении тревожной информации мы часто замираем, а наши реакции замедляются. Причина в том, что наши чувства передаются гормонами, которые перемещаются в теле по медленной химической схеме — ее можно назвать аналоговой, а не цифровой. Мы работаем по старой технологии.

Мы — отсталые аналоговые существа в современном цифровом мире и медленно избавляемся от чувств, возникших в ответ на проблемную ситуацию. Внезапно пробудившаяся злость не покидает нас несколько дней. Что же касается мыслей, то они пронизывают нервную систему со скоростью света, как цифровые электрические сигналы, и требуют немедленной реакции. Поэтому в нашем перегруженном информацией обществе постоянно увеличивается пропасть между мыслями и чувствами, между рассудком и интуицией. Результат — чрезмерная раздражительность. Мы спим, но не отдыхаем. Мы страдаем хроническим переутомлением. Из-за постоянного надрыва рычаг «бей или беги» удерживается во включенном положении, отравляя мозг гормонами стресса, и мы застываем от страха или падаем от хронической усталости.

На Западе мы справляемся с информационной перегрузкой при помощи разных специалистов. Гастроэнтеролог до мельчайших подробностей разбирается в работе желудочно-кишечного тракта, но бессилен перед человеческими эмоциями, и ему неведомо, как «внутренние» переживания пациентки, несчастной в браке, могут повлиять на ее физическое здоровье. Психологи лечат от депрессии или тревожности, но им не приходит в голову расспросить больного о его проблемах с пищеварением, хотя многие расстройства настроения коренятся в кишечнике. Мы практикуем медицину по географическому принципу: разные врачи специализируются на работе сердца, мозга, суставов или толстой кишки, очень редко объединяя все это в холистическую картину общего здоровья пациента.

Вы, наверное, слышали выражение: «Нейроны, которые возбуждаются одновременно, связаны между собой». В мозге многих современных людей нейронные пути, предназначенные для сигналов «бей или беги», расширились до размеров многополосных магистралей. По данным Национального института психического здоровья, ежегодно примерно у двадцати пяти процентов американцев диагностируются нервные расстройства (у восемнадцати процентов тревожность и у семи процентов депрессия) (примечание 5 к главе 8). К сожалению, среди подростков эти проблемы встречаются уже в пять-восемь раз чаще, чем пятьдесят лет назад (примечание 6 к главе 8).

По сути, гиппокамп представляет собой термостат для протекания реакций типа «бей или беги». Он устанавливает порог того, что мы считаем опасностью, или рассматриваем как возможность, и что отвергаем как несущественное. Чем ниже температура в термостате, тем меньше мы пугаемся, и тем реже мир кажется нам опасным. Но при высокой температуре для запуска механизма «бей или беги» требуется очень небольшой нагрев. При постоянном беспокойстве мы повсюду видим опасность.

Ось ГГН не просто контролирует нашу реакцию на опасность, она также участвует в регулировании пищеварения, иммунной системы, настроения, сексуальности и накопления энергии. Поэтому изменение данной оси чревато опасностью для жизни. Когда включается реакция «бей или беги», вырабатываются мощный стероидный гормон кортизол, а также адреналин. Мы можем даже стать зависимыми от страха и чрезмерной раздражительности — или, точнее, от химических веществ, которые синтезируются в этих состояниях. Прилив адреналина легко принять за подъем жизненных сил. Разница в том, что жизненная сила омолаживает, в то время как стрессовые химические вещества ведут к истощению и повреждению тканей и органов, в том числе мозга.

Адреналиновая зависимость

Гиппокамп богат рецепторами кортизола, а когда стресс наводняет организм кортизолом, этот гормон повреждает гиппокамп, отчего его размер может уменьшиться даже на пятьдесят процентов. Если же подпитывать мозг жирными кислотами омега-3, можно восстановить гиппокамп и ось ГГН. Ежедневный прием двух граммов (2000 мг) этой пищевой добавки в течение шести недель научит вас замечать красоту там, где раньше вы видели только уродство, и находить возможности там, где прежде вы ощущали только опасность. Гиппокамп быстро восстанавливается, и когда вы прекращаете кормить мозг адреналином и кофеином, негативные последствия стресса начинают изменяться.

Когда ось ГГН спокойна, алхимическая лаборатория в шишковидной железе производит молекулы блаженства, и они заполняют мозг, создавая состояния радости и открытости. Мозг не умеет одновременно вырабатывать и химические вещества страха и стресса, и молекулы блаженства и радости. Или одно, или другое.

Один из моих пациентов совершенно не умел обращаться с женщинами в постели — по крайней мере, так утверждала его жена. Она говорила, что для него секс был сродни попыткам утолить зверский голод за счет фастфуда: сразу после кульминации муж отворачивался к стене и засыпал. Он спешил достичь оргазма, игнорируя совместное удовольствие от прелюдии. Стремление первым прийти к финишу служило ему верой и правдой в работе на должности инвестиционного банкира, но в постели чуть было не привело к провалу. Он не мог притормозить и оценить интимную близость.

Пара пришла ко мне после шести месяцев неудачной супружеской терапии. Первым делом я назначил им обоим клиническую дозу кислот омега-3 — от трех до пяти граммов в день (поддерживающая доза составляет два грамма в день). Через шесть недель (именно столько времени требуется на обновление гиппокампа) благодаря исправной системе ГГН и наставничеству жены мужчина открыл для себя радость предварительных ласк. Перезагрузив свою ось ГГН, он научился экспериментировать в постели с возлюбленной.

Пара сообщила нескольким ближайшим друзьям, что я самый лучший семейный терапевт из всех, кого они когда-либо посещали, и несколько пар решили обратиться ко мне за помощью в укреплении отношений. Мне пришлось объяснить, что я занимаюсь не беседами и не брачными консультациями, а восстановлением мозга!

Освободившись от адреналиновой зависимости, которая держит нас в постоянном возбуждении и готовности к бою, мы можем жить более мудро. Ось ГГН уже не правит бал, мы реже действуем из страха и не принимаем поспешных решений, о которых могли бы позже сожалеть. Мы по умолчанию выбирали клишированные, непродуктивные, даже разрушительные пути и жили в треугольнике бесправия только до тех пор, пока мозг оставался в режиме «бей или беги».

Оснащенные молекулами блаженства, мы можем снова начать мечтать и видеть сны. Творческие мечты — это отличительный признак высшей мозговой функции

Мы — отсталые аналоговые существа в современном цифровом мире и медленно избавляемся от чувств, возникших в ответ на проблемную ситуацию.

в действии. У охотников-собирателей лишь около трех часов в день уходит на добычу пропитания, а остаток времени они посвящают отдыху, искусству и мечтам. Например, представители народов хадза в Танзании и кунг в Ботсване трудятся примерно четырнадцать часов в неделю. Но после того как наши предки в древности начали заниматься сельским хозяйством, количество времени, затрачиваемого на добычу еды, увеличилось настолько, что им было уже некогда сидеть у костра и рассказывать истории. Индустриализация тоже не помогла: свободного времени стало еще меньше, потому что рабочие трудились на фабриках долгими часами. Созерцанию могли посвящать себя только люди, находящиеся на вершине общественной иерархии или у ее подножия, — богачи и неимущие монахи. Предаваться медитации и творческим размышлениям трудно даже сегодня, потому что наше внимание поглощено электронной почтой, текстовыми сообщениями и их удалением.

Но важность мечтаний переоценить невозможно. Гений математики Джеймс Х. Саймонс, достигший потрясающих высот в науке и основавший хедж-фонд, который сделал его миллиардером и крупным спонсором научных исследований, объясняет свой успех именно такими размышлениями. «Я был не самым быстрым парнем в мире, — сказал он в интервью газете "Нью-Йорк Таймс". — Но я люблю предаваться раздумьям. Оказывается, это хороший подход — просто обдумывать какие-то вещи, созерцать их в уме» (примечание 7 к главе 8).

Раньше мы смотрели на звезды и фантазировали, что могло бы с нами произойти, но теперь это занятие сменилось проработкой бесконечного списка дел. Мечты и просто *бытие* отодвинуты на задний план — теперь мы *действуем*. Мы ходим по улицам, не отрывая глаз от смартфонов, непрерывно прокручиваем ленту новостей в социальных сетях, отвечаем на текстовые сообщения — и даже погоду смотрим в мобильных приложениях, а не ощущаем кожей солнечные лучи и движение ветра.

Технология дает нам доступ к невиданному объему информации. Находясь рядом с беспроводной точкой доступа, можно мгновенно решить любой вопрос — достаточно вынуть цифровое устройство и запустить поиск. Однако мы не способны совладать с этим потоком данных и обрести подлинную мудрость. Информация заставляет нас действовать — покупать, продавать, выполнять. Мудрость же позволяет мечтать.

Страх смерти

Предрассудки, чрезмерная стимуляция, реакция «бей или беги», все психические и эмоциональные стрессы, которые мы переживаем, пробуждают первичную болезненную эмоцию — страх смерти. В сообществах американских индейцев применяются тщательно разработанные обряды посвящения, которые призваны помочь человеку справиться с этим страхом. Идея состоит в том, что во время ритуального опыта умирания преодолевается страх перед этой конечной, неизбежной утратой. Как выражаются шаманы, мы «проживаем свою смерть», и это пробуждает глубокую мудрость понимания необычной реальности, непрерывности жизни в невидимом мире. После этого человек больше не страдает от хронического беспокойства из-за повседневных дел и яснее сознает свою жизненную цель.

Вкус этого опыта знаком каждому, кто терял близких людей. Мы осознаем, какие вещи в жизни по-настоящему важны, и даем себе клятву больше вкладываться в подлинные ценности и меньше — в преходящую повседневную суету. Однако минует несколько дней или недель, и мы забываем об этом, возвращаясь к рутинным делам.

По мере обновления мозга становится все легче ослаблять фиксацию на том, что лишь кажется абсолютно необходимым для безопасности, счастья или выживания. Отпуская привычное отношение к жизни, основанное на страхе, вы больше верите в свою способность справляться с неопределенностью. Вы ощущаете, что мир, в котором вы живете, безопасен и гостеприимен, что вся вселенная поддерживает ваши намерения и разделяет ваши ценности.

Разделенность и Единство

Лимбический мозг замечает противоречия и разделение, а не единство. Чтобы во всем разобраться, он разбивает реальность на кусочки, при этом упуская целое. Напротив, высший мозг чувствует, что видимый мир материи и физических явлений неотделим от невидимого мира Духа и энергии. Он воспринимает не только части, но и целое. Различия между этими мирами существуют только на уровне нашего практического, повседневного восприятия. В видимом мире я чувствую, что мое тело отделено от тела человека, сидящего рядом со мной. Но в невидимом мире все переплетено и неразделимо.

Невидимый мир — единый, нелокальный, находится за пределами пространства-времени. Всепроникающий, он недоступен для обычного восприятия, и мы распознаем его только по его же проявлениям. Мы можем непосредственно постичь сферу невидимого только тогда, когда меняется наше восприятие и на мгновение исчезает барьер между двумя мирами. Это произойдет естественно и само по себе, когда вы улучшите свой мозг. Восприятие Единства неизбежно появится.

Пока вы воочию не увидите неординарную, запредельную реальность, ваш мозг будет склонен с сомнением спрашивать: «Что там?» Испытав Единство, вы навсегда освободитесь от чувства разделения, потому что ощутите себя неотъемлемой частью целого.

В обычном, видимом мире наши возможности ограничены информацией, которую способны воспринимать органы чувств. Разум обучен сопоставлять то, с чем мы сталкиваемся сегодня, с тем, что пережили в прошлом. Но в неординарном мире вы можете обнаружить источник всех вещей и получить доступ к той силе, которая способна без всяких ограничений порождать новое. Теперь достижимо все, что казалось невозможным.

На этом уровне вы способны воплотить в жизнь мечты о здоровье и благополучии, обрести свободу от скованности и страха, установить гармоничные взаимоотношения с людьми, другими существами и всей планетой. Вы обнаружите, что не нужно смерти бояться и любой ценой пытаться избежать ее, потому что это просто дверь в другую сферу.

Именно мудрость невидимого мира подпитывала отвагу древних людей — и пятьдесят тысяч лет назад они плыли к далекому горизонту, заселяли Австралию и острова Тихого океана, отправлялись пешком в неизвестность и переходили через Берингов пролив в Северную Америку. Опираясь на мудрость запредельной сферы, вы можете представлять себе мир бесконечных возможностей и формировать пока еще неведомое будущее.

Из этой сферы невидимого происходят масштабные идеи, которые основаны на понимании того, кем мы *можем* быть, а не кем мы *должны* быть. Они могут показаться безумными тем людям, которые отождествляются с обычным миром и его ограничениями, однако энергия этих идей слишком сильна, слишком убедительна, чтобы ее игнорировать.

Если у вас хватит смелости, то программа «Создаем новое тело» пригласит вас в совершенно другую жизнь, с новым здоровьем, новой мудростью, новыми видами деятельности, отношениями и возможностями. Вы начнете чувствовать себя в своем теле как дома. Воплотится то, что раньше казалось мечтой, далекой от реальности, и вы встретите неопределенность как старого друга, который несет удивительные возможности.

ЧАСТЬ IV

ИЗ ТИШИНЫ ПРИХОДИТ ПЕРЕРОЖДЕНИЕ

ГЛАВА 9

ПРИНИМАЕМ НОВУЮ МИФОЛОГИЮ

Религии, философия, искусство, социальные формы жизни первобытного и исторического человека, важнейшие открытия в науке и технике, те самые сновидения, что посещают нас по ночам, — все это рождается из волшебного кольца мифа.

ДЖОЗЕФ КЭМПБЕЛЛ, УЧЕНЫЙ И МИФОЛОГ

Сначала вы устраняете яды в своем теле и улучшаете мозг с помощью суперфудов и нейронутриентов, запуская гены здоровья и отключая гены болезни. Затем вы трансформируете свои ядовитые эмоции, перезагружаете ось «бей или беги» и активируете производство молекул блаженства. Следующий шаг — отбросить семейные и общественные мифы, программирующие вашу жизнь. Теперь вы можете воспринять новый, более вдохновляющий миф, который откроет дорогу мечтам о новом теле и новом мире.

Почему мы заговорили о мифологии? Потому что правая часть мозга оперирует историями и мифами, а не фактами.

Успех сериала «Игра престолов», фильмов «Властелин колец» и «Звездные войны», книг о Гарри Поттере и других подобных произведений указывает на всеобщую увлеченность фантастикой и мифологией. В то же время мы склонны свысока смотреть на мифы, считая их просто милыми и занимательными сказками. Однако ученый Джозеф Кэмпбелл поясняет, что мифы — это не просто сюжеты для комиксов и популярных блокбастеров. Они влияют на нас в гораздо бо́льшей степени и на более глубоком уровне, чем нам кажется. С самого раннего возраста мы попадаем под действие мощных мифов, и они определяют наше восприятие мира, а следовательно, и тот выбор, который мы делаем каждый день.

В мифологии представлены верования и ценности определенных обществ, культур. Однако некоторые мифы кажутся универсальными, они запечатлены в коллективной психике человечества и передают архетипические воздействия вне географических и временных границ. Самые устойчивые мифы повествуют о простых людях, которые становятся героями — часто в силу обстоятельств. Они преодолевают невиданные препятствия и совершают подвиги. Список героев обширен — от библейского Ионы, проглоченного китом, до Люка Скайуокера.

В древнегреческих мифах представлены слишком человеческие похождения богов с горы Олимп и подвиги героев, таких как Одиссей, Геракл и Ахилл. Наши современные мифы не менее убедительны, чем сказания древних греков и римлян. Классический американский миф — это история о благосостоянии, которого человек достигает сам, поднимаясь к славе и богатству за счет решимости и тяжкого труда. В том же ряду стоит миф об отважной сироте, которая не знает родительской любви и вынуждена много работать, но благодаря своей смелости, достоинству и обаянию преодолевает все трудности. Как и все добрые предания, эти истории заканчиваются победами, а добродетель вознаграждается. Подобными рассказами подпитывались предпринимательские устремления американцев вплоть до конца XX века, когда новое поколение биржевых трейдеров и интернет-вундеркиндов научилось накапливать миллиарды за одну ночь.

Мифологические сказания XXI века указывают на другой набор ценностей. Теперь действие происходит в далеких звездных системах или волшебных землях, населенных колдунами и потусторонними существами. Некоторые мифы отражают теневую сторону людской фантазии — это мрачные апокалиптические ви́дения разрухи, вызванной эволюцией разумных машин.

Обновление личной мифологии означает отказ от соблазнительных, но ограничивающих предрассудков, которые превращают жизнь в ад.

В любом случае мы больше не находимся в плену у Хорейшо Элджера и сиротки Энни. Но центральная тема остается той же: обычный человек вынужденно сталкивается с неординарными проблемами и преображается в процессе их преодоления.

Ценности и убеждения, содержащиеся в мифах, настолько сильны, что вы ищете свой личный путеводный миф и чувствуете необходимость изменить свою жизнь, желая ему соответствовать. Если вы меняете миф, то соответственно трансформируются ваши ценности, убеждения, а затем и факты вашей жизни.

Но найти свой направляющий миф удается только после обновления мозга. В поврежденном состоянии мозг по умолчанию автоматически принимает на веру старые мифы, оставляя вас во власти четырех извечных программ лимбической системы: питаться, пугаться, противоборствовать и прелюбодействовать. Этим программам соответствуют мифы о нищем ребенке, о тяжкой женской доле, о воине и обманутом любовнике. Подчиняясь гневу, страху, жадности или алчности, мы не можем принять новые ценности и убеждения даже перед лицом серьезного кризиса. Бессознательное следование мифам нивелирует наши лучшие намерения.

Иудейско-христианские традиции оставили нам устойчивые мифы, которые непрерывно работают в уме, как компьютерные программы в фоновом режиме. Мы их даже не осознаем, однако они определяют нашу самооценку и ви́дение мира, окрашивая наше повседневное бытие.

Один из первых библейских рассказов, который мы слышим в детстве, — это история Адама и Евы в Первой книге Моисеевой. Миф об Адаме и Еве убеждает нас в том, что мы не повиновались Всевышнему и поэтому навсегда изгнаны из Эдемского сада и больше не можем общаться непосредственно с Богом — или с реками, скалами, деревьями и животными. Но коренные племена, будь то африканцы к югу от Сахары, австралийские аборигены или американские индейцы, не верят в изгнание из рая. Согласно их мифологии, из Эдема никого не выгоняли. Напротив, Эдем достался людям в дар, и они, как хранители Земли, должны беречь его и заботиться о нем.

Можно сказать, что мы хотим жить более устойчиво, в гармонии с миром природы — но старая, укоренившаяся мифическая система постоянно уводит нас от цели. Мы объясняем это тем, что в одиночку изменить ситуацию невозможно, или считаем, что мировая экономика рухнет, если ограничить выбросы парниковых газов. Поэтому в итоге мы ищем лишь краткосрочной экономической выгоды и не пытаемся предотвратить изменение климата. При этом мы чувствуем себя горемыками, изгнанными из Эдема, оторванными от природы и от нашей божественной сущности.

Наша иудейско-христианская традиция дала нам еще ряд других мифов, и не в последнюю очередь идею, что вечная жизнь предназначена только для немногих избранных, а наши билеты на небеса хранятся у священников. Такой взгляд был бы немыслимым для коренных индейцев, у которых я учился. Для них рай находится на Земле, никто из него не исключен, и смерть — это лишь переход из одного состояния в другое, от природы «частицы» к природе «волны». Восточные философии, в частности буддизм, придерживаются аналогичной точки зрения: осознавание бессмертно, а рай есть пробужденное состояние здесь и сейчас.

Шаманы утверждают, что окончательное исцеление — это исцеление не только физического тела, но и лучезарного энергетического поля, то есть светового тела, которое выводит нас за пределы обычного бытия. Это тело надолго останется с нами после завершения этой жизни, но на Западе мы не уделяем ему ни малейшего внимания.

Другой неотвязный миф, который нас тревожит, — это вера, что во вселенной существует зло как независимый принцип. Но для меня гораздо более убедительно звучит мнение, что мы живем в доброжелательной вселенной, которая изо всех сил старается заботиться о нас — достаточно лишь установить правильные отношения с ней и тренировать механизмы мозга, чтобы они смогли выдержать опыт Единства.

Эти старые истории пылятся в углах того, что психиатр Карл Юнг назвал коллективным бессознательным — хранилищем идей и воспоминаний, разделяемых нашим человеческим сообществом. Коллективная мифология засела настолько глубоко, что нас редко посещает мысль: «А ведь эта история устарела». Обычно для замены старых мифов новыми нужны глобальные кризисы, революционные технологии и радикальные открытия. Столетия назад наше мировоззрение изменилось с изобретением печатного станка, и точно так же Всемирная паутина и искусственный интеллект определяют сценарий трансформации в сегодняшнем мире. Мы не знаем, какие новые мифы сложатся в ближайшие десятилетия, но очевидно, что старые изжили себя.

В процессе изучения и поиска новой личной мифологии мы можем внести в свою жизнь новые силы, которые подготовят нас к созданию более устойчивого будущего.

Архетипические энергии

На современном этапе истории стало совершенно ясно, что человеческому роду необходимо больше сотрудничества, креативности и взаимопомощи — эти качества соответствуют архетипической фигуре Матери. Чтобы вернуть равновесие в наши отношения с Матерью-Землей и друг с другом, следует улучшить мужскую мифологию, в которой до сих пор преобладали принципы доминирования, завоеваний и иерархической власти. И на личном уровне нам тоже нужно преодолеть стереотипы мышления, зацикленного на эгоизме, властолюбии и соперничестве.

Недостаточно просто пообещать, что мы изменим диету и образ жизни, в результате чего станем добрее к себе и другим. Мы должны активно задействовать архетипические энергии, способные переориентировать наши ценности и действия. Карл Юнг описал архетипы как «формы психики, которые, как видится, присутствуют всегда и везде» (примечание 1 к главе 9). Архетипы, на которые нам приходится опираться, чрезвычайно древние и определяют наш опыт на протяжении всей истории человечества. Они встроены в мифологию, передаются в устных традициях, учениях мудрости и священных книгах, вплетены в религиозные и светские ритуалы. Фактически мифология и фольклор, основанные на рассказах о взаимодействии людей с архетипическими силами — богами древности, присутствуют в каждой культуре с тех пор, как люди заговорили.

Я не предлагаю призывать старых богов или приносить в жертву цыплят и коз. Но я приглашаю вас задействовать основные силы природы, представленные этими архетипами. Когда мы сдаемся на милость вездесущих мифов, проникших в книги, фильмы и выпуски новостей, наша жизнь по умолчанию повторяет их сюжеты. Мы отчаянно пытаемся бороться с более молодым соперником или становимся жертвами хитроумного обманщика. Мы воспроизводим привычки, которые делают нас физически больными, психически неуравновешенными и духовно бедными. Наше восприятие сужается и показывает нам лишь то, что прошло проверку временем. Так мы теряем способность творчески взаимодействовать с жизнью. По уши утопая в драмах, мы не способны увидеть в сопернике или обманщике потенциального товарища. Мы должны по-другому работать с архетипами и их энергиями.

Не так давно в экспедицию по Андам меня сопровождал успешный биржевой маклер по имени Марк. Он уверен, что пирог можно разрезать лишь на ограниченное число ломтей, и потому нужно успеть схватить свой кусок, прежде чем нас опередят другие. Мы работали с шаманами, которые указали, что Марк накапливает куски не того пирога. Он шел туда, где видел больше денег, однако индейцы заявили, что существует Великий пирог — это сфера мудрости и щедрости, и ее хватит на всех.

Их слова подействовали на Марка как пощечина. Вконец расстроенный и сердитый, он пришел ко мне жаловаться, что туземцы хотят от него только денег и пытаются втридорога продать ему камни, перья и одежду. Он хотел немедленно покинуть экспедицию. К счастью, мы находились высоко в горах и не могли спуститься в долину до следующего дня. Я высказал предположение: настоящей причиной недовольства Марка было созна-

Мы воспроизводим привычки, которые делают нас физически больными, психически неуравновешенными и духовно бедными.

ние того, что никакое количество богатства и славы, доброй или дурной, никогда не сможет наполнить счастьем его сердце и душу. Он с неохотой признал, что это может быть правдой, и согласился, что его понимание успеха его убивает, а стресс и долгий рабочий день подрывают здоровье. И если он надеется обрести душевное равновесие, то ему необходимо расширять кругозор, и именно по этой причине он поехал с нами в экспедицию.

Обновление личной мифологии означает отказ от соблазнительных, но ограничивающих предрассудков, которые превращают жизнь в ад. Марк считал, что он сможет сделать что-то полезное для мира только после того, как станет очень богатым, и вот тогда-то он и начнет жертвовать деньги подходящим благотворительным организациям. Его потрясло осознание, что на пути к желанному свершению он первым делом должен отбросить свой личный миф о постоянной нехватке ресурсов. Изменение персональных мифов требует нового подхода к знакомым историям и более разумного использования их энергий. Например, можно пересмотреть взаимодействие со своим внутренним воином, отказаться от наклеивания оценочных ярлыков на себя и других — и затем тратить запасы состязательной энергии только на самые важные сражения и спортивные соревнования.

Мы можем стать воинами, но не ради поиска врагов и стремления к власти, а для борьбы с собственными демонами. Мы можем вести священную войну с неверными внутри себя — или вообще уволиться в запас и посмотреть, чему внутренний язычник способен нас научить. Можно также воспитывать капризного внутреннего ребенка, который всегда хочет, чтобы ему уступали, или укрощать ревнивую внутреннюю Афродиту, требующую внимания и обожания.

Упражнение
Ищем воодушевляющую мифологию
Личные мифы — это истории, которые сидят глубоко в подсознании и раскрываются в сновидениях и сказках. Каждый из нас выступает героем собственной мифологии, но если наши путеводные мифы лишают нас свободы и веры в себя, то их необходимо заменить другими, чтобы создать новое тело. Это особенно важно сегодня, когда старые мифы потеряли актуальность, а новые еще не родились.

Первый шаг к поиску нового сценария — выявить, какие мифы и истории вам больше не нужны. Напишите короткую сказку — не более одной страницы — о герое, запертом в подвале крепости. Как он там оказался? Какие убеждения и страхи его там удерживают?

Посидите спокойно и напишите другую историю, в которой вы покидаете крепость, уходя в неизвестность, встречая то испытания, то поддержку и создавая новую судьбу. Определите преимущества и верования, на которых основан ваш новый рассказ.

Движемся к новой мифологии

В следующих четырех главах мы рассмотрим четыре мифа, которые показывают, какая сила приходит с принятием новой личной мифологии. В историях Парсифаля, Психеи, Арджуны и Сиддхартхи отображены шаги, необходимые для преодоления предрассудков и изменения судьбы. Каждый из этих людей вступил на героический путь трансформации и пришел к божественному уровню.

В качестве средства для работы с этими мифами и утверждения их силы мы используем магический круг — учебное пособие коренных народов Америки, составляющее неотъемлемую часть всех земных духовных традиций.

Возможно, самые известные из всех священных мест, связанных с землей и природными циклами, — это Стоунхендж в Англии и Мачу-Пикчу в Перу. Доминирующие черты этих святынь — массивные камни, ориентированные по годичному движению солнца, от точки весеннего равноденствия до летнего солнцестояния, затем к осеннему равноденствию и зимнему солнцестоянию и так далее. Каждый из этих кругов может рассматриваться как великий магический круг на земле.

Магический круг предоставляет план для серьезной трансформации человека. Двигаясь по кругу и минуя четыре направления: юг, запад, север и восток, мы готовимся вырастить новое тело и создать новую мифологию, которая поможет приблизиться к цели.

Мы начинаем на юге, где проходит тропа целителя и исцеления наших ран. Затем мы движемся на запад тропой Божественной женственности и преодолеваем страх смерти. Оттуда мы идем на север, ступая по тропе мудреца, и учимся быть неподвижными, как гладкая поверхность озера, которая все отражает. Наконец мы достигаем востока, следуя тропой визионера, и учимся воплощать в жизнь мечты о создании нового мира.

Путь по магическому кругу со всеми задачами, которые предстоит решать в каждом из четырех направлений, — это путешествие классического героя. Мы призваны оставить привычную форму бытия и войти в неизвестное, то есть изменить свою жизнь так, чтобы эта трансформация превзошла даже самые смелые ожидания.

Эту дорогу мы проходим самостоятельно — никому не под силу выполнить такую работу за нас. Но это не значит, что мы идем по магическому кругу в одиночку. Вступая на путь, мы продолжаем линию преемственности от мудрых мужчин и женщин, которые побывали здесь до нас. Вселенная всегда готова помочь, но чтобы воспользоваться ее поддержкой, необходимо смирить себя. Без смирения вы почти наверняка вернетесь на старые пути, к тем же бессмысленным сценариям, выстроенным вокруг вашего «я». Эго хочет быстро пробежать по магическому кругу и полностью обновиться, но трансформация происходит иначе. Вы должны усвоить уроки каждого из направлений.

ГЛАВА 10

ПУТЕШЕСТВИЕ ЦЕЛИТЕЛЯ: ИЗБАВЛЯЕМСЯ ОТ ПРОШЛОГО И ИСЦЕЛЯЕМ РАНЫ МАТЕРИ

В жизни любого человека наступает мгновение, когда он должен встретиться со своим прошлым. С теми, кто так и не пробудился, не отважился по-настоящему прикоснуться к силе. Это обычно случается на ложе смерти, когда они пытаются выторговать у судьбы еще хоть несколько минут. Но мечтатель, человек силы, переживает это мгновение в одиночестве. Сидя у огня, он приглашает призраков своего личного прошлого предстать перед ним, как свидетели предстают перед судом. Это работа целителя, и здесь начинает свое движение магический круг.

Из книги «Танец четырех ветров» Альберто Виллолдо и Эрика Джендресена

Возможно, вы спросите, почему я приглашаю вас отправиться в мифическое путешествие и сотворить новую жизнь. Причина в том, что ваше тело и здоровье обусловлены в равной степени вашими внутренними историями, умением любить и прощать, — и пищевыми привычками. Все мы знаем, как трудно изменить эти привычки. Переписать внутренние истории еще сложнее. И психология, похоже, не особенно в этом помогает. Психотерапевтическая практика известна уже сто лет, но мало чем может похвастаться (за некоторыми заметными исключениями, такими как когнитивно-поведенческая терапия). Чтобы создать новое тело, вы также должны выстроить новую историю о своем путешествии по жизни в качестве героя, чтобы отречься от старых программ и отживших идей.

> **Чтобы создать новое тело, вы также должны выстроить новую историю о своем путешествии по жизни в качестве героя, чтобы отречься от старых программ и отживших идей.**

Жители северного полушария ориентируются на созвездие Большой Медведицы и Полярную звезду, а в южном полушарии видное место на небе и в человеческой душе занимает созвездие Южный Крест. Его четыре звезды служат маяком для звездочета и символически отражают прохождение четырех этапов магического круга.

Юг считается областью змеи: в космологии индейцев Млечный Путь представлен Небесным Змеем. Во многих культурах архетип змеи связан с сексуальностью и жизненной силой. Восточные традиции работают с кундалини — психической энергией, которая часто изображается в виде змеи, свернувшейся у основания позвоночника. Змея символизирует инстинкты и буквальное мышление: все явления видятся непосредственно, без нюансов и двусмысленностей. Это можно обобщить выражением: «Что есть, то есть». В таком восприятии не задействованы чувства и эмоции. Мы действуем без сентиментальности, как холоднокровная змея.

В некоторых ситуациях смотреть глазами змеи — именно то, что нужно. Когда вы находитесь в опасности, страх может вызвать панику и заставить вас сделать неправильный выбор, а инстинктивные действия могут обеспечить выживание. Если вы стоите на открытой горной вершине, а вокруг сверкают молнии, то размышления неуместны и лучше следовать змеиному инстинкту, который велит немедленно спрятаться в надежном укрытии.

Змея напоминает нам о связи с землей — опорой и источником пропитания. Физическая сфера плоти, почвы и камней пробуждает наши органы чувств; подобно змеям, мы сбрасываем старую кожу и движемся вперед. Следующий шаг — избавиться от ролей и масок, отслуживших свое, и поверить, что можно выжить и без них. Осознавая ощущения тела, вы способны действовать инстинктивно, без размышлений. Беременная женщина не раздумывает над тем, рожать ей или нет, а доверяет врожденной мудрости своего тела и следует его позывам.

Змея заставляет нас двигаться вперед, когда нужно отказаться от старой самобытности и радикально измениться. Но если человек застревает в сознании змеи, он живет бездумно, заботится только о собственном выживании и благополучии, не обращая внимания на чувства или потребности других. Мы цепляемся за привычное — за маски и роли, которые служили нам в прошлом. Очень часто эти роли обусловлены внешними обстоятельствами и влиянием родителей, а не нашим сознательным выбором. Примитивный мозг рептилии находит комфорт в том, что ему уже знакомо, поэтому мы уклоняемся от перемен, даже когда старые роли нам больше не подходят. Человек вступил в брак, но еще не полностью отказался от прежнего вольного образа жизни и контактов с несколькими сексуальными партнерами. Кто-то выздоравливает от тяжелой болезни, но в душе остается пациентом, уязвимым и напуганным.

Змея теряет остроту зрения незадолго до того, как начнет сбрасывать кожу, и точно так же наше восприятие имеет тенденцию сужаться, когда мы сопротивляемся необходимым изменениям. Видя в них опасность, а не потенциал, мы упускаем возможность экспериментировать с новыми способами бытия, которые могли бы сделать нас счастливее или вести к самопознанию.

Однажды ко мне пришла женщина лет сорока по имени Робин, мама двух мальчиков-подростков. Это был критический момент в ее жизни. Она находилась в отчаянии: ей казалось, что с недавнего времени она нужна сыновьям только для стирки и уборки комнат, и не знала никакой другой роли, кроме материнской. Предлагаемая ей новая роль прислуги для собственных детей ее расстраивала, однако еще сильнее женщина боялась пробовать другие виды деятельности — например, работу в рекламном бизнесе, которой занималась раньше. Робин умела создавать рекламные объявления для журналов женской моды, но пока она растила детей, эта индустрия ушла далеко вперед. Моя клиентка ничего не знала об интернет-маркетинге, поисковой оптимизации и виртуальных витринах.

Появившись у меня в кабинете, Робин пожаловалась, что домашняя жизнь заставляет ее злиться и болеть. Она прибавила в весе, у нее развилось преддиабетическое состояние, и всякий раз, когда она пыталась призвать сыновей к дисциплине, ее сердце начинало учащенно биться и появлялась головная боль. По утрам она просыпалась без сил и не могла начать ясно мыслить без нескольких чашек кофе. Она знала, что должна измениться. Я посоветовал ей перейти на новую диету, начав с продуктов, которые восстанавливают гиппокамп. Я объяснил, что это поможет Робин освободиться от устаревшего образа мыслей, из-за которого она слишком долго играла роль матери и служанки, когда это уже перестало приносить пользу ее детям и ей самой. И попросил ее в течение месяца избегать сахара и рафинированных углеводов, а также держаться подальше от глютена и молочных продуктов и выяснить, вызывают ли они аллергическую реакцию.

Три недели спустя, во время ее следующего визита, я зажег большую свечу, которую держу на рабочем столе. Я попросил Робин написать названия ее самых неудобных ролей на маленьких листках бумаги, затем свернуть каждый из них в трубочку, «вдунуть» туда молитву и сжечь в пламени свечи. Как только кончики ее пальцев начинали чувствовать жар, женщина должна была бросить горящую бумагу в металлическую чашу с песком. Я объяснил, что это древний ритуал, во время которого человек освобождается от негодных старых ролей, символически превращая их в пепел.

Первым делом Робин захотела отбросить роль *прислуги*. «Как же мне это надоело!» — вскричала она. Затем она сожгла роли *повара в закусочной*, *прачки*, *жены* и, наконец, *менеджера по рекламе*. Отказавшись от своей предыдущей карьеры, клиентка открыла себя для новых ролей — так зародились перемены в ее профессиональной жизни и в ней самой. Она надеялась использовать свои навыки по-новому в той же отрасли или в другой.

Шаманы давно знают то, что сегодня подтверждают нейробиологи: ритуалы способны изменять мозг. Небольшие церемонии, подобные той, которую провела Робин, помогают поднять осознавание от упрощенного лимбического мозга к нейронным сетям высшего порядка. Предав свои старые роли огню, женщина вздохнула с облегчением. Однако она решила сохранить одну роль — матери. «Их мамой я останусь на всю жизнь, но горничной больше не буду», — пояснила она. Если бы Робин сожгла свои старые роли, не восстановив сначала гиппокамп, это упражнение стало бы всего лишь единичным жестом, основанным на благих намерениях. Но намерения легко забываются, а сила воли угасает, и по-настоящему изменить образ мыслей и действий становится очень трудно.

После нашего занятия Робин пришла домой и объявила всем мужчинам в семье, включая мужа, что поступает в институт и собирается изучать интернет-маркетинг. Если они захотят есть, им нужно будет готовить самостоятельно. Если им потребуется чистое белье, им придется научиться пользоваться стиральной машиной и сушилкой. И Робин не отступила от своего решения. В течение двух недель ее дом выглядел как зона стихийного бедствия — повсюду громоздились грязные тарелки и валялась нестиранная одежда. Но затем голод и привычка к гигиене взяли свое, и мужчины достойно справились с поставленной задачей.

При следующей встрече Робин сообщила мне, что ее уровень сахара в крови стабилизировался и вернулся в норму, что она сбросила половину лишнего веса и ей нравится учиться в институте.

На пути целителя необходимо верить, что природа защищает вас, как змею, которая сбрасывает кожу: даже если вы откажетесь от старых ролей и отождествления, ваша мягкая ахиллесова пята останется целой и невредимой. Робин оказалась самой старшей из всех однокурсников, и ее пугало неведомое будущее. Кроме того, ей приходилось сдерживать себя, чтобы не броситься спасать от беспорядка мужа и сыновей. Но восстановление гиппокампа — мозгового центра, связанного с обучением, позволило ей приобрести новые навыки, благодаря которым она смогла стать руководителем маркетингового отдела и успешно работать, а не просто выживать в роли домохозяйки.

Парсифаль и исцеление мужского начала

Легенда о Парсифале, рыцаре Круглого стола короля Артура, иллюстрирует архетипический поиск целостности и выздоровления, борьбу за освобождение от прошлых масок ради развития. Для Парсифаля работа змеи заключалась в том, чтобы исцелить раненое мужское начало и воплотить новую, более просвещенную мужественность путем развития внутренней женственности — таких качеств, как красота, чуткость и любовь. В большинстве мужчин эти качества присутствуют в спящем состоянии и должны активно пробуждаться под влиянием матери, любовницы или супруги.

Центральная тема легенды о Парсифале — поиск Святого Грааля. На него как на воплощение священной женственности устремлены все помыслы Парсифаля.

Легенда гласит, что Парсифаль (это имя означает «*невинный простак*») был еще младенцем, когда умер его отец. Мама воспитывала мальчика в лесах Уэльса, вдали от людей и их военных троп. Но еще будучи подростком, он увидел группу рыцарей, скачущих по лесу. В сияющих доспехах, с развевающимися знаменами, они произвели на парня неизгладимое впечатление. В нем вспыхнуло желание стать мужчиной и на деле доказать свою храбрость. Вскоре Парсифаль решил последовать за рыцарями в поисках Грааля.

Мать Парсифаля очень расстроилась из-за перспективы потерять сына. Она хотела, чтобы он навсегда оставался ее ребенком и жил в безопасности дома. Она отлично понимала: сделавшись рыцарем, он проведет свою жизнь в сражениях с врагами в дальних странах. Тогда она дала сыну такие наставления: «Если ты уходишь, то пообещай, что сохранишь невинность, не станешь задавать никаких вопросов и всегда будешь носить эту домотканую рубаху, чтобы не забывать о матери и ее нерушимой любви». Будучи послушным сыном, Парсифаль согласился на эти условия. Когда мы молоды, мы слушаемся родителей и подчиняемся диктату нашей культуры, не ведая, насколько тесными станут со временем предписанные нам роли.

Парсифаль отправился на поиски рыцарей. Выйдя из леса, он встретил деву по имени Бланш Флёр, то есть Белый Цветок, которая готовила свадебный пир. Бланш Флёр представляет чистую женскую энергию, которая существует внутри у каждого человека, мужчины и женщины. Парсифаль должен обрести свою внутреннюю женственность, если хочет стать полноценным мужчиной. Но в ушах Парсифаля все еще звучали слова матери, поэтому он решил хранить обет целомудрия, отказался поцеловать Бланш Флёр и выбрал жизнь воина. Даже сегодня юноши проходят инициацию войной, а не любовью.

Никто при дворе не воспринял Парсифаля всерьез, когда он спросил, как ему стать рыцарем. Король Артур улыбнулся и ответил: «Если сможешь победить Красного Рыцаря, то его конь и доспехи — твои». Ко всеобщему изумлению, Парсифаль не только бросил вызов Красному Рыцарю, но и выиграл дуэль, совершенно случайно убив противника. Это пробудило в Парсифале силу воина, но, несмотря на бравый вид, он не полностью сформировался как мужчина. Под доспехами он все еще носил домотканую рубаху, полученную от матери.

Парсифаль снова отправился в дорогу и явился в замок, где под защитой Короля-Рыбака хранился Святой Грааль. Раненный в пах (есть версии, что он неправильно использовал свою сексуальную силу), Король-Рыбак сим-

Путь целителя требует разорвать цепи вины и вступить в новую роль, написать новую историю, чтобы освободить не только себя, но и будущие поколения.

волизирует мужчину с уязвленной мужественностью. Поскольку король не мог иметь потомство, его земля была бесплодной, и подданные роптали. Это состояние современного мужчины, который не прикасался к Граалю и не получил посвящения в любовь. Он может сколько угодно трудиться для блага семьи, но не в силах осчастливить близких, и потому чувствует себя недооцененным и нелюбимым.

Король-Рыбак дал Парсифалю меч Грааля. Меч представляет собой мужской принцип, призванный охранять Святой Грааль, то есть женскую силу. Затем король устроил пир, и в конце трапезы принесли Грааль. Все с тревогой наблюдали за происходящим, потому что легенда гласила, что если невинный юноша спросит: «Кому служит Грааль?» — это высвободит силу Грааля и даст миру эликсир, исцеляющий все раны. Увы, когда чашу передали Парсифалю, он не узнал в ней Грааль. Помня о просьбе матери не задавать вопросов, он просто передал чашу дальше. Его непосвященному уму этот сосуд показался обычной чашей с вином.

Проснувшись на следующее утро, Парсифаль обнаружил, что замок пуст, а его конь под седлом стоит за воротами. Как только юноша пересек разводной мост, дворец Грааля исчез в тумане. Парсифаль продолжал спасать девиц и освобождать осажденные замки, то есть совершать обычные подвиги, проявляя рыцарское достоинство. В замке короля Артура его радостно встретили рыцари Круглого стола. Когда они праздновали победы Парсифаля, в разгар веселья появилась древняя старуха. Она стала бранить Парсифаля за то, что он не задал вопрос о Граале и тем самым упустил шанс высвободить целительную силу на благо всего человечества. Оскорбленный публичными насмешками старой ведьмы, Парсифаль снова отправился на поиски замка Грааля, чтобы исправить ошибку. Но долгие годы прошли в тщетных странствиях — так блуждают по жизни многие мужчины, не находя свою цель, постоянную любовь или чувство удовлетворения.

Уже в старости Парсифаль встретил путников, которые отругали его за то, что он ходит в рыцарских латах в святой день — Страстную пятницу. Герой снял доспехи и тут же получил указания, как пробраться к замку Грааля. Развязка этой истории в легенде отсутствует, но мы надеемся, что Парсифаль благополучно задал волшебный вопрос, разрушив чары Грааля, из-за которых у него, как и у Короля-Рыбака, не могли полностью проявиться мужские качества. Выпив из сосуда с чистой целебной женской силой, Парсифаль обрел целостность. Только освободившись от своих доспехов и маски воина, мужчина способен пить из чаши Грааля и исцеляться Божественной женственностью.

Святой Грааль — это то, что ищем мы все, и мужчины, и женщины. Его эликсир заживляет раны, нанесенные нашей жестокой историей, диктатом родителей и культуры. Как и Парсифаль, многие из нас каждое утро облачаются в доспехи — надевают деловой костюм или напускают на себя непреклонный вид и идут в бой, чтобы освобождать осажденные замки, но не получают ни удовлетворения, ни благодарности за свои усилия.

Пока Парсифаль оставался привязанным к прошлому и своей воинской идентичности, он не мог развиться, стать мужчиной и исполнить свое предназначение. Он не мог сдержать обещание вернуть Грааль, и поэтому жители тех земель страдали. Будь мы мужчиной или женщиной, нам необходимо отпустить свои воображаемые роли и перестать бояться неодобрения, тогда мы откроемся новым возможностям. Мы сможем безбоязненно проявлять любопытство, задавать вопросы, рисковать. Но сначала нужно снять доспехи и сбросить домотканую рубаху, доставшуюся нам от матери.

Страшно уйти от привычных конфликтов и сражений — положить меч на землю и снять эмоциональную броню, но это важный шаг в нашей трансформации. Без него мы не узнаем Грааль и не выпустим в мир его целительную силу.

Возможно, мы даже не сознаем, что цепляемся за роль неправильно понятого, недооцененного воина и продолжаем обвинять родителей в своих неудачах и промахах. Но чтобы сбросить эту личину жертвы, мы должны признать, что наши родители тоже жили мифом о Парсифале, как и их родители и все прошлые поколения. Путь целителя требует разорвать цепи вины и вступить в новую роль, написать новую историю, чтобы освободить не только себя, но и будущие поколения.

На протяжении всей жизни мы будем то и дело терять свою идентичность, как змея теряет кожу, когда та становится слишком тесной. В конце концов мы обнаружим, что все роли подобны костюмам, которые мы вешаем в шкаф или надеваем на себя — в зависимости от обстоятельств.

Как только вы начали путь на юге и двинулись на поиск своего личного Грааля, вы можете заменить сон мечтой, из пациента превратиться в целителя, а из пассивного пользователя жизни — в ее творца. И затем окажетесь перед новым направлением магического круга — западным, где лежит путь ягуара.

Упражнение
Сжигаем старые роли и маски
Маленький огненный ритуал — это эффективная практика для перестройки мозга и избавления от изношенных ролей и идентичностей. Он позволяет освободиться от прошлых ограничений и двигаться дальше. Прежде всего, необходимо сконцентрироваться на своих намерениях и задачах. Именно намерение придает ритуалу глубину, значимость и преобразующую силу. Помните, что древний лимбический мозг изменяется благодаря силе ритуала.

Традиционно этот ритуал проводится группой людей вокруг большого костра на открытом воздухе, но с таким же успехом можно провести одиночный обряд в помещении.

Вам понадобятся толстая свеча высотой не менее десяти сантиметров, коробка с деревянными зубочистками, спички и огнеупорная миска (которую вы можете заполнить песком, если хотите).

Зажгите свечу, а затем возьмите зубочистку. Держа ее на весу, подумайте о роли или идентичности, которая вам больше не служит. Аккуратно дуньте на зубочистку с мыслью, что переносите в этот маленький кусочек дерева все чувства, связанные с устаревшей ролью. Затем поднесите зубочистку к огню. Когда она почти догорит, бросьте ее в чашу с песком. Продолжая действовать таким образом, можно сжечь сколько угодно зубочисток и тем самым символически отбросить все отжившие роли и личности.

Впервые приступив к этому упражнению, я начал с роли *отца*. Я поднес палочку к огню и поблагодарил своего отца за любовь и те уроки, которые он мне преподал, независимо от их качества. Сейчас я знаю, что он очень старался. Продолжая ритуал, я освободился от роли *сына* и с молитвой поблагодарил своих детей за то, что они учили меня строить взаимоотношения родителя и ребенка. Затем я перешел к маскам *мужа, любовника, целителя, жертвы* и так далее, пока не сжег почти двести ролей и идентичностей!

ГЛАВА 11

ПУТЕШЕСТВИЕ К БОЖЕСТВЕННОЙ ЖЕНСТВЕННОСТИ: ПЕРЕД ЛИЦОМ СТРАХА СМЕРТИ И ВСТРЕЧИ С БОГИНЕЙ

На другой день, когда Мария стояла у колодца, ангел Господень явился Ей и сказал: блаженна Ты, Мария, ибо Господь уготовил жилище Свое в духе Твоем. Вот приидет свет с неба, дабы обитать в Тебе и чрез Тебя засиять в целом мире.

ЕВАНГЕЛИЕ ОТ МАТФЕЯ

Божественная Мать, символ женского начала, встречается во всех культурах и проявляется как Мадонна, Кали или Гуаньинь, даже как сама мудрость, мать всех будд. Мы намерены встретиться с Божественной женственностью в ее собственном владении — богатом, темном, внутреннем мире, в который мы отправляемся, когда сталкиваемся со смертью. Это путешествие связано с западным направлением на магическом круге, местом ягуара и умирающего солнца.

Когда мы встречаем Божественную женственность в обычном мире, она сражает нас наповал. Мужчина видит в любимой женщине богиню — пока она не начнет портить ему жизнь. Когда женщины встречают в мире Божественную женственность, они часто боготворят ее или завидуют ей, вместо того чтобы узнать ее красоту и силу внутри себя.

Греческий миф об Актеоне и богине охоты и луны Артемиде (Диане) иллюстрирует, что может случиться, когда мы неожиданно встретим Божественную женственность. Однажды Актеон вместе с друзьями был на охоте с собаками. Оставив всех отдыхать, он отправился прогуляться по лесу и увидел долину, в которой среди сосен и кипарисов струился чистый ручей, впадающий в озеро. Там его глазам предстала восхитительная картина: нимфы купали обнаженную красавицу Артемиду. На берегу рядом с сандалиями и туникой богини лежали ее лук и колчан со стрелами. При виде Актеона нимфы бросились заслонять Артемиду своими обнаженными телами, чтобы скрыть божественные формы от похотливого взгляда смертного юноши. Но богиня была выше их и гордо стояла, показывая охотнику все свое тело. Затем она плеснула воду ему в лицо и произнесла: «Теперь ты можешь говорить, что видел Артемиду обнаженной».

После этих слов на голове Актеона внезапно выросли рога, его мускулистая шея удлинилась и обросла шерстью, руки превратились в ноги, а ладони в копыта. Он в панике помчался прочь, удивленный тем, насколько быстро он может бежать. Но когда он остановился перевести дыхание у водоема и нагнулся к воде, он увидел свое отражение и понял, что превратился в оленя. В этот момент сзади раздался лай: его собственные собаки взяли его след. В ужасе он побежал, но быстроногие псы настигли его. Актеон попытался выкрикнуть их имена, но из его рта вырвался лишь странный гортанный звук. В одно мгновение собаки повалили его наземь, раздирая живот и вырывая внутренности.

Превращая похотливого Актеона в оленя, который символизирует мужество и мужскую силу, богиня материализует самую дикую фантазию человека — плодовитого жеребца, человеческого рогатого бога. В древнем искусстве палеолита знахари изображались в виде рогатых существ — примером может служить колдун-шаман из знаменитой наскальной живописи в пещере Труа-Фрер во французском департаменте Арьеж. Слово «мальчишник» переводится на английский язык как stag party — «оленья вечеринка». А богиня изображается как источник исполнения всех желаний, даже самых глубинных, самых неосознанных — тех, которые в случае неосторожности могут привести к гибели.

Встреча с ягуаром

Солнце заходит на западе, после чего в джунглях начинается какофония ночи. В темноте бесшумно движется гладкая черная кошка. Ягуар — это мощный символ Божественной женственности. При отсутствии других крупных хищников в тропическом лесу ягуар живет без страха, беря из джунглей лишь то, что ему нужно для пропитания, и не более того. Эта кошка убивает не из жадности, не ради забавы, не из боязни остаться без запасов пищи. Ей не приходится притворяться более крупной, чем она есть, делать что-то особенное, чего-то достигать и что-либо доказывать. Ягуар охотится, исследует окружающий мир и спит по мере необходимости, живя сбалансированной жизнью.

Для коренных племен, населяющих юго-запад США, мексиканские джунгли и высокогорье Анд, ягуар символизирует преобразующую силу медицины единого Духа — во многом так же, как жезл с двумя переплетенными змеями и крыльями орла, кадуцей, символизирует исцеление у западных врачей. Особенно неравнодушны к ягуарам были мексиканские ольмеки, представители самой ранней цивилизации Америки. Изображение этой великолепной кошки встречается повсюду в искусстве ольмеков, и часто мы находим также фигурки полулюдей-полуягуаров.

Для индейцев майя ягуар символизирует смерть и принятие ее роли в круговороте жизни. До испанских завоеваний майя называли своих первосвященников баламами. «Балам» на языке майя означает «ягуар» и указывает на то, что человек совершил путешествие через сферы за пределами смерти. Он спускался в подземный мир, победил страх смерти и вернулся с эликсиром бессмертия. В нашем путешествии к Божественной женственности мы воплощаем мудрость ягуара, освобождаемся от страха перед неизвестным и верим, что если что-то умерло внутри нас — значит, мы нуждались в обновлении на благо всего живого. Цикл жизни и смерти восстанавливает гармонию. Все виды жизни расцветают как часть природного равновесия.

Для нас клятва ягуара — это обещание чувствовать себя как дома, какие бы опасности нас ни окружали. Ягуар помогает обнаружить внутреннее бесстрашие, и такая жизнь предоставляет нам все, что нужно для поддержания здоровья и душевного покоя. Он дает уверенность, которая позволяет нам выйти за порог и смело изучать неизвестное, не цепляться за привычный опыт и знать, что мы движемся в верном направлении, следуя к своей жизненной цели. Лекарство ягуара приносит равновесие и здравомыслие — даже если кажется, будто мир вокруг сошел с ума. Благодаря этому к нам возвращаются силы и здоровье.

Если вы доверитесь ягуару и пойдете за ним достаточно далеко, он приведет вас в царство богини, и вы напрямую получите ее мудрость. Возможно, вы испытали нечто подобное, когда восстанавливались после болезни или несчастного случая — это глубокое чувство благодарности за то, что вы снова здоровы и способны двигаться. Если вам приходилось услышать от кого-нибудь слова: «Мой рак спас мне жизнь», то вы понимаете, о чем я. Человек не только восстановил свое здоровье, но и нашел в жизни новое направление, наполненное смыслом и мудростью.

Если вы выполните этот шаг на магическом круге, встретите богиню и увидите страх смерти — вы сможете стать подобными ягуару, то есть жить творчески, с изяществом, наслаждаясь здоровьем и душевным равновесием. Обнаружив свою вечную природу, можно даже победить смерть, подобно хранителям мудрости из числа древних майя.

Чтобы понять концепцию победы над смертью, нужно рассмотреть философию американских индейцев из далекого прошлого. Как и многие другие народы, они верили, что в нас есть некая сущность, которая не исчезает после смерти. В отличие от сегодняшней религии, в которой утверждается вечная природа души, древние шаманы считали, что бессмертие — это просто семя, потенциал, которым обладаем мы все. Его необходимо пробудить и наделить силой, чтобы обеспечить непрерывность сознания после смерти. Поэтому следует посвятить себя духовной практике, чтобы научиться «уходить из жизни живыми», как говорят шаманы из Амазонии. Индейцы майя назвали этот процесс пробуждением в себе тела ягуара. Священники-баламы, владевшие этим мастерством, были своего рода картографами загробной жизни — они изображали сферы, лежащие за пределами смерти, с той же точностью, с какой мы составляем географические карты земель. В тибетском буддизме есть аналог тела ягуара — это *тело света*. В результате завершенного путешествия по магическому кругу прорастают семена бессмертия, которые мы носим в себе.

Вы можете спросить: «Как это соотносится с созданием нового тела?»

Ответ: «Полностью». Древняя медицина ягуара служит противоядием от страха, а страх, особенно страх смерти, — это корень любого недуга. Чтобы исцелять себя и поддерживать здоровье, мы должны стать бесстрашными.

Обнаруживаем свою смертность

Помните ли вы тот день, когда начали задумываться о собственной смерти? Когда впервые поняли, что умрете? В подростковом возрасте мы чувствуем себя неуязвимыми для смерти, полагая, что она случается только с другими людьми, а к нам не имеет никакого отношения. После пьяной вечеринки мы садимся за руль и везем своих друзей по извилистым горным дорогам. Мы беспечно пролетаем опасные повороты на полной скорости, как будто к нам не применимы законы физики. Но однажды мы теряем любимого человека, попадаем в аварию или оказываемся на операционном столе — и понимаем, что смерть всегда рядом.

Собственно говоря, есть два великих момента, способных пробудить в нас сознание собственной смертности. Первый случается, когда мы понимаем, что наше земное существование мимолетно и жизнь однажды закончится. Если мы воспримем это озарение всерьез, то в дальнейшем будем осознавать драгоценность каждого мгновения. Наша жизнь изменится навсегда.

Второе великое пробуждение наступает, когда мы *преодолеваем* страх смерти. Для этого необходимо понять, что наша природа вневременная и бессмертная, что она принадлежит вечности. Но понимание бесконечности нашей природы не может быть только интеллектуальным. Это внутреннее постижение, знание на клеточном уровне. Во многих доземледельческих общинах есть обряд посвящения, призванный способствовать этому осознаванию. Символически встречаясь со смертью, посвященный обретает опыт непрерывности жизни за пределами физического существования.

Мы беспечно пролетаем опасные повороты на полной скорости…но однажды мы теряем любимого человека, попадаем в аварию или оказываемся на операционном столе — и понимаем, что смерть всегда рядом.

Что бы вас к этому ни подтолкнуло — обряд символического умирания, тяжелая болезнь или смертельная опасность на дороге, — овладение страхом смерти приносит огромное облегчение, высвобождая творческую энергию для поиска гармонии в хаосе повседневного бытия. Какофония джунглей превращается в музыку. Трагедия становится основой для новой, более полноценной жизни. Вы начинаете формировать картину внутреннего богатства для себя и более устойчивого будущего для своего сообщества. Понимая, что нам всем предстоит идти рука об руку на протяжении многих эонов, вы обещаете служить Земле и всем живым существам.

Начав работу ягуара, вы сможете написать для себя новые воодушевляющие истории, а их действие будет простираться далеко за рамки обыденной заботы о личном выживании. Но будьте осторожны! Если мы желаем ускорить процесс — например, пытаемся отбросить страх смерти, еще не столкнувшись с ней лицом к лицу, или мечемся от одного врача к другому, чтобы как можно быстрее избавиться от проблем со здоровьем, то инициация будет неполной. Удачно проскользнув мимо пропасти, мы испытаем лишь недолгое облегчение, но так и не воспользуемся возможностью обнаружить свою бессмертную природу. Напрасно надеясь, что все трудности остались позади, мы будем вынуждены опять повстречаться с ними, если вернемся к привычному поведению, основанному на страхе. Когда ягуар не принимает вызов, жизнь неизбежно берет свое — и у нас не остается времени на подлинное развитие.

Чтобы справиться со страхом, мы должны отобрать у него статус нашего постоянного спутника и вернуть ему его изначальную роль естественной системы раннего оповещения. Страх предупреждает нас о возможной близкой опасности, заставляя реагировать на нее. Но если эта эмоция не проходит, а оседает в нервной системе, то мы становимся одержимыми страхом. Ось ГГН превращается в гипердвигатель. Хаос проникает в нашу жизнь на всех уровнях. «Часы смерти» внутри каждой клетки перестают показывать точное время. Мозг заполняется гормонами стресса, и мы не можем создать новое тело, потому что не получаем доступа к нейронным сетям высшего порядка.

С точки зрения биологии здоровье определяется степенью гармонии и многокомпонентности тела. Природе нравятся сложные организмы. Эволюция превратила одноклеточных существ в высокоразвитых людей. Но этого недостаточно для здоровья — сложная система должна быть последовательной и гармоничной. Сотня людей, играющих на сотне разных музыкальных инструментов, — это еще не оркестр. Для рождения музыки они должны играть в гармонии друг с другом.

Чем более согласованно работают сложные системы вашего тела, тем здоровее вы становитесь. В качестве примера можно привести вариабельность сердечного ритма — естественный интервал между последовательными сокращениями сердца, один из показателей общего состояния здоровья. Чем больше колеблется частота сердцебиения, тем здоровее ваше сердце, чем гармоничнее работают все системы тела, тем выше устойчивость и тем лучше здоровье.

Такое понимание согласованности и сложности отражается даже на клеточном уровне. Упорядоченные клетки создают здоровье, в то время как беспорядочные возвращаются в примитивное состояние и начинают образовывать опухоли. Хаотические клетки крадут у организма питание и, в отличие от здоровых, отказываются умирать. Они не подчиняются инструкциям митохондрий, которые контролируют клеточные «часы смерти», то есть велят клеткам отмирать и давать дорогу своим молодым и более жизнеспособным собратьям. Когда клетки утрачивают свою сложность, они больше не могут питаться здоровыми жирами и поглощают только сахара, поэтому для лечения рака и некоторых других заболеваний так важно исключить из рациона все сахара и остальные углеводы (примечание 1 к главе 11).

Размножаясь в организме, раковые клетки наносят ему ущерб и в конечном итоге убивают своего защитника и кормильца. Это можно наблюдать на клеточном уровне, но нечто подобное происходит и со всем вашим бытием, если вы отказываетесь воспринимать смерть как естественное развитие жизни. Когда вами овладевает страх, он определяет весь ваш опыт, в конечном счете высасывая из вас жизнь.

Завершение, переход и начало

Мы должны позволить себе испытать ужас при виде трансформации, которая начинается смертью всего отжившего. Страху смерти (будь то смерть тела или образа мышления, конец отношений, прекращение ситуации или гибель мечты) нужно смотреть в лицо прямо и сознательно, а затем преодолеть его — ради нового, здорового роста.

Некоторое время моей пациенткой была двенадцатилетняя Энни, самая юная из всех больных раком, с которыми я когда-либо работал. Родители привезли ее ко мне в надежде, что мы сможем вылечить ее от опухоли мозга. Они перепробовали все мыслимые медицинские процедуры, ничего не добились и теперь искали у меня помощи, которую не смогли найти в других местах. После химиотерапии у Энни выпали все волосы, и в большом кожаном кресле в моем кабинете она выглядела как маленький улыбающийся Будда.

Я объяснил родителям Энни разницу между лечением и исцелением. Лечение — это устранение симптомов, а исцеление работает на гораздо более глубоком уровне, удаляя причины дисбаланса, который привел к болезни. Излечение — это идеальный исход медицинского вмешательства, а исцеление станет результатом путешествия, во время которого преобразуются все аспекты вашей жизни. Пусть в конечном итоге вы умрете, но тогда вы пронесете свое исцеленное «я» в следующую жизнь.

Я попросил родителей Энни подождать в коридоре и оставить нас с девочкой наедине. После непродолжительного разговора ни о чем она прямо заявила: «Я не боюсь». Затем она сказала, что ангелы каждую ночь приходят к ней во сне — и даже иногда в течение дня. Но родители боялись за нее. «Я не могу рассказать им об ангелах», — вздохнула Энни. Она надеялась, что я ее пойму. Я понял и почувствовал, что перед Энни распахнулась занавесь между мирами: она готовилась к великому путешествию домой. Но ее родители по понятным причинам были полны решимости сделать все возможное, чтобы помочь Энни выжить. Пытаясь вылечить ее от рака, они водили девочку к разным специалистам, а я был их последней надеждой.

Я прожил много лет и понимаю, что смерть есть часть жизни. Некоторые из моих самых успешных исцелений заключались в том, что я помогал пациентам умереть мирно и осознанно. Поэтому я выполнил для Энни обряд освещения, чтобы сбалансировать ее энергетическое поле и соответственно все тело. Освещение является основной лечебной практикой шаманской энергетической медицины. При этом световое энергетическое поле очищается от следов болезней, чтобы мобилизовать собственные целительные системы организма.

Врачи давали Энни совсем немного дней. Но я знаю, что смерть — это путь к продолжению жизни в мире Духа. Я поработал над очисткой несвежих энергий, которые накопились в поле девочки, помогая облегчить ее бремя для великого путешествия, которое ждало впереди. Лежа на моем процедурном столе, она погрузилась в глубокий сон.

В конце нашего занятия Энни с улыбкой на лице вернулась в кожаное кресло, которое грозило поглотить ее целиком. «Со мной все будет в порядке?» — спросила она. Мы оба понимали, о чем она говорит. «Да, — ответил я. — С тобой все будет хорошо». А потом девочка спросила, как можно помочь маме и папе. «Они очень боятся», — добавила она. Меня всегда поражает мудрость многих детей — и в равной степени ее отсутствие у многих взрослых.

Родители Энни вернулись в комнату и увидели, что мы оба улыбаемся. Я рассказал им, какую большую работу проделала их дочь, и предложил исключить из рациона Энни весь глютен, сахар, молочные продукты и все возможные аллергены. Затем я порекомендовал ей ежедневно принимать жирные кислоты омега-3, чтобы восстановить участки мозга, поврежденные химиотерапией. Мы умеем умирать, как умеем рождаться, и для этого стоит поддерживать нервную систему в максимально рабочем состоянии.

Несколько месяцев спустя я узнал, что Энни скончалась с улыбкой на лице, в объятиях ангелов.

Любить и отпускать

Деревья в лесу не могли бы выживать, если бы почва не пополнялась умирающими растениями. Умрет даже ягуар — и накормит собой дерево, которое будет кормить обезьяну, которую съест следующий ягуар. Круговорот жизни в лесу был бы невозможен без смерти. Мы не могли бы жить в гармонии с окружающей средой, если бы смерть не была частью бытия. Что-то должно умереть, чтобы родилось что-то другое. Смерть и жизнь всегда необъяснимо переплетены.

Ягуар обращает наше внимание на то, что необходимо найти баланс между агрессивной вовлеченностью в жизнь и использованием всех доступных возможностей с одной стороны, и открытостью к более широкому творческому процессу — с другой. Это тонкая игра между активным мужским началом и восприимчивым женским. Ягуар учит, что мы можем перестать копить, перестать брать больше, чем нам нужно, потому что Мать-Земля даст нам все в изобилии. Мы можем быть уверены: за поворотом нас ждет нечто гораздо лучшее, чем то, что мы видим сейчас.

Магия ягуара позволяет начать жить с оптимизмом и фантазией. Тогда мы не будем тревожиться при виде заходящего солнца, но сможем наслаждаться вечерними звездами и с нетерпением ждать восхода. Неотступная боязнь потерять то, что у нас есть — молодость, собственность, близких людей, начинает отступать. Наши отношения со смертью становятся здоровыми.

Энтропия — это закон физики, который гласит, что все во вселенной движется к хаосу и беспорядку, к умиранию. Временное расстройство и дезориентация — это необходимая прелюдия к реорганизации на более высоком уровне. Это то, что мы испытываем, когда начинаем новые отношения, лечение или карьеру. Перемены несут в себе опасность, но также содержат потенциал для рождения чего-то нового — и лучшего.

На западном направлении магического круга мы можем примириться с циклом разрушения и возрождения, с естественным порядком вселенной. Мы глубоко понимаем, что творческий хаос приводит к бо́льшей гармонии и равновесию. В индуизме цикл разрушения и возрождения представляют три главных божества, управляющих космосом: Брахма-создатель, Вишну-хранитель и Шива-разрушитель.

Когда мы испытываем страх или чувство утраты и отчаяния в каждой клеточке своего тела, но больше не отрицаем этого и не прячемся — страх рассеивается. Тогда мы можем погрузиться в хаос творения, в первичный бульон, из которого возникает новая жизнь. Нет смысла осторожно трогать воду в бассейне одним пальцем ноги, только полное погружение — единственный способ испытать посвящение в новую стадию бытия и восприятия. Позволяя себе по-настоящему испугаться неизвестного, мы можем покинуть безопасный берег и погрузиться в незнакомые воды, осознавая риск, но вдохновляясь возможностями.

Обнаруживая, что смерть есть часть жизни, мы можем любить более свободно. Многие из нас не решаются полностью отдаться любви к другому человеку, потому что боятся его потерять. В двадцать с лишним лет, переживая то, что я сам назвал хронически разбитым сердцем, я поклялся больше никогда не вступать в близкие любовные взаимоотношения. Слишком сильно ощущалась боль от потери того,

Временное расстройство и дезориентация — это необходимая прелюдия к реорганизации на более высоком уровне.

к чему я был глубоко привязан. Эмоциональная засуха длилась несколько лет, а потом я понял, насколько бессмысленной была моя клятва. Прочитав как-то стихотворение Руми, я решил взглянуть в глаза своему страху. Руми сказал своей возлюбленной: «Я перестал существовать, есть только ты». Это было полной противоположностью тому, что я искал во всех предыдущих отношениях. Тогда моя мантра звучала так: «Ты перестала существовать, есть только я». Постепенно я, как и Руми, начал понимать, что по своей сути всякая любовь есть стремление к Духу, к истинной возлюбленной.

О чем предостерегают мифы о подземном мире

Преодоление страха, который отдаляет нас от новой мечты, — это универсальная тема всех великих историй.

В греческой мифологии подземный мир был обителью злых духов: в нем текли реки, обладающие магическими силами, и жила царица, которая управляла призрачным царством и знала его секреты. В подземном мире также содержались тщательно спрятанные богатства и глубокая мудрость — на земной поверхности таких сокровищ не найти. В числе тех немногих смертных, которые, согласно легенде, спускались в подземный мир и вышли из него живыми и невредимыми, был Геракл. Он голыми руками победил трехголового свирепого пса Цербера.

Благодаря отваге и своей силе Геракл сумел выжить и выполнить свою миссию, которая казалась роковой. В греческом подземном мире человек достигает вечного счастья, если заслужил его деяниями своей жизни. Кровожадный Цербер строго следил за тем, чтобы попавший в царство Аида уже никогда не мог оттуда уйти. Победа Геракла над этим псом символически открыла дорогу другим отважным смертным, и теперь они могут отправиться в неведомые земли и отыскать подлинные сокровища. Гераклу потребовалось большое мужество, чтобы встретить страх лицом к лицу и изжить эту эмоцию, а не убежать от нее. И мы должны сделать то же самое.

Чтобы получить исцеляющие дары Божественной женственности, мы обратимся к другому смертному существу — Психее, которая тоже спустилась в подземный мир и выжила. Психея — по-гречески «душа», а в мифе о ней описывается путь, который должен пройти каждый человек, будь он мужчиной или женщиной, если хочет победить смерть и получить посвящение в любовь.

Психея, младшая и самая красивая из дочерей царя, снискала всеобщую любовь. Богиня любви Афродита узнала об этом и, охваченная ревностью, разогнала всех поклонников Психеи. Царь посоветовался с оракулом, и тот сказал, что отец должен приковать дочь к скале, чтобы ее взяло себе в жены ужасное чудовище — Смерть. Этот миф сообщает нам, что молодая, невинная часть нас, полная свежих идей и возможностей, угрожает старым привычкам. Задача Психеи была в том, чтобы противостоять Смерти, и она это сделала, но не так, как планировалось.

Афродита велела своему сыну Эроту (Купидону) пустить в Психею стрелу любви, чтобы девушку неотвратимо влекло к Смерти. Но когда Эрот собирался исполнить желание матери, красота Психеи настолько захватила его, что он укололся одной из собственных стрел и влюбился в девушку сам. Он перенес Психею в свой горный замок, бросив вызов угрозам матери, которая считала, что красота и жизненная сила Психеи должны быть уничтожены. Вот на что указывает этот миф: страх смерти и потери разрушает нашу красоту и жизненную силу.

Эрот любил Психею и заботился о ней, но с одним условием: она никогда не должна была смотреть на него. Не желая раскрывать свою божественную природу, он приходил к девушке только после наступления темноты. Психея согласилась на это условие и наслаждалась близостью с невидимым мужем. Но однажды в гости пришли ее сестры. Завидуя счастью Психеи, они подговорили ее нарушить условие и посмотреть на мужа. «Что, если он — чудовище?» — спросили они.

До тех пор Психея не боялась неизвестности, но разговор с сестрами вселил в нее опасения. После ночных любовных утех с любимым мужем она дождалась, пока он уснет, и зажгла светильник, чтобы увидеть его лицо. Она обнаружила, что рядом спит прекрасный Эрот, и очень обрадовалась, что он все-таки не чудовище. Но внезапно капля горячего масла из светильника упала на плечо Эрота, и он проснулся. Разъяренный тем, что Психея его ослушалась, он улетел. Так, поддавшись страху из-за общественного давления, воплощенного в завистливых сестрах, она разрушила свое семейное счастье.

Преодоление страха, который отдаляет нас от новой мечты, — это универсальная тема всех великих историй.

Психея умоляла богов о помощи, но все они боялись Афродиты. На самом деле в таких ситуациях боги не помогают, потому что они скованы традициями и устойчивыми привычками. Они сказали безутешной Психее, что единственный способ исправить ситуацию — это добиться милости Афродиты. Несмотря на испуг, Психея последовала их совету и смело отправилась к своей свекрови. Девушка была готова решить задачу западной части магического круга — противостоять страхам и преодолевать их.

Однако Афродита пришла в ярость от того, что Психея вообще осмелилась к ней приблизиться. Она заявила, что Психея сможет вернуть мужа, только если выполнит четыре неподъемных задания. Первое — перебрать огромную кучу семян до рассвета, и если Психея не сможет этого сделать, она умрет. Эта задача символизирует страх перед недостатком времени. *Как успеть осуществить в жизни все, что хочется? Как отделить важное от второстепенного? Хватит ли времени на то, что имеет подлинный смысл? Что, если мы не уложимся в отведенные нам часы или годы?*

С помощью колонии муравьев, которые всю ночь трудились без устали, Психея сумела выполнить первую задачу. Муравьи символизируют помощь, которая всегда доступна, если мы ее ищем. Никто не сумеет сделать невозможное в одиночку.

Последовало второе задание: Психея должна была пересечь реку и принести богине шерсть волшебных золоторунных баранов, пасущихся в поле. Дикие бараны представляют наш страх перед врагами и ситуациями, которые сильнее нас. Нам всем приходится сталкиваться с такими противниками в лице начальника на работе, родственников или каких-то обязанностей в жизни. Психея опять выполнила задание с посторонней помощью. Тростник, растущий на берегу реки, велел ей подождать до заката, пока бараны заснут, а затем незаметно собрать золотую шерсть, которая прилипла к стеблям, потому что бараны терлись о них спиной. Так Психея избежала необходимости противостоять врагу, который мог бы легко ее одолеть.

В качестве третьего задания нужно было наполнить хрустальный кубок водой из священного родника — истока реки Стикс. Родник, расположенный на вершине высокой горы, охраняли драконы. Это было невыполнимым заданием для простого смертного. Даже боги не решились бы это сделать. Все мы в жизни сталкиваемся с задачами, которые кажутся невыполнимыми. Мы боимся, что нам не хватит сообразительности, силы, смелости или иных качеств — и, подобно Психее, не верим в успех. Она пришла в отчаяние, но вскоре появился орел, зажал в когтях хрустальный кубок, полетел на гору, наполнил кубок водой из священного источника и принес обратно. Тем самым он помог Психее выполнить невероятно сложное задание. Орел, парящий высоко в небе, означает всеобъемлющее ви́дение, широту обзора, необходимую для преодоления страхов, а также храбрость, с которой мы без колебаний устремляемся туда, куда не отважится полететь обычная птица. Когда мы улучшаем мозг и начинаем воспринимать не фрагменты, а целое, то побеждаем страх и движемся к высоким целям, решая такие задачи, которые раньше казались непосильными. Подобно муравьям и тростнику, орел символизирует помощь, которую мы получаем от всей вселенной. Он также представляет одновременные события, которые происходят в нашей жизни, когда нам хватает смелости рисковать, невзирая на страхи.

Четвертое задание было связано с подземным миром. Психея должна была спуститься в царство теней и попросить у Персефоны драгоценную мазь, которая помогла бы сохранить красоту Афродиты. Несказанно испугавшись, Психея хотела лишить себя жизни — ведь это обеспечит ей пропуск в мир мертвых. Она взобралась на заброшенную каменную башню и уже собиралась прыгнуть вниз, как вдруг башня заговорила с ней. Она подсказала девушке, где найти вход в подземный мир, и посоветовала взять с собой две монеты и два ячменных пирога. Башня также велела Психее не принимать никакой помощи от теней, которых девушка там встретит, а со своей стороны тоже не помогать никому, кто ее об этом попросит. Это самый ценный совет путешественнику, желающему победить страх. Мы должны приносить дары — наши способности, силы, щедрость и сострадание — и соблюдать осторожность при выборе помощников. Даже друзья с самыми лучшими намерениями не всегда способны дать необходимую поддержку.

Несмотря на сильное искушение откликнуться на слезные просьбы теней, Психея выполнила все наказы и прошла мимо. Она заплатила паромщику Харону, накормила сторожевого пса Цербера и приняла от Персефоны лишь простую еду, отказавшись от пиршества. Наконец, ей удалось достать шкатулку с мазью вечной красоты для Афродиты. Несмотря на естественное стремление помогать другим, Психея строго следовала полученным советам, и мы точно так же должны сосредоточиться на своем посвящении и не позволять себе отвлекаться от внутренней работы, оправдывая это нуждами других людей.

Психея успешно выполнила все задания, но все же не устояла перед другим искушением: она заглянула в шкатулку, которую несла наверх, и тут же уснула. Ей не терпелось ускорить процесс своего посвящения, но в результате она погрузилась в глубокий сон. Психея вернулась в мир с волшебной мазью, но боги, охваченные завистью, отобрали шкатулку, чтобы секрет вечной молодости не достался людям. В конце концов Психею спас Эрот: жизнь восстановилась силой любви. Глубокий сон Психеи олицетворяет собой смерть ее старого и ограниченного чувства «я», которое осталось в царстве теней. Пробудившись, Психея получила от Зевса бессмертие.

Ей пришлось столкнуться со страхом смерти, и потому она сумела изменить свою жизнь. Это всегда было центральной темой посвящения — мужчина чаще всего получает его на поле битвы, а женщина во время родов.

Любое посвящение включает в себя встречу с Божественной женственностью и путешествие в царство смерти, из которого мы возвращаемся обновленными. Это совсем не похоже на поверхностные изменения, вызванные незначительными поворотами жизни. Подобно поискам Грааля, путешествие к Божественной женственности требует усилий. Несмотря на все страхи, мы остаемся в подземном мире, погружаемся в глубокие размышления, один на один с собственной тьмой, и лишь позднее выходим к ясности и свету. Если вы думаете, что отправились за мазью от ран и болезней — вы упускаете суть дела. Ваш трофей — не мазь, не крем от морщин и не футболка с надписью «Я сходил в Аид и вернулся!». Мазь вечной красоты приносит омоложение и переосмысление. Призом за успешное завершение работы западного направления становится эликсир бессмертия.

Процесс инициации невозможно спланировать по своему усмотрению. На овладение страхом смерти может уйти вся жизнь. Придется пройти через много испытаний — хотя с каждой маленькой победой путь становится все легче.

Вернув себе способность к обновлению, вы будете готовы устремиться в следующем направлении магического круга — северном. Там вы научитесь успокаиваться, чтобы восстанавливать утраченные аспекты своей души.

Медитируем с ягуаром

Ягуары — мастера медитации. Вы когда-нибудь наблюдали, как кошка бездельничает на солнце? Кошки знают, что такое идеальная непринужденность. Ягуар в тропическом лесу возлежит на нижних ветвях дерева и наблюдает за суетой мира, не обращая внимания на обезьян и попугаев, он полностью расслаблен, но всегда бдителен — лишь время от времени подергивается кончик его хвоста. Ягуар учит нас глубокому покою: попробуйте объяснить своей кошке, что есть важные вещи, из-за которых нужно тревожиться.

Сегодня мы понимаем, что большинство болезней вызваны нашей неспособностью замедляться и снимать стресс. Наша нервная система настроена на то, чтобы обеспечивать нас рефлексами типа «бей или беги», когда мы находимся в опасности. Кортизол и адреналин проникают в кровоток и вызывают прилив энергии, необходимой для борьбы с угрозами. Но предполагается, что эти мощные химические вещества активизируются лишь на короткий промежуток времени. Если что-то действительно угрожает нашей жизни, то мы боремся или спасаемся бегством, а затем быстро возвращаемся в норму, по мере того как поглощаются в организме адреналин и кортизол, а дыхание замедляется до нормального. Если же мы постоянно находимся в состоянии повышенной тревожности и боевой готовности, то тело сохраняет токсичные уровни гормонов стресса, отчего возникают воспалительные процессы, повреждение нейронов и в конечном итоге разные заболевания. Мы не способны управлять своим страхом смерти и становимся его слугой. Наш ягуар, как перепуганный котенок, взбирается на самые верхние ветви, а мы не решаемся даже позвонить в пожарную службу, чтобы снять его оттуда.

Все мы рано или поздно умрем. Однако не стоит заранее поддаваться ощущению неизбежного сползания к смерти. Мы способны справиться со страхом, чтобы он больше не влиял на наши действия и не заставлял реагировать подобно загнанному зверю. Мы можем вернуться к сбалансированному, мирному, расслабленному состоянию, а можем покоиться, как грациозный ягуар, смакуя только что обнаруженную внутреннюю мудрость — знание о бесконечной природе жизни.

После запуска программы «Создаем новое тело» вам будет гораздо легче сохранять равновесие, независимо от того, что происходит вокруг. Мозг будет свободен от токсинов, а кишечник — от кандидоза, и ничто не заставит вас вернуться к старым эмоциональным реакциям. С какой бы неопределенностью вы ни столкнулись, вы всегда будете открыты возможностям испытать что-то лучшее. Вы обретете внутренние ресурсы, помогающие человеку самостоятельно строить свою жизнь.

ГЛАВА 12

ПУТЬ МУДРЕЦА: ЗАМЕРЕТЬ В ПОЛЕТЕ

Тебе откроется множество чудес, которых не видел никто до тебя. [...] Все, что пожелаешь, всю вселенную, все движущееся и неподвижное ты найдешь в Моем теле. Но ты не сможешь увидеть Меня своими нынешними глазами. Поэтому Я наделю тебя божественным зрением: узри же Мое мистическое могущество!

«БХАГАВАДГИТА»

Когда предки коренных народов Америки мигрировали из Азии, они принесли с собой основу мудрости, приобретенной во время их длительного проживания в предгорьях Гималаев. По словам молекулярных археологов, которые отслеживают вариации митохондриальной ДНК, примерно полтора десятка мужественных путешественников пересекли великие сибирские равнины до Берингии — суши, которая тогда покрывала сегодняшний Берингов пролив между Чукоткой и Аляской. Затем через север и центр Америки они спустились в Анды, а оттуда прошли весь южный континент до архипелага Огненная Земля на краю Южной Америки. По пути они строили на юго-западе Америки жилища и высокогорные крепости, такие как Мачу-Пикчу. Поэтому в андской мифологии север считается направлением предков. Путь мудреца на магическом круге связан с севером и с вековыми практиками внутреннего покоя.

Север — это не только направление великих мудрецов прошлого, но и место, где мы наслаждаемся покоем в разгар бурной деятельности. Полярная звезда — единственная статичная точка в движущемся небе. Север ассоциируется с птицей колибри, которая быстро машет крылышками, но при этом недвижно висит в воздухе. Некоторые виды колибри каждую осень мигрируют из Канады в Южную Америку, пролетая тысячи миль над огромным океаном. На примере колибри мы видим, что с неподвижностью приходит способность смело отправиться в неизведанные земли и превратить жизнь в уникальное героическое путешествие над всеми возможными океанами.

На пути мудреца мы оттачиваем свое умение отрешаться от суеты ума, одержимого проблемами, драмами и мирскими делами, и учимся сохранять неподвижность, что бы ни происходило внутри и вокруг нас. Мы начинаем находить порядок посреди неуверенности и покой в центре урагана. Отказываясь от устоявшихся представлений о том, как все должно быть, мы с удовольствием наблюдаем, как в калейдоскопе жизни, подчиняясь ее капризам, проявляются и растворяются наши планы и расчеты. Именно на севере мы принимаем смысл еврейской поговорки: «Хочешь насмешить Бога — расскажи ему о своих планах».

Чувство внутреннего покоя, которое возникает, когда мы начинаем работу мудреца, — это прямое следствие радикального сдвига в восприятии. Мы обретем спокойствие лишь тогда, когда перестанем цепляться и тосковать, уклоняться и беспокоиться, хлопотать и бороться. В безмолвии мы получим доступ к мудрости предков. Это мудрость, которую Психея получила от Персефоны, это знания, доступные только в необычном мире, где вневременное ощущается в каждой клеточке нашего существа. Дар севера — это покой в движении.

С точки зрения нейробиологии именно мудрость севера позволила нам выжить, не имея таких прочных зубов и когтей, какими пользуются ловкие хищники, а позднее — открыть для себя чудеса науки, вывести на орбиту космический телескоп «Хаббл» и разработать теорию струн для объяснения самим себе строения Вселенной. Признаки этой вновь обретенной мудрости мы находим в древних жилищах — без малого пятьдесят тысяч лет назад наши предки начали рисовать мистические картины своего мира на стенах пещер Ласко в сегодняшней Франции и Альтамира в Испании. Однако с помощью той же самой мудрости неразумные люди развязывают войны и уничтожают друг друга. Видимо, хомо сапиенс научился использовать эту разрушительную силу вскоре после того, как изобрел наскальную живопись и выдавил из истории своих родственников-неандертальцев. Мудрость, которую мы находим на севере, пробуждает в нашей душе радость, сострадание и милосердие. Эти чувства возвышают

Чувство внутреннего покоя, которое возникает, когда мы начинаем работу мудреца, — это прямое следствие радикального сдвига в восприятии.

нас над мрачными сказками, вечно занимающими примитивный разум.

Чтобы дары мудрецов стали для нас доступными, необходимо остановиться и заметить, что мы несемся со скоростью сто пятьдесят километров в час, но не достигаем цели, и совершаем миллионы разных действий, но ничего не создаем. Изначально путь мудреца кажется самым легким на магическом круге — достаточно сидеть и выполнять инструкции: «Откиньтесь на спинку кресла! Расслабьтесь! Наслаждайтесь пейзажем!» Но вы не сумеете добраться до северного направления, если не пройдете южное (исцелив в себе мужчину и освободившись от стремления к власти и славе за счет других) и западное (взглянув в глаза смерти и встретив Божественную женственность). Достигнув севера, вы наверняка обнаружите, что «ничего не делать» куда сложнее, чем кажется. И оставаться на месте — это не самоцель, а необходимая основа, фундаментальная практика, благодаря которой мы увидим, как раскрывается Вселенная и показывает нам Единство. На пути мудреца мы обретаем божественное око, позволяющее постичь всю природу космоса. Но для такого видения нужна неподвижность.

В нашей сумбурной жизни покой и безмолвие кажутся почти невозможными. Мы так привыкли делать несколько дел одновременно и отслеживать непрерывные потоки информации, что задача успокоить ум более чем на несколько секунд представляется непосильной. Даже когда мы медитируем, сосредотачиваясь на дыхании, мы не можем устоять перед желанием почесаться, поменять позу или пожалеть, что не отключили мессенджер в мобильном телефоне.

Уму свойственно то и дело прыгать туда-сюда, и этот сверхактивный ум с древних времен находится в центре внимания мастеров медитации. Но ум сегодняшнего человека есть продукт отравленного мозга, он суетится еще больше обычного, перескакивая от одной темы к другой с головокружительной скоростью каскадера из популярного боевика. Но с программой «Создаем новое тело» вы сможете замедлить эти внутренние фильмы и прийти к покою. И вы сможете получить доступ к огромному хранилищу мудрости — банку исконной памяти человечества.

На севере мы узнаем, что так называемая реальность на самом деле иллюзорна, хотя мы все вместе воссоздаем ее каждое мгновение. Как выразилась комик Лили Томлин: «Так что же такое реальность? Всего лишь коллективное предположение». Это продукт той картины реальности, которую вы несете внутри себя. Если хотите изменить свою реальность, поменяйте картину.

Нейробиологи считают, что эта картина встроена в нейронные сети мозга. Шаманы полагают, что она принадлежит топографии светового энергетического поля. Но где бы ни хранилась ваша модель мироздания, чтобы улучшить свой мир, постичь современные технологии и вечную духовность, вам нужно обновить картину, то есть заменить устаревшую модель на лучшую. Если вы, подобно многим представителям нашей культуры, следуете старой картине, которая перегружена страхом, чувством бедности и показывает только одну полосу движения, то опыт магического круга и учения мудрецов позволят вам найти замену. Вы сможете построить обширную освобождающую картину, включив в нее всю Вселенную. Именно это обнаруживает воин Арджуна во время диалога с богом Кришной, составляющего основу сюжета древнего индуистского текста «Бхагавадгита».

Арджуна: остаться неподвижным и встретить Бога

«Бхагавадгита» была написана в то время, когда Индийский субконтинент раздирала борьба между королевскими семьями. В начале повествования лучник Арджуна готовится к битве с грозной армией своей родни. Будучи воином, Арджуна обязан сражаться, но перспектива битвы с родственниками порождает в нем массу внутренних противоречий. Война в этой легенде символизирует столкновение с обычными конфликтами человеческого бытия, и Кришна своими советами внушает Арджуне вечную мудрость, чтобы успокоить его спутанные чувства. Мы можем получить мудрость вселенной, только если придем к миру с самими собой.

Арджуна умоляет Кришну, который правит его колесницей, помочь ему избежать битвы, которая непременно принесет много смертей и страданий. Обе стороны вот-вот ринутся в атаку, но Кришна прекращает действие, как режиссер останавливает кадр киноэпопеи перед началом кровопролития. Мы мало чем отличаемся от Арджуны: пока мы втянуты в борьбу с начальником, супругом, детьми или даже болезнью, мы только и делаем, что отражаем удары, и не можем широко и объективно взглянуть на свою жизнь. Лишь остановившись посреди суеты, мы ясно видим, как переплетаются в гобелене жизни нити наших действий и действий других людей в прошлом и настоящем. В тот вневременный момент, когда мы перестаем двигаться и просто наблюдаем, пыль оседает и проявляется большая картина. Затем, держа перед собой эту новую картину реальности, мы можем мудро выбрать дальнейший путь.

Перед двумя армиями, застывшими в начале движения, Кришна демонстрирует Арджуне, как нас обманывает беспокойный ум. Размышляя над этим, Арджуна говорит:

Ум беспокоен, неустойчив,
суетлив, неистов и упрям;
действительно, мне кажется,
что столь же трудно подчинить ветер
(примечание 1 к главе 12).

Кришна говорит Арджуне, что борьба — это часть жизни, но мы должны сопротивляться и не позволять втягивать себя в драмы, которые сами создаем вокруг своей борьбы. Тогда мы можем предпринять любые необходимые действия «без всяких ожиданий, одинаково встречая успех и неудачу» (примечание 2 к главе 12).

Наши обычные умственные картины помогают ориентироваться в повседневной жизни, но бывают моменты, когда их ограничения становятся очевидными. Всякий раз, когда включаются программы выживания, закодированные в лимбическом мозге, нам преграждают путь эмоции и застывшие убеждения. Когда это происходит, необходимо остановиться и успокоиться, чтобы до нас донесся голос свыше. Тогда мы поймем, что Дух был с нами все время — он направлял нас, как Кришна направлял колесницу Арджуны.

Кришна говорит Арджуне:

Для мужчины, который желает взрослеть,
Путь — это йога действия;
Для мужчины, достигшего зрелости,
Путь — безмятежность
(примечание 3 к главе 12).

Подобно колибри, что летит через океан, откликаясь на отдаленный зов, мы можем положиться на свою интуицию, и она приведет нас на противоположный берег. Кришна объясняет Арджуне, что все наши действия могут стать подношением божественному. Если мы порой сбиваемся с курса, то лишь потому, что нам хочется испытать нечто иное, а не запланированное. У Духа могут быть свои замыслы относительно нашей жизни, не всегда нам понятные. Кришна говорит Арджуне, что существует более высокий порядок, невидимый для людей, и мы можем под него подстроиться.

В безмолвии мы можем получить от Духа столько указаний, сколько захотим. Иногда мы хотим знать только одно — как реагировать на поступки любовника или нашего ребенка. Но бывает, что мы готовы глубже исследовать природу реальности и космоса. Мы можем установить эту планку на любой высоте и можем услышать призыв к деянию или к не-деянию (не-деяние не означает полное отсутствие действий, это скорее сознательный выбор не вмешиваться в течение событий, которые способны разрешиться без нашего участия). Не-деяние может быть даже более мощным, чем деяние: иногда требуется большая сила на то, чтобы не шевелиться, не реагировать, не бросаться кого-то спасать. Когда мы решаем воздерживаться от действия и оставаться неподвижными, нам открывается вся ткань реальности, и мы сознаем, насколько она безошибочна.

Ум сегодняшнего человека есть продукт отравленного мозга, он суетится еще больше обычного, перескакивая от одной темы к другой с головокружительной скоростью каскадера из популярного боевика.

Восприятие скрытого полотна жизни — это истинная мудрость. Зная свою роль и место во всеобщей истории, свою долю участия в создании этого полотна, мы обретаем взгляд мудреца.

Но большинство из нас вряд ли встретят Кришну — и как же нам в таком случае познать механизмы творения? На Западе мы чаще обращаемся к науке, чем к Духу. Французский антрополог Клод Леви-Стросс сказал: если мы хотим постичь устройство вселенной, нам нужно сначала понять устройство травинки — как фотосинтез превращает свет в жизнь, а корни поглощают минеральные вещества из земли. Коренной индеец предложил бы противоположный подход: чтобы разобраться в жизни травинки, человек должен сначала интуитивно понять механизмы вселенной — как появляются солнца и образуются галактики. Сегодня — возможно, впервые в истории — мы способны сделать и то и другое.

Один из наиболее эффективных способов унять умственную суету и обрести спокойствие состоит в том, чтобы обратить внимание на пространство между вдохом и выдохом. Именно в этом промежутке мы обнаруживаем неподвижность. Дыхание — это независимая система, его невозможно полностью остановить, иначе мы умрем. Но можно изменить его частоту. Дыхательные практики, пришедшие к нам из древности, служат для того, чтобы приводить ум в состояние покоя и равновесия. Можно развивать невозмутимость, сознательно контролируя дыхание.

Пока мы учимся неподвижности, повседневные проблемы все реже перерастают в кризисы. Если мы умеем смотреть глазами мудреца, мир становится пространством изобилия, питательной средой для богатой и полезной жизни. Бешеная гонка за превосходством постепенно уступает место пониманию, что жизнь не должна быть борьбой. На севере вас призывают нести красоту и покой себе и всему миру. Не всегда легко сразу понять, как выполнить эту миссию, но откровение придет, если вы продолжите практиковать неподвижность. Все, что нужно сделать, — это взять на себя обязательство быть постоянно готовым к действию — а все остальное отставить на усмотрение Духа.

Паломничество: движемся на север

Несколько лет назад я познакомился с женщиной по имени Хлоя, которая тогда боролась за свое здоровье. Она решила совершить паломничество — такая практика раньше была обычным явлением, особенно в Европе в Средние века. Хлоя собиралась полететь в северо-западную Испанию и пройти около 500 миль по стопам апостола Сантьяго — святого Иакова, от Средиземного моря до города Сантьяго-де-Компостела.

Это паломничество связано с географическим местом назначения. Путь святого Иакова (по-испански «Камино-де-Сантьяго») уже много веков популярен среди верующих, которые пешком проходят весь маршрут или хотя бы его часть. Но паломничество — это не просто прогулка по сельской местности, это еще и внутреннее путешествие во время саморефлексии. Многие путники посвящают свою дорогу не собственным интересам, а чему-то бóльшему. Хлоя надеялась, что паломничество придаст ей новое чувство цели и ясности, которое позволит преодолеть болезнь.

Вскоре после старта Хлое показалось, что она слышит слабый голос — он велел ей на протяжении всего пути чередовать трехдневное голодание на одной воде с трехдневным питанием в обычном режиме. Через три месяца, когда она прибыла в Сантьяго-де-Компостелу, ее здоровье восстановилось. Она относит свое выздоровление на счет божественного вмешательства, а я уверен, что именно голодание помогло включить все системы обновления в ее теле. Она интуитивно обнаружила ключ к созданию нового тела, циклически чередуя белковые дни и дни без белка (в ее случае — вообще без еды). Хлоя нашла покой и безмятежность, и это помогло ей извлечь полезные уроки из проблем со здоровьем.

Чтобы воспользоваться целебными благами паломничества, необязательно проходить по маршруту Камино-де-Сантьяго. Этому может послужить и ежедневная поездка на работу, и визит к родителям, которых вы давно не видели, хотя можно и отправиться в дорогу ради оздоровления, как это сделала Хлоя. Каким бы ни было путешествие, в нем будут два компонента: внешний, с препятствиями, которые придется преодолеть, и внутренний, с новыми открытиями, переосмыслением эмоциональных проблем и перерисовкой картины реальности. Как только вы будете ясно представлять себе новую картину своей жизни и судьбы, вы сумеете предпринять необходимые действия, чтобы прийти в пункт назначения.

Наше паломничество — это квест визионера. Искатель преобразовывает свой мозг, сочетая голодание с употреблением суперфудов. Затем он уходит вглубь леса или в иную природную среду и открывается божественным наставлениям.

Это последний, самый важный шаг к выращиванию нового тела. Инструкции по настройке своего собственного процесса вы найдете в главе 14. Но сначала необходимо закончить путешествие по магическому кругу и проследовать путем визионера на востоке.

Упражнение
Я — это мое дыхание

Традиционные практики для достижения спокойствия и невозмутимости включают медитацию с дыханием. Это упражнение эффективно умиротворяет возбужденный ум.

Сядьте в затемненной комнате перед небольшой зажженной свечой. Смотрите на свечу и обратите внимание на то, что ваше сознание тоже колеблется то в одну сторону, то в другую, подобно пламени.

Сосредоточьтесь на дыхании; осознавайте вдох, и пусть ваш ум будет наблюдателем. Заметьте момент в конце вдоха, когда легкие уже наполнены воздухом, на мгновение остановитесь и про себя произнесите: «Я — это...»

Когда выдыхаете, обратите внимание, как струя воздуха от выдоха слегка усиливает горение свечи. Выпустите из легких весь воздух, в конце выдоха на мгновение задержитесь и молча продолжите фразу: «...мое дыхание».

«Я — это мое дыхание». Выполняйте это упражнение в течение пяти минут. Когда почувствуете, что вам стало удобнее сидеть неподвижно, постепенно увеличивайте продолжительность вдохов и выдохов.

ГЛАВА 13

ПУТЬ ВИЗИОНЕРА: ОБРЕТЕНИЕ МЕДИЦИНЫ ЕДИНОГО ДУХА

Слушай скрытые звуки
Другими ушами.
Наблюдай небесные виды
Другими глазами.
Воспринимай то, что не доступно
Обычным органам чувств.

Из текста «Шаман Патанджали»,
перевод Альберто Виллолдо

Восточное направление на магическом круге — это путь визионера. Там нас ждет возрождение; там каждое утро восходит живительное солнце, давая нам возможность заново встретиться с этим миром. Коренные жители Северной и Южной Америки традиционно ориентируют свои обычные и церемониальные вигвамы на восток, чтобы сила нового рассвета согревала и заполняла пространство.

На востоке мы узнаем, что жизнь дарит нам еще один шанс.

Восток представлен орлом, который может и парить высоко над облаками, обозревая землю, и камнем падать вниз, охотясь на мышь в траве. Эта двойственная природа — осознавания на уровне неба и ясности на уровне земли, объясняет, почему восток считается путем визионера. На этом этапе путешествия мы учимся «ставить телегу впереди лошади», то есть рассматривать возможности, прежде чем признать ограничения или вероятность катастроф. Мы сосредотачиваемся на условиях развития, а не на препятствиях.

Орел дарит способность начинать все заново, без старых историй, ожиданий, страхов или сомнений. Однако каждый дар от Духа налагает на нас определенные обязательства, и на востоке мы обязуемся делиться обретенной мудростью с другими людьми. Увидев новую, более широкую картину своей жизни, вы больше не ищете выхода из одной переделки, чтобы тут же попасть в другую. Теперь вы создаете совершенно новые и оригинальные проекты, которые смогут сделать мир (и ваш тоже) намного лучше. В этом процессе вы цените каждое мгновение со всем его чудесным содержанием.

Вы знаете, что если все время концентрироваться на потенциале, то можно изменить жизнь на самом глубоком уровне. Поделитесь этим даром с другими, предложите им отважиться на самые высокие мечты, помогите очнуться от кошмарного сна. Каждый раз, когда в мой кабинет заходит новый пациент, каким бы ни был его диагноз, я вижу его как здорового, сияющего и радостного человека. Я знаю, что если рассматривать человека исцеленным, то можно помочь ему найти свой путь к здоровью. Несколько мгновений я уверенно держу в уме этот образ и лишь потом начинаю спрашивать, что именно беспокоит пациента.

Сила полученных вами сокровищ исцеления полностью принадлежит вам только тогда, когда вы делитесь этими дарами с окружающим миром. Мы начинаем с исцеления привязанности к своему «я», бессильному и беспомощному, отделенному от других существ и космоса. Если вы боитесь потерять свою индивидуальность, то не осмелитесь встретить опыт Единства или принять дары силы и благодати, которыми богато восточное направление. Мы с вами отделены друг от друга только в обычном мире.

Когда ваше сознание воспринимает мир с уровня полета орла, вы становитесь визионером. Вы понимаете, что в каждом человеке содержится элемент космической мозаики, что вы не единственный мечтатель. Вы сотрудничаете с другими и с Духом, чтобы и ваше здоровье, и исцеление прекрасного мира стали реальностью. Эти мечты живут в вас постоянно, осознаёте ли вы это или нет. Но на пути визионера вы можете сознательно участвовать в их воплощении в жизнь.

Как волна в море, вы — уникальная личность, но в то же время вы никогда не отделяетесь от самого моря, от своего источника.

Человек часто думает, что он — единственный хозяин своей вселенной, но он беспомощен перед ней. Эта ответственность лежит на нас тяжелым бременем, от которого может освободить понимание того, что мечта — это все же коллективное усилие. В то же время мы действительно обладаем силой, необходимой для изменения наших отношений, здоровья и всех остальных аспектов жизни. Вооружившись этим осознаванием, не нужно ни бежать от кризисов, ни погружаться в них. Вы способны ясно видеть, когда (и как) необходимо действовать, а когда проблемы разрешатся сами собой и тело исцелится естественным образом.

На севере вы научились наблюдать за своим умом во время практики неподвижности. А на востоке вы видите, что «я», которое наблюдает за вашими переживаниями, есть неотъемлемая часть более обширного сознания. Индийский мудрец Рамана Махарши рекомендовал своим ученикам умственное упражнение, которое помогает это понять. Вначале вы сосредотачиваете внимание на ощущении себя, своего «я», и сохраняете это состояние до тех пор, пока чувство «я» не исчезнет и не останется только осознавание. Эта практика сложна для большинства из нас, поэтому можно начать с размышления над вопросом: «Кто я?» — и затем спросить себя: «А кто задает этот вопрос?»

Это исследование выведет вас за пределы опыта эго к переживанию Единства, то есть самой ткани вселенной. Тогда вы увидите, что ваше индивидуальное осознавание никогда по-настоящему не отделено от этого более обширного сознания, вы просто ощущаете его как отдельное, пока у вас есть тело, физическая форма. Как волна в море, вы отдельная уникальная личность, но в то же время вы никогда не отделяетесь от самого моря, от своего источника. Воплощение само по себе есть временное состояние. Ваше тело — это ваше локальное «я», а бескрайнее море бесконечного сознания — ваше нелокальное «я». Когда вы узнаете свою нелокальную, безграничную природу, вы сможете вернуться к повседневному, локальному, воплощенному осознаванию, зная, что у вас есть сила вообразить и воплотить новую реальность — даже создать новое тело, которое будет по-другому стареть и излечиваться.

Путешествие на восток — это внутренний путь в царство, лежащее за пределами смерти, здесь вы видите необъятность творения. Но визионер обязан принести эти знания к себе домой. В то время как многие мистики стремятся достичь небесных царств и пребывать там в блаженном созерцании, мы стараемся создать небеса на земле, вернуться к обычной реальности, чтобы помочь другим вкусить эликсир здоровья и Единства. Мы практикуем исцеление и щедрость, несем красоту миру, не ожидая благодарности. Самая лучшая награда для нас — это возможность облегчать чужие страдания.

Однако усилия визионера все же вознаграждаются. Вы обнаружите, что способны сами обрести необычайное здоровье. Это не означает, что мы сможем указывать своим генам, когда им включаться или выключаться, и нам также не придется диктовать мозгу, какие нейротрансмиттеры вырабатывать. Вы просто все время смотрите на жизнь с высоты орлиного полета, видите и мелкие детали, и необъятный простор — а всем остальным займется само тело. Если стресс активирует гены, вызывающие сердечно-сосудистые заболевания и рак, то безмятежный взгляд орла и опыт Единства переключают гены на создание здоровья и долголетия. Благодаря этому растворяется иллюзия разделения, вы создаете духовные условия для здоровья, и болезнь может исчезнуть. Мы знаем, что медитация способствует удлинению концевых участков хромосом — теломер, которые защищают целостность ДНК и определяют здоровье и долголетие (примечание 1 к главе 12).

Когда вы отправляетесь на поиск своего видения — будь то по схеме, описанной в главе 14, или по какой-либо другой, вам предлагается посетить сферу за пределами смерти и снова получить свою судьбу из рук того «себя», который уже существует в будущем. После встречи с «новым собой» вы сможете сразу начать воплощать его качества. Раньше прошлое ходило за вами по пятам, но теперь уступит место будущему — а оно неумолимо привлечет вас к новому образу, к тому «я», которому не нужны никакие вмешательства, лечение или восстановление. Вам не нужно будет исправлять сломанное — исцеление произойдет само собой.

В стихотворении «Ночной воздух» (примечание 2 к главе 12) Руми так описывает не-деяние путешественника в восточном направлении:

Мистики — профессиональные лентяи.
Они предаются лени, поскольку все время видят,
Как вокруг них трудится Бог.
Урожай все прибывает, хотя они
Даже не начинали вспашку!

Но прежде чем мы достигнем точки не-деяния, нужно еще кое-что сделать. Орлиный полет — не для тех, кто ищет быстрого пути к счастливой жизни. История индийского принца Сиддхартхи, ставшего Буддой, иллюстрирует путешествие орла: пробуждение ви́дения, призыв к свершению, возвращение в мир и обучение других людей.

Сиддхартха: дары медицины единого Духа

Согласно легенде, Будда родился принцем и при рождении получил имя Сиддхартха, что означает «исполнение всех желаний». Его отец, великий царь, был полон решимости не позволить сыну испытать беспокойство и боль этого мира. Он опекал юного Сиддхартху как мог, оградив его от всех неприятностей.

Принц рос в окружении цветущих садов, заботливые слуги удовлетворяли все его потребности, и он не интересовался тем, что происходило вне дворцовых палат и на улицах, где жили простолюдины. Большинство людей хотят жить так, как жил Сиддхартха: в уютном мирке, полном счастья и комфорта, в закрытом сообществе, вдали от всего, что могло бы нас опечалить. Отец Сиддхартхи воплощает в себе нашу тенденцию изолироваться, строить собственный маленький дворец посреди трущоб и заниматься только собой, не обращая внимания на страдания других. Но люди — это социальные животные, и они настроены на голоса друг друга, умеют сопереживать чужой боли и грустить при виде скорби своих собратьев. Когда Сиддхартха повзрослел, ему стало любопытно, что происходит за стенами дворца. Вопреки воле отца он попросил слугу проводить его в деревню: он желал увидеть своих будущих подданных и понять, как они живут. Чтобы стать взрослым, Сиддхартха должен был вырваться из приятного мира своего детства.

Объезжая окрестности в своей царской колеснице, Сиддхартха увидел четыре явления, которые глубоко взволновали его. Первым ему встретился старик, который брел по обочине дороги и стонал от боли. «Чанна, почему он стонет?» — спросил Сиддхартха слугу. Тот сказал: «Он стар и немощен, и потому страдает».

Для Сиддхартхи, который ничего не знал о таких вещах, как старение и немощь, это стало первым тревожным сигналом. Он слышал о страданиях, но не верил в их существование — и вот они были прямо перед ним. «Скажи, я тоже состарюсь и стану немощным?» — спросил он. «Да», — ответил Чанна.

Богатый, сытый и готовый управлять всем царством из своего роскошного кокона, Сиддхартха не испытывал никакой боли, но вид чужого страдания заставил его терзаться вопросом: «А что будет со мной?» Позже, став Буддой, он превратил это беспокойство в сострадание к другим и больше не концентрировался на собственной уязвимости. Мы все несем ответственность за свое благополучие, но одно дело — стремиться к счастью, а другое — заботиться только о себе.

Неслучайно первым потрясением для Сиддхартхи была встреча с человеком, который вскоре должен был оставить прежнюю жизнь и пройти через смерть. Сиддхартха уже стоял у выхода из привычного комфортного существования, на пороге неизведанного: «Долго ли я проживу? Что я успею сделать до старости? Кто я такой, если не принц, могущественный, бессмертный и вечно счастливый?» Ему было больно от того, что он ничем не мог помочь старику, ведь нельзя вернуть человеку молодость и жизненную силу. «И какой же я царь после этого?» — подумал Сиддхартха. Он понял, что должен отказаться от этой роли.

Большинство людей хотят жить так, как жил Сиддхартха: в уютном мирке, полном счастья и комфорта, в закрытом сообществе, вдали от всего, что могло бы нас опечалить.

Первая встреча на дороге соответствует Первой благородной истине буддизма: в жизни есть страдание. Эту истину мы принимаем, когда выполняем работу в южной части магического круга, отбрасывая устаревшие роли и личность жертвы, чтобы стать творцом своей собственной судьбы.

Сиддхартха все еще размышлял о старости, когда его взгляд привлекло другое печальное зрелище — на обочине дороги сидел мужчина в лохмотьях и просил подаяния.

«Чанна, — произнес Сиддхартха, — что случилось с этим человеком?»

Слуга ответил: «Это нищий, он голоден и болен». Тогда Сиддхартха спросил: «Я тоже могу когда-нибудь заболеть?» — «Да, — сказал Чанна. — Хотя ты богат и будешь править всеми землями, ты не в силах избежать болезней. Ты тоже однажды потеряешь здоровье и красоту».

Сиддхартха был потрясен. Он совсем не ожидал услышать, что когда-нибудь его крепкое здоровье испортится и он больше не сможет реализовывать свои желания и планы; теперь же выяснилось, что такой исход просто неизбежен. «Наверное, слуга ошибся, — подумал принц. — Может быть, это и случается с другими людьми, но со мной — вряд ли». Нам всем хотелось бы верить, что неприятности и старость нас не коснутся. О том, что люди стареют и умирают, мы узнаем еще в молодости, но долго не верим в эту перспективу и для нас.

Откровение, которое Сиддхартха получил при виде нищего, соответствует Второй благородной истине: страдание вызвано привязанностью. Мы счастливы, когда нам удается получить то, чего мы хотим, и избежать того, что нам не нравится. Когда мы довольны, мы не хотим ничего менять, не понимаем неизбежность изменений и не смотрим в будущее с открытостью всему, что еще могло бы прийти и порадовать нас. Напротив, мы цепляемся за привычное, пока шкафы до отказа не забьются ветхой одеждой, подвалы — старыми вещами, а умы — отжившими мыслями и убеждениями. Иногда мы держимся даже за ситуации, унижающие наше достоинство — например, за трудные отношения или невыносимую работу, поскольку думаем, что лучше иметь «хоть что-то», чем остаться одному в пятьдесят с лишним лет или потерять

источник дохода. Опасаясь неопределенности, мы не отпуска-
ем прошлые роли и маски, даже если давно из них выросли.
Но путь вперед лежит только через отказ от устаревших при-
вязанностей — хорошо бы бросить их в огонь, как мы это делали на пути целителя. Мы должны умереть для своих старых
представлений, и пусть ожидания меняются, как хотят, пока
мы идем в неизвестность.

Когда вместо диагноза мне сказали: «Ты должен был уже
умереть», — длинный список того, что мне нужно для счастья,
внезапно обнулился. Единственное, что имело значение, — это
мое здоровье, а если его восстановить невозможно, то подготовка к смерти. Сегодня я намеренно слежу за тем, чтобы мой
список условий счастья был очень коротким, а эти два пункта
стояли в самом начале.

Мы привязаны не только к тому, что было, прошло и изно-
силось, хотя все еще бережно хранится в шкафу, но и к своим
ожиданиям от будущего. Мы цепляемся за идею, что жизнь
должна стать лучше. При мысли, что может произойти что-то
неприятное, мы холодеем от страха. Больной человек, которого увидел Сиддхартха, олицетворяет наши первичные страхи, связанные с выживанием: «А вдруг не хватит еды, денег,
здоровья или сил?» Старик — это неприятное будущее, которого мы боимся и любой ценой пытаемся избежать. Но когда
мы сталкиваемся со страхом смерти на пути ягуара и учимся пробираться через джунгли неопределенности, мы перестаем беспомощно сжиматься в ужасе перед неизвестностью.

Сиддхартха все еще обескураженно думал о перспективе
болезни и старости, когда заметил третье тревожное явление на дороге — труп человека. «Что случилось с этим мужчиной? — спросил принц у слуги. — Почему он так лежит

и не шевелится?» — «Он мертв», — ответил Чанна. «Неужели нет никакого способа вернуть его к жизни?» — удивился Сиддхартха. «Увы, нет», — развел руками его собеседник.

Сиддхартху охватила глубокая печаль: «Значит, моя жизнь тоже однажды закончится?» Слуга подтвердил это: смерть неизбежно ожидает каждого.

Труп на обочине дороги соответствует Третьей благородной истине: чтобы положить конец страданиям, мы должны отпустить все пристрастия, даже привязанность к самой жизни. Мы должны перестать цепляться за то, что от нас ускользает, и прекратить попытки вернуть утраченное. Нужно также отбросить веру в то, что внутренний покой наступает лишь тогда, когда исполняются наши желания.

Услышав, что он тоже умрет, принц очень расстроился. Но затем произошла еще одна встреча, и она перевернула мир Сиддхартхи: скрестив ноги, перед ним сидел в медитации святой человек садху. Он казался совершенно спокойным, не подверженным страхам и страданиям. Сиддхартха попросил слугу остановить колесницу и поспешил к медитирующему, чтобы спросить, как тот достиг столь глубокого покоя.

«Ты тоже можешь преодолеть страдания и смерть, — пообещал садху. — Нужно лишь сидеть вон там, под деревом, отказываясь от еды и питья, пока ты не узнаешь, что свободен от смерти, которая преследует тебя».

Сиддхартха вернулся домой и обнаружил, что привычная жизнь утратила привлекательность. В уме все еще звучали слова садху. Несколько лет спустя он покинул свой богатый и комфортный царский дворец и стал странствующим монахом, чтобы найти себя и положить конец страданиям. Как только с наших глаз спадает пелена и мы, подобно принцу

Сиддхартхе, замечаем страдания всех существ и наши собственные, то старые пути теряют смысл и начинается поиск исцеления. Будет он долгим или нет, много ли принесет испытаний — все это зависит от самого человека. Но к настоящему времени у вас сложилось довольно верное представление, что эта тропа крута и извилиста, а исцеление требует физической, умственной и эмоциональной подготовки.

Сиддхартха провел шесть лет в глубокой медитации, почти не заботясь о своем теле, но все же не нашел ответов, которые искал. В конце концов, поддавшись отчаянию, он сел под смоковницей и поклялся не двигаться с места, пока не выяснит причину страданий и не поймет, как с ними покончить. Вокруг играли дети, лаяли собаки, девушки пытались соблазнять и отвлекать его, а грабители стащили узелок с его нехитрыми пожитками. Но Сиддхартха просто сидел и смотрел внутрь, изучая природу своего ума. Он открыл свое сердце и отпустил любые ожидания. И тогда, сидя под деревом, которое позднее назовут деревом Бодхи, на рассвете после томительной ночи бывший принц испытал просветление и стал Буддой. «Бодхи» означает «пробужденный». Позже Будда описал то, что он понял, когда пробудился:

Я обрел непосредственное знание старения и смерти, непосредственное знание причин старения и смерти, непосредственное знание о прекращении старения и смерти, непосредственное знание о пути, ведущем к прекращению старения и смерти (примечание 3 к главе 13).

Назовем ли мы это просветлением, постижением истины или Единством — опыт, который превратил Сиддхартху в Будду, Пробужденного, был глубоко исцеляющим и в то же время обезоруживающе простым. «Истина о прекращении страдания — это личное открытие, — сказал учитель тибетского буддизма Чогьям Трунгпа Ринпоче. — Она далека от мистики и не имеет никакого отношения к религии или психологии, это просто ваш личный опыт» (примечание 4 к главе 13).

Сиддхартха хотел излечить собственные страдания, но этот поиск привел его к просветлению. Став Буддой, он принес человечеству средства, которые позволяют прекратить страдания, вызванные болезнью, старостью и смертью. Это дар орла, плод пути визионера.

Открытие медицины единого Духа

В восточном направлении магического круга вы теряете себя, чтобы себя найти. Умирая для старой жизни, вы перерождаетесь для новой. Вы понимаете, что ваше временное «я», обитающее в физическом мире, постоянно меняется, но есть и вечное «я» — оно неизменно и никогда не страдает. Вечное «я» не болеет и не умирает. Это понимание поможет вам вернуться к идеальному здоровью и нацелить каждую клетку в организме на создание более удобного нового тела.

Открытие вечного «я» мы начали на юге, где расстались со старыми ролями, отбросили предвзятые представления о своей истинной сути и, подобно Парсифалю, исцелили в себе мужское начало. Затем путь продолжался на западе, там Психея показала, что нам придется переступить порог и войти в неизведанное, если мы собираемся освободиться из тюрьмы страха смерти, получить дары богини и осознать свое бессмертие. После этого мы отправились на север, где научились сохранять покой и направлять взор внутрь себя, опираясь на коллективную мудрость тех, кто были до нас. Как и Арджуне, нам открылось величие космоса.

Когда мы достигли востока, внезапно обрели смысл все ступени этого пути, все пройденные испытания. Открываясь более широкому взгляду, мы поняли парадокс своего бытия: каждый из нас одновременно бесконечно мал, как крошечное пятнышко, и бесконечно обширен — мы одновременно и ничто, и всё. Мы обнаружили, что даже в просветлении есть обычные аспекты повседневности. Мы также узнали, что испытав Единство, сможем принести эту мудрость в мир подобно Сиддхартхе.

Таким образом, уроки, связанные с четырьмя направлениями на магическом круге, можно усвоить интеллектуально — но если вы хотите, чтобы эти принципы поменяли вашу жизнь, то необходим непосредственный опыт Единства. На востоке мы должны противостоять внутренним демонам, так же как это делали Будда и Иисус. Иисус не пытался уложить демонов на лопатки, он просто твердо велел им знать свое место. Будда тоже не сражался со своими демонами — напротив, он кормил их: «Если хочешь мою голову, возьми ее. Если хочешь мое тело, возьми его». Вечное «я» Будды понимало, что он не был своим телом или своей головой. Когда он перестал обращать внимание на своих мучителей, они заскучали и удалились.

Большое искушение для нас — сражаться с демонами, думая, что мы можем победить. И вот спустя тридцать лет, исцарапанные и окровавленные, мы наконец признаем тщетность этой борьбы. Мы ничего не добились, отношения с родителями и бывшим супругом находятся в том же плачевном состоянии. Дети все еще злятся на нас. Уроки востока и путь визионера дают нам лучший способ справиться с демонами.

Даже если мы получили дары Духа, нам все равно приходится сталкиваться с проблемами физического существования. И пробуждение не освобождает нас от необходимости улучшать свои мысли, постоянно совершенствовать мотивацию и поведение. Мне нравится думать, что восточные традиции ведут к пробуждению, а западные помогают взрослеть. И те и другие одинаково важны. Мы ищем не то чувство Единства, которое свойственно маленьким детям, а другое — доступное зрелому, взрослому человеку. На самом деле нет ничего более занудного, чем та инфантильная болтовня, которую мы в Америке слишком часто путаем с духовностью.

Даже Далай-лама признается, что чувствует гнев — несмотря на свои качества, он всего лишь человек. Но он не подпитывает этот гнев и не выражает его, и потому эмоция быстро проходит. Далай-лама подходит к жизни с состраданием и ви́дением орла: «Я всегда смотрю на любое событие под более широким углом зрения», — сказал Его Святейшество в интервью журналу Time (примечание 5 к главе 13). Иисус вернулся из пустыни с мудрыми поучениями: «Возлюби ближнего своего, как самого себя», «Подставь другую щеку» и так далее. Для того чтобы выполнить задуманное, он долго ходил, учил людей и взрослел. Будда после просветления не удалился на горную вершину, чтобы пребывать в блаженстве. В течение следующих

Даже Далай-лама признается, что чувствует гнев — несмотря на свои качества, он всего лишь человек. Но он не подпитывает этот гнев и не выражает его, и потому эмоция быстро проходит.

сорока пяти лет он жил в этом мире, помогая другим пробуждаться и исцелять.

Если восточные традиции нацелены на пробуждение, а западные — на взросление, то путь шамана состоит в том, чтобы *проявиться* для себя и других. Необходимо стать отважным и ответственным.

Как же изменится *ваша* жизнь после путешествия по магическому кругу? С одной стороны, широкий взгляд орла поможет вам ориентироваться в жизни с бóльшей свободой. Все, что вы делаете, будет казаться естественным, созвучным вашим талантам и ценностям. Вы испытаете исцеление тела, ума и духа, и за этим будет стоять такая сила, что вы почувствуете себя обязанными служить миру всеми доступными способами.

С таким предвкушением цели мы можем сделать последний шаг в этом путешествии — выполнить квест визионера.

ГЛАВА 14

КВЕСТ ВИЗИОНЕРА

*Как вы применяете квантовую механику
в повседневной жизни?..
Квантовая теория учит вас ходить по земле?
Менять погоду?
Отождествляться с творческим принципом,
с Природой, с Божественным?
Или она учит вас превращать каждое мгновение жизни
в акт могущества?*

**Из книги «Танец четырех ветров»
Альберто Виллолдо и Эрика Джендресена**

Одно дело читать о создании нового тела, а другое — испытать это. Читая о просветлении Сиддхартхи, невозможно освободиться от болезней, старости и смерти, точно так же и чтение этой книги даст вам информацию, но не мудрость. Последняя и самая важная практика для достижения этой цели — диета, пищевые добавки, ваше путешествие по магическому кругу и квест визионера.

Квест визионера способен исцелить ваше тело и исправить душу. Подобно Парсифалю, вы должны отыскать Святой Грааль. Подобно Психее, вы должны вернуться из подземного мира с эликсиром бессмертия. Подобно Арджуне, вы должны открыть секреты космоса. Подобно Сиддхартхе, вы должны покинуть уютный замок или мягкое кресло и сесть под своим деревом Бодхи.

Думайте об этом как о своего рода профилактике духовного здоровья. Не ждите, пока придет болезнь, — сразу изучайте блага диеты, не ждите конца жизни, чтобы исследовать сферу за пределами смерти.

У всех нас есть десятки причин, по которым мы пока не можем отправиться в путь: не хватает денег или времени, слишком много писем ждут ответа. Я сам то и дело откладывал начало пути, пока мне не поставили диагноз и передо мной не замаячил конец жизни. Вот мой совет — не дожидайтесь таких событий!

В идеале квест визионера нужно выполнять в естественной обстановке, в присутствии стихий — дождя, ветра, солнца, тепла, холода — и подвергая свое тело легкому физиологическому стрессу путем интервального голодания. Однако цель квеста визионера состоит не в том, чтобы найти свое ви́дение, оставшись без еды или воды, а просто на лоне дикой природы вам предстоит понять, что вы — гражданин Земли. Голодание пробудит системы самовосстановления организма, простимулирует выработку стволовых клеток в мозге и в каждом органе вашего тела. Жизнь на природе покажет вам, что опыт Единства доступен всегда.

Но если вы предварительно не обновите мозг, квест визионера станет всего лишь прогулкой на свежем воздухе. Следует провести детоксикацию мозга, а затем зарядить его суперфудами во время программы «Создаем новое тело». После этого квест визионера может напрямую показать вам ваше предназначение. Если вы усердно применяли практики, предложенные в этой книге, то в процессе выращивания нового тела вы почувствуете Единство творения. Помните, что тело — это сосуд для духа. Плоть, кости, клетки и нейроны последуют зову духа, чтобы тело стало упругим и энергичным сосудом, в котором дух будет жить во время своего короткого путешествия по этой земле.

Принимаем вызов

«Что значит квест визионера? — требовательно спросила Мелани, коренная жительница Нью-Йорка. — Ты же знаешь, что я не привыкла обходиться без комфорта. Мне нужен нормальный гостиничный номер!» Дитя большого города в душе и повадках, Мелани была успешным редактором журнала женской моды. Она и думать не хотела о том, чтобы три дня жить одной в пустыне, питаясь только водой.

«Но ты хочешь быть несчастной всю оставшуюся жизнь? Не лучше ли ограничиться тремя днями и потом покончить с несчастьем, чтобы начать жить по-новому?» — возразил я. А потом хитро добавил: «Кроме всего прочего, из этого получится хорошая журнальная статья».

Мелани неохотно согласилась выполнить квест визионера, и я высадил ее в южной части Юты, в каньоне, окруженном крутыми утесами и красными скалами. При себе у Мелани были запас воды, хорошая палатка и спальный мешок. Я не объяснил ей: хотя наилучшим местом для квеста визионера служит дикая природа, на самом деле его можно устроить где угодно, даже в центре Нью-Йорка. Смысл в том, чтобы отключиться от мира, насквозь пронизанного технологиями, и перестать верить, что если вы не будете постоянно читать электронную почту и социальные сети, то ваша жизнь полетит под откос. Я также велел Мелани молиться.

«Но я не умею молиться», — запротестовала она.

Я посоветовал ей благодарить Творца, завел машину, начал отъезжать и бесцеремонно добавил: «А если это не сработает, молись, чтобы до тебя не добрались волки». В округе не было волков, но Мелани поняла, что я имею в виду. Мы можем найти путь к Духу через молитву или медитацию, но если привяжемся к какой-нибудь конкретной форме молитвы или общения с Духом, мы останемся закрытыми и не получим желанной мудрости.

Хотя наилучшим местом для квеста визионера служит дикая природа, на самом деле его можно устроить где угодно, даже в центре Нью-Йорка.

Мелани была моей давней клиенткой. Богатая и умная, в двадцать лет она сражала наповал своей красотой. Сейчас ей шел шестой десяток, но ее очарование ничуть не померкло. Она была гиперактивной и чрезвычайно независимой, однако над ней как будто довлело проклятие, из-за которого ее любовные отношения складывались на редкость неудачно. Днем Мелани принимала риталин для лечения СДВГ (синдрома дефицита внимания и гиперактивности), а на ночь — мощный антидепрессант тразодон, который помогал ей уснуть. Она то и дело перепрыгивала из одного унизительного партнерства в другое и в результате настолько потеряла чувствительность, что предпочитала «использовать мужчин в качестве игрушек», как она говорила. Однако она признавала, что расставание с очередной «игрушкой» всегда причиняло душевную боль.

Этот квест визионера бросил вызов многим привязанностям Мелани, привыкшей к городскому комфорту. Рядом не оказалось продуктового бутика для гурманов. Она не могла включить новости или войти в интернет. Ее бесило сознание, что она осталась в глуши наедине с самой собой. Но столь же невыносимой была перспектива раз за разом переживать одинаково убогие романтические истории и лечиться от них таблетками.

«Обожаю пи́сать в лесу», — с усмешкой заявила Мелани, когда я подобрал ее через три дня. Ее прическа заметно растрепалась, на лице виднелась пыль, но наряд остался на удивление безупречным. Интересно, как ей это удалось? Затем она призналась, что взяла с собой по комплекту чистой одежды на каждый день — некоторые привычки умирают тяжело. И добавила, что отшельничество было для нее нелегким делом. В первый же день Мелани попыталась позвонить в службу пассажирских перевозок, чтобы кто-нибудь приехал и забрал ее, но в долине не было сотовой связи. Ночью она не сомневалась, что ее съедят волки, и представляла, как они крадучись бродят вокруг палатки. Она молилась о скором приходе рассвета. Но к наступлению второго вечера ей стало приятно наблюдать за звездами из спальника, который она вытащила из палатки на воздух, когда поняла, что вряд ли привлечет стаю голодных хищников.

Мелани никогда не видела столько звезд — фактически она годами не видела звезд вообще, поскольку городские огни Нью-Йорка затмевают всё на ночном небе. В первый вечер муки голода не давали ей уснуть, но после этого она спала, как ребенок. А потом появились огни. «В первую ночь я чувствовала себя так, будто разбила лагерь на парковке, — сказала она. — В палатку светили фары, настолько яркие, что они меня разбудили. Но когда я выбралась наружу, там было совершенно темно, светились только звезды». Сначала Мелани подумала, что так сияют инопланетяне, но потом она поняла, что это «свет» ее мечты.

Мелани вернулась из квеста визионера с глубокой признательностью к природе и благодарностью за то, что жизнь чрезвычайно драгоценна — вся, целиком. Она также решила на некоторое время отдохнуть от романтических историй. Мгновенное влечение к мужчинам определенного типа она стала рассматривать как предупреждение: этот человек не станет ее беречь. Спустя шесть месяцев после квеста визионера она начала встречаться с тихим, нежным мужчиной — «по-настоящему мягким», как она сказала. Но наиболее заметным изменением после ее квеста стало загадочное исчезновение СДВГ. Мелани осталась на безглютеновой и безмолочной диете, которая включала здоровые овощи, большое количество кислот омега-3 и относительно немного белков. Поэтому гиперактивность и капризность улетучились, и Мелани больше не требовался ни риталин для нормального функционирования в течение дня, ни тразодон для ночного сна.

Хлебопечка

Когда Артур пришел ко мне, он весил сто двадцать килограммов. Он питался в основном хлебом, макаронами и полуфабрикатами, и у него были высокое кровяное давление, повышенный уровень холестерина и резистентность к инсулину. Артур владел книжным издательством, в каталоге которого были книги о здоровье, сыроедении и здоровом питании, но сам он постоянно и без разбора что-то жевал. Пристрастие к обработанным углеводам привело Артура к форме диабета, которую эндокринологи назвали диажирением. Это новая эпидемия цивилизованного мира. При встрече я упомянул, что во время Второй мировой войны количество случаев диабета первого типа, при котором поджелудочная железа не способна вырабатывать инсулин, снизилось на шестьдесят процентов из-за нехватки продовольствия. Я сказал Артуру, что голодание во время квеста визионера принесет ему точно такую же пользу, но при этом займет всего лишь несколько дней (примечание 1 к главе 14).

Артур испробовал все диеты в мире и в то время следовал палеодиете. Как я объяснял в главе 5, палеодиета основана на пищевых привычках людей доземледельческой эпохи палеолита. Охотники-собиратели питались в основном зеленью и изредка мелкой дичью или рыбой. Я сказал Артуру, что необходимых углеводов не существует, но бывают необходимые белки и жирные кислоты, и мы могли бы отлично прожить остаток жизни, не съев ни единого бутерброда. Но Артур ел слишком много белка. Я предложил сократить потребление белка, в частности держаться подальше от красного мяса — говядины и свинины, которое редко встречалось в меню древних охотников-собирателей. «Иногда можно съесть стейк, — сказал я. — Но прежде нужно убедиться в том, что животные питались травой на пастбище, а не зерном на ферме, и что их не накачивали антибиотиками. Великолепной едой будет рыба, если она выловлена в чистой воде, не содержит ртути и целиком помещается в кастрюле. Но хлеб и макароны должны исчезнуть навсегда».

Многие люди следуют палеодиете, но забывают следовать верованиям палеолита о Единстве всей жизни, общении с природой и Духом. «Эти убеждения играют важную роль в создании здоровья в теле, — сказал я Артуру. — Помимо диеты нужно заручиться помощью Духа, чтобы он помог тебе изменить здоровье».

Артур был крепким орешком. Он заверил меня, что уберет из дома хлебопекарную машину, но его шкафы были заполнены консервами, большинство из которых содержали сахар и глютен. И системное воспаление Артура было обусловлено глютеном и молочными продуктами, которые разрушали его кишечную флору. И он не собирался легко сдаваться. Однажды днем мы пошли в его квартиру. Я открыл шкафы и начал выбрасывать консервы и пшеничную муку, которая хранилась в шкафу рядом с хлебопечкой, а потом выбросил и сам хлебопекарный автомат. У Артура даже зубная паста была с сахаром! Когда я выбрасывал все это в мусорку, я видел смятение Артура. Он любил свою хлебопечку и в глубине души полагал, что ему просто нужно ненадолго спрятать ее в шкаф. И тут я выкидываю его любимую штуковину!

В детстве матери кормят нас, чтобы успокоить. С тех пор стоит нам почувствовать стресс, как мы тянемся к утешительной еде — сладостям, на которых мы выросли. В результате на протяжении десятилетий изумительная флора в нашем кишечнике «подсаживается» на сахар, углеводы и неприятные жиры. Из-за этого, когда мы более двенадцати часов не принимаем пищи, грибки Candida поднимают бунт. Мы не хотим есть, а они хотят — и начинают выделять токсичные химические вещества, с которыми в мозг передаются сигналы голода. И хотя объективной потребности в еде у нас нет, мы чувствуем себя ужасно голодными по той простой причине, что грибки требуют пропитания.

Однако кишечные микробы необычайно умны и очень быстро учатся. Всего за двадцать четыре часа мы можем обнулить их пищевые привязанности и начать устанавливать в колонии бактерий новый баланс, который дает развитие хорошей флоре. Исключив сахара, крахмал и вредные жиры, принимая сахаромицеты буларди и качественные пробиотики, мы поможем хорошим микроорганизмам восстановить кишечник. Вот почему так важны очень короткие периоды голодания: они восстанавливают баланс в кишечнике и включают все системы обновления организма.

На уровне интеллекта Артур понимал, что обработанные углеводы, такие как хлеб и макароны, вызывают сильное привыкание и стимулируют те же центры вознаграждения в мозге, что и кокаин.

Исключив сахара, крахмал и вредные жиры, принимая сахаромицеты буларди и качественные пробиотики, мы поможем хорошим микроорганизмам восстановить кишечник.

Он сильно повредил свой кишечник глютеном и обработанными продуктами, которые поглощал годами. Но понимания оказалось недостаточным для того, чтобы решиться на изменения, с помощью которых можно было исцелить тело и обновить жизнь. В тот день мы чуть не подрались у мусорного бака. Впервые со школьных лет я оказался прижатым к стенке!

То, что произошло дальше, было похоже на чудо. Через четыре дня Артур почувствовал себя лучше и начал худеть, сбрасывая почти по полкилограмма в день. Это произошло благодаря тому, что он исключил из рациона глютен, пшеницу, углеводы, молочные продукты и сахара и принимал добавки, которые я рекомендую в главе 6. Это было непросто. Пару раз он звонил мне посреди ночи и плакал, потому что его сознание без конца наводняли образы из его несчастного детства и юности. Но к концу недели Артур потерял почти пять килограмм, и его мозг прояснился. Впервые за десятилетия он начал крепко спать. А пищевые добавки помогли ему устранить токсины, которые ранее хранились в его жировых отложениях, и предотвратить их поглощение кишечником. Артур был готов к квесту визионера.

Бог, кажется, предпочитает церкви, а Дух — дикие местности. Почти все памятные встречи с божественным, записанные в мифах и отраженные в истории, произошли не в храме, а в естественной обстановке — в пустынях, на вершинах гор, на берегах рек. Артур решил выполнить квест визионера недалеко от своей дачи в штате Флорида, в тропическом ботаническом саду Фэйрчайлд в Корал-Гейблс. Он каждое утро приходил в сад в семь утра, как только служители открывали ворота, и оставался там до закрытия. Его задачей было ни с кем не разговаривать, просто сидеть в тени деревьев, которые ему нравились больше всего, и весь день пить много воды.

После трехдневного квеста визионера Артур сказал мне: «Хоть я не встретился с Богом, я обнаружил тишину, которую знал только в детстве. После второго дня мой разум перестал думать обо всех важных вещах, которые надо сделать. Я всегда полагал, что если их не сделаю, то мир полетит в тартарары. Тропические деревья помогли мне понять, что я похож на них — я сбрасываю листья и потом зарождаюсь для нового роста, я нуждаюсь в глубоких корнях, которые удерживали бы меня во время сильных ветров и штормов. Они также показали мне, что я должен участвовать в создании такого мира, который не будет разрушен человеческой глупостью и жадностью».

«Самым неприятным было урчание в животе, — рассказал он. — Впервые в жизни я испытывал настоящий голод. Сначала я мог думать только о шоколадке, которая лежала у меня в машине. Но на исходе второго дня одержимость чувством голода прошла. Думаю, что после третьего дня я мог бы оставаться без еды еще целую неделю. Исчез физический дискомфорт, вызванный голоданием, и я почувствовал огромный прилив энергии. В голове прояснилось, и ум успокоился».

Еще год я продолжал работать с Артуром, и все это время он не употреблял в пищу пшеницу и молочные продукты. Он вытащил свою хлебопечку из мусорного бака, но больше ею не пользовался, и через шесть месяцев уровень сахара у него в крови нормализовался. Мы регулярно брали анализы крови на опухолевый маркер IGF-1 и обнаружили, что его уровень снизился более чем на тридцать процентов.

Во время квеста визионера Артур обнаружил ту внутреннюю жизнь, о которой когда-то читал в им же изданных книгах, но в подлинность которой никогда по-настоящему не верил. Благодаря медитативной практике он теперь исследует свой внутренний мир с таким же неуемным любопытством, какое испытывали первооткрыватели Америки. Очарованный пейзажами своего ума, он радуется, что наконец-то получил к ним доступ. А что касается длинных списков неотложных дел и детских обид, то они Артура больше не тревожат.

Возвращение к жизни

Джорджа в мой кабинет буквально втащила его супруга. Он работал врачом, но сейчас проходил очень агрессивную химиотерапию, которая не давала желаемых результатов. Его опухолевые маркеры не сдвигались с места, и иммунная система была подавлена. Джордж согласился посетить меня только потому, что его жена, студентка нашей школы Light Body, сказала — ему уже нечего терять.

Джордж не видел взаимосвязи между своей напряженной работой, обилием кофеина (полдюжины чашек кофе в день), избытком углеводов в меню — и онкологическим заболеванием.

Мой друг Дин Орниш, доктор из медицинского центра Калифорнийского университета обнаружил: когда больные раком предстательной железы переключились на низкокалорийную, преимущественно растительную диету, они за полгода смогли остановить развитие рака на ранней стадии (примечание 2 к главе 14). Поражает и восхищает сила зеленых овощей, которая позволяет им включать гены здоровья и отключать гены болезни. Я сразу же попросил Джорджа сесть на растительную диету, богатую овощами из семейства крестоцветных, в том числе брокколи и брюссельской капустой, а также полезными жирами, такими как авокадо и грецкие орехи. Он должен был начинать утро с детоксикации — приема зеленого сока. Я попросил его держаться подальше от глютена и любых злаков, а также избегать красного мяса.

Несколько десятилетий Джордж проработал в больнице, питаясь токсичным фастфудом, а теперь всего за три недели он потерял почти четыре килограмма. Он с каждым днем чувствовал себя лучше, и опухолевые маркеры начали отступать.

«Теперь ты должен выполнить квест визионера», — объявил я ему. Джордж сказал, что последний раз он был на природе сорок лет назад, когда отдыхал в лагере бойскаутов. Все выходные и отпуск он проводил с детьми и не чувствовал необходимости специально выделять время для уединения вдали от цивилизации.

«Я пройду квест визионера в больнице, за работой, — решил он. — Поначалу, конечно, я буду соображать с трудом, но это не беда. Если появится особенно тяжелый больной, адреналин сразу же избавит меня от тумана в голове».

Джордж работал в травматологическом центре в Майами, и я попросил его молиться за всех его пациентов. Я также предложил Джорджу сосредоточиться на определенном способе мышления: вправляя вывихи и зашивая раны, он должен был восхищаться красотой кровеносных сосудов, мышц и других тканей, из которых состоит человеческое тело. Я также велел ему не забывать, что каждый пациент — это человек, а не «огнестрельное ранение». Он ответил, что выполнить эту мою просьбу будет труднее, чем все остальные: Джорджа, как и всех врачей, учили относиться к пациентам безлично, с сохранением профессиональной дистанции. Большинству медиков комфортнее взаимодействовать с симптомами и органами, чем с живыми, дышащими, испуганными пациентами. Вероятно, врачи, как и все мы, боятся слишком сильных чувств перед лицом большого страдания.

«Всякий раз, когда к кому-то прикасаешься, думай, что ты выполняешь работу Духа», — сказал я ему.

Как бы ни называлась ваша профессия — как только вы понимаете, что через ваши руки, сердце, чувства и навыки может действовать Дух, жизнь обретает огромный смысл. Джордж сказал мне, что в реанимационном отделении самое суровое время — это летнее полнолуние. В этот день существенно возрастает число огнестрельных ранений, аварий, общих травм, передозировок наркотиками и алкогольных отравлений. Именно в полнолуние Джордж начал свой квест визионера. Он решил наблюдать за дыханием, чтобы осознавать свои переживания, и относиться к каждому пациенту как к человеку, а не как к «огнестрельному ранению в четвертой палате». Он старался непрерывно осознавать дыхание, а в момент неподвижности между вдохом и выдохом останавливался, чтобы прочувствовать ценность каждой драгоценной капли воздуха.

«Я могу обходиться без еды, — сказал мне Джордж, — но точно знаю, что не сумею обойтись без кофе». Я и сам люблю кофе, и мне были понятны трудности Джорджа. Собственно говоря, во многих частях света кофе используется как священное лекарство. Суфийские танцующие дервиши — известные любители кофе. Возможно, этот напиток мощнее других активирует сигнальные пути Nrf2 и белки долголетия в организме. Никто точно не знает механизм его действия, но даже онкологи сегодня рекомендуют больным раком печени ежедневно выпивать по три-четыре чашки черного кофе. Однако если вы регулярно испытываете стресс и живете в постоянном режиме «бей или беги», избыток кофеина лишь усугубит проблему. Я объяснил Джорджу, что очень важно прекратить пить кофе как минимум за неделю до начала квеста визионера. Он должен был дать своей истощенной нервной системе необходимый отдых. Проблема Джорджа состояла в том, что из-за кофеина его мозг был переполнен кортизолом.

Когда я увидел Джорджа в моем кабинете через две недели после семидневного квеста, он был в восторге. Он почти отказался от кофе — только два раза позволил себе выпить эспрессо в начале недели. В первый день голодания он чувствовал себя невероятно слабым и очень хотел есть. Но он сконцентрировался на том, чтобы видеть ангела в каждом пациенте, с любыми травмами. Он заметил, что прикасается даже к тем людям, которых раньше старался обходить стороной (а если и трогал, то только в латексных перчатках и с налетом отстраненности), — например, к бездомному, залитому собственной мочой, или бандиту с пулей в ноге. На третий день Джордж подключился к необычайному источнику энергии. Голодные боли прекратились, он пил много воды и был поражен объемом своих ежедневных испражнений — учитывая, что он вообще ничего не ел. Его тело очищалось и выводило токсины, удаляя отходы, которые десятилетиями накапливались в каждой клетке тела.

К третьему дню Джордж перешел на сжигание жиров вместо сахара, чтобы питать свое тело и мозг. Когда включился его высший мозг, он смог вообразить свою жизнь, исполненную благополучия. С этой новой точки зрения он пересмотрел и свою работу. Он больше не был механиком, который чинит руки, желудки и сломанные кости, он был художником и возвращал здоровье людям, стоящим на грани смерти. Когда я недавно опять разговаривал с Джорджем, у него была ремиссия. Он обновил свою жизнь.

Общение с творением

Медицина единого Духа — это то, что шаманы называют опытом Единства, оно позволяет нам понять механизмы творения. Это понимание не академическое, не интеллектуальное, это эмпирическое и чувственное *знание*, которое пронизывает каждую клеточку вашего тела. Вы не закричите: «Эврика!» — и не откроете первый закон термодинамики или закон сохранения энергии. Однако вы испытаете трансцендентное осознавание, которое пронизывает все ваше существо. Вы по-настоящему поймете, что энергия и сознание никогда не разрушаются, а лишь преобразовываются в бесчисленные формы, одна из которых — вы сами.

Каждый из моих пациентов, упомянутых в этой главе — и Мелани, и Артур, и Джордж, — испытал глубокое интуитивное понимание чуда Единства. С Мелани это произошло, когда она лежала в пустыне под ночным небом, наблюдая за звездами — теперь она знала, что звезды светят всегда, хотя они часто скрыты за огнями и пылью Нью-Йорка. Артур начал исследовать свой ум после того, как наблюдение за голодом и жаждой помогло ему понять, насколько сильно он любит разбираться в глубинных вопросах бытия. Он начинал с определения проблемы, а затем спрашивал себя: «Кто это думает об этом? Кто задает этот вопрос?» Такие раздумья в конечном итоге привели его к практике медитации дзен. В этой традиции практикующий просто следит за дыханием и наблюдает свой ум во всех его спонтанных творческих проявлениях. Что же касается Джорджа, то он осознал, что способен видеть Дух в каждом человеке — и, более того, *должен* так видеть, чтобы стать более искусным врачом и целителем. В этом процессе он исцелил сам себя.

Каждый из этих людей возвращался ко мне еще несколько раз, даже когда чувствовал себя хорошо и не нуждался в лечении. Бывшие пациенты хотели получить еще больше средств, исцеляющих физически и эмоционально.

Обычно исцеление духа — это последний шаг для наших сограждан, ищущих здоровья, но это первый шаг для тех, кто стремится вырастить новое тело. Квест визионера, на который решились Мелани, Артур и Джордж, — уединение и голодание в дикой природе или городе, напоминает отшельничество Иисуса Христа и Будды. Эти мудрецы противостояли демонам голода, гнева и самоосуждения. С помощью квеста визионера они восстановили свои тела и подготовили мозг к выполнению великой миссии. Затем они вернулись к людям с новообретенным чувством цели и стали делиться своей мудростью.

Во время второго квеста Мелани приснился сон, который ответил на ее главный вопрос: «Какова основная задача следующей стадии моей жизни?» Ранее я объяснял ей, что с «сахарным мозгом» решать проблемы во сне невозможно, но теперь ее мозг был здоров, и она сумела приблизиться к необычной мудрости. Вот как она описала мне свой сон:

Я нахожусь в прошлом, много веков назад. Я говорю своему любимому, что найду его снова, и прошу не тревожиться. Я прохожу через стеклянную дверь — нам пора прощаться — и вдруг оказываюсь в музее, в сегодняшнем дне. Меня удивляет моя современная одежда. Со мной мужчина. Я понимаю, что должна найти здесь своего возлюбленного, и думаю: «Он ли это?» Он поворачивается ко мне и говорит, что он не тот, кого я ищу, но предлагает отвести меня к моей цели. Я ищу Возлюбленного — не человека, а Дух. И Дух уже идет рядом со мной.

«Во сне я ощущала глубокую близость, — сказала Мелани, — как будто мой любимый всегда существует. И я почувствовала, что в прошлой жизни тоже искала Бога». Она поняла, что ищет не только подходящего партнера, но и Дух, то есть единственного любовника, который принесет ей настоящее свершение. Она поняла, что должна найти Дух в своем партнере и вместе с партнером.

Животное силы

В древних культурах, когда человек выполнял квест визионера, у него во сне или наяву появлялось виде́ние животного силы. У вас тоже может случиться такой опыт. Английское слово animal — «животное» — происходит от того же корня, что и «анима» — так на латыни называют душу, дыхание, жизненную силу. Карл Юнг использовал понятие «анима» для обозначения женского принципа. Таким образом, животное служит выражением женского аспекта мировой души. Животное силы символизирует дикий, неприрученный аспект вашего существа — ту часть вас, которая никому не подчиняется и свободна, как ветер. Животное силы представляет вашу свободную душу, не побежденную современным миром.

Посещая известные пещеры Франции и Испании, вы увидите древние изображения медведей, бизонов, волков и других животных, созданные художниками палеолита. От вашего взора не укроются изящество, сила, достоинство и красота этих существ. В пещере Труа-Фрер во французском департаменте Арьеж есть изображение мифической фигуры «колдуна», полу-человека-полуоленя. Такие существа, сочетающие в себе черты двух миров, символизируют наше родство со всеми животными.

Для людей палеолита животные были священны. Сегодня на Западе священны только домашние питомцы — множество людей питаются мясом копытных животных, которых выращивают самыми бесчеловечными способами и разделывают на бойнях, а затем упаковывают в полиэтиленовую пленку и отправляют в продуктовые магазины. Однако человечество хранит коллективную память об отождествлении себя с животными, мы видим это в культурах коренных племен, чье родство основано на кланах, названных в честь тотемов: волка, медведя, гремучей змеи и так далее. Конечно, городские жители не имеют почти никакой связи с животными силы.

Большинству из нас будет трудно вспомнить даже свое государственное или национальное животное. У каждого штата США есть свой символ в виде птицы или млекопитающего, например, Калифорнию представляет медведь гризли, а Колорадо — толсторог, или снежный баран. Точно так же у многих стран есть символические животные. Петух ассоциируется с Францией, медведь — с Россией, а панда — с Китаем. Орел — национальный символ как минимум восьми стран, в том числе США. Сегодня мы настолько оторваны от природы, что еще додумаемся создать государственные или национальные символы в виде иконок наших любимых социальных сетей!

Устанавливая связь с животным силы, вы соединяетесь с душой природы. Во время квеста вы приглашаете животное прийти и учить вас. Для этого вы просто заявляете о своем намерении в форме молитвы. Например: «Великий Дух, создатель всего, благослови меня визитом одного из твоих созданий, и пусть оно принесет мудрость и силу, которые мне сейчас так нужны».

Впервые встречаясь с животным-духом, вы можете не знать, почему к вам пришло именно это существо. Просто примите его присутствие как данность и помните, что тотем, будучи посланником Духа, поможет вам сделать следующий шаг в развитии. Животные силы служат людям в качестве защитников и учителей.

Мелани в результате квеста визионера подружилась с волком, тем самым хищником, нападения которого она больше всего боялась. Когда я спросил, что символизирует для нее волк, она ответила, что он пришел учить ее быть частью стаи. Волк уходит далеко, блуждает в одиночестве, но всегда возвращается домой, к своей подруге. Волки образовывают пары на всю жизнь или, по крайней мере, практикуют серийную моногамию — именно этот урок Мелани очень хотела усвоить, если найдет подходящего партнера.

Артуру во время квеста визионера приснилась белка — она протянула ему желудь, но затем выхватила его обратно, оставив царапину на лице Артура. Его сон озадачил нас обоих, и я не знал, как его разгадать, пока не попросил Артура вступить с белкой в диалог. Я предложил ему расчертить пополам лист бумаги, с левой стороны написать свое имя, а с правой схематически нарисовать форму этого тотемного животного.

Применяя этот метод диалога с символическим животным, вы первым делом спрашиваете его: «Кто ты?» Затем слушаете и записываете ответ. Белка Артура ясно дала понять, что пришла научить его не копить вещи. Она сказала, что точно знает, какое количество желудей поможет ей пережить долгую зиму, и что их избыток не гарантирует дополнительную безопасность. Артур понял, что желуди символизируют его вес. Ему не нужно запасаться жиром на долгую зиму, потому что она не наступит никогда. И затем он обнаружил, что привычка к накоплению передалась ему через три поколения предков, которые в свое время пережили много страданий: их преследовали, лишали имущества и собственности, вынуждали бежать с насиженных мест. То был решающий момент для Артура: он понял, что ему больше не нужно продолжать эту семейную историю бедности и нужды. Белка пришла, чтобы научить его посвящать больше времени свободному движению и полету, а не умножению запасов на черный день.

Когда во время квеста визионера к вам приходит тотемное животное, вы приглашаете в свою жизнь те качества, которые оно воплощает. С помощью тотема, носителя силы, вы можете исследовать новые грани своей личности. Отношения с энергетическим животным можно развивать, отождествляясь с ним — например, воображать, что вы смотрите глазами ягуара или движетесь легкими прыжками газели. Можно также заняться каким-нибудь видом йоги или единоборств, в котором выполняются позы или движения, названные в честь вашего животного. В хатха-йоге применяются позы верблюда, кобры, льва или собаки мордой вниз, в тайцзицюань есть движения с такими говорящими названиями, как «Стойка одинокого золотого петушка», «Вращающийся дракон опускается на дно», «Белый журавль расправляет крылья» и так далее, а в кунг-фу известны пять техник: тигра, леопарда, журавля, змеи и дракона.

Общайтесь со своим животным силы всегда, когда можете. Пусть оно научит вас мягко ступать по земле и видеть то, что скрыто от человеческих глаз. Его сила пробуждает в нас исконные инстинкты, которые могут служить людям в любых ситуациях.

Опыт, изменяющий жизнь

Квест визионера может навсегда изменить вашу жизнь. Невозможно забыть интенсивное пробуждение вашей светящейся природы, которое наступает, когда утихает чувство голода. Это пробуждение поднимает завесу между видимыми и невидимыми мирами. С незамутненным взором вы мгновенно осознаете свое Единство с Духом и всем творением.

Квест визионера требует обязательности и, как правило, создает определенный физический и эмоциональный дискомфорт. Но это мощное средство, с помощью которого мы можем начать свое преображение, личную эволюцию и путь к новому телу.

Как организовать свой собственный трехдневный квест визионера

Квест визионера проводится в естественной обстановке. Его центральные практики — голодание и медитация, они способствуют глубокому кетозу, необходимому для быстрого восстановления и роста нового тела, а также для переживания Единства со всем творением.

Прежде чем начинать квест визионера, необходимо не менее трех месяцев ежедневно соблюдать восемнадцатичасовое интервальное голодание, описанное в главе 5. Тогда есть гарантия, что ваше тело умеет переходить от сжигания глюкозы к сжиганию жира в качестве источника энергии. В противном случае вы просто просидите три дня в одиночестве, чувствуя себя голодными и несчастными, и не извлечете пользы из квеста визионера. Кроме того, интервальное голодание такой длительности даст вашему организму время на вывод токсинов и обновление мозга.

Следующие предложения помогут вам успешно выполнить трехдневный квест визионера.

Место
Чтобы найти подходящее место для квеста визионера, представьте себе, что ягуар ведет вас в укромное место на природе.

Представители семейства кошачьих в этом вопросе славятся безошибочной интуицией, в то время как собаки подолгу обнюхивают все вокруг, перебегая от дерева к дереву. Воображаемая дикая кошка покажет вам самый удачный вариант. Выбирайте красивый, безопасный и достаточно уединенный уголок, где вас не будут отвлекать туристы.

Если вы решили не удаляться в заповедную глушь, можно подыскать место поближе к дому, даже в черте города. Так поступили Артур и Джордж, чьи истории описаны в этой главе.

Снаряжение

С собой можно взять спальный мешок, туристический коврик и, если захотите, палатку. Обязательно прихватите блокнот и ручку, чтобы записывать сновидения, любые воспоминания или сильные чувства. Компьютер, другие электронные устройства или материалы для чтения оставьте дома. Если у вас есть неотложные задачи, выполняйте их осознанно, как это делал Джордж, напоминая себе, что Дух всегда рядом.

Можно иметь при себе мобильный телефон, но использовать его стоит лишь в случае крайней необходимости. Обязательно сообщите свое местонахождение кому-нибудь из друзей или членов семьи. Если хотите, вы можете попросить их навещать вас один раз в день, желательно вечером, но не отвлекать.

Обустройство

Когда прибудете на место, нарисуйте вокруг палатки круг диаметром около шести метров. Это ваша территория, внутри этого круга вы будете жить в течение следующих трех дней, выходя за его пределы только для того, чтобы облегчиться в лесу или за кустом. Хорошо иметь еще несколько мусорных пакетов, чтобы по окончании квеста увезти с собой все отходы.

Голодание

Это центральная часть квеста визионера. Во время голодания организм входит в глубокий кетоз, включает выработку стволовых клеток в головном мозге и остальных органах.

Когда вы проголодаетесь, в животе появится урчание. Часто оно будет громче звучать в голове, чем в желудке: лимбический мозг скучает по глюкозе и кричит, что погибнет, если пропустит прием пищи. Используйте это урчание для наблюдения за тем, насколько изобретателен ваш ум.

В первый день голодания вы, скорее всего, будете испытывать не только чувство голода, но также перепады настроения, слабость и раздражительность. Бо́льшая часть неудобств обусловлена тем, что ваше тело с высокой скоростью отдает токсины. В течение первых тридцати шести часов сжигается весь гликоген, хранящийся в печени. Затем тело начинает сжигать гликоген из мышц, но вскоре переходит в состояние кетоза и переключается на сжигание жиров. Вы заметите это переключение: ощущение голода исчезнет, и вы почувствуете, что туман в мозге рассеивается и появляется удивительная ясность.

Трехдневное голодание на воде совершенно безопасно для большинства здоровых людей. Если у вас есть какие-либо заболевания, проконсультируйтесь с лечащим врачом, прежде чем начинать квест. Если вы находитесь на медикаментозном лечении, страдаете диабетом или каким-либо острым заболеванием — *ни в коем случае* не начинайте голодание без предварительной консультации с терапевтом.

Во время квеста слушайте свое тело и следуйте его указаниям. Если в какой-то момент вы почувствуете тошноту или уровень сахара в крови упадет до опасно низких значений, немедленно прекратите голодание. Я всегда держу в машине шоколад, орехи и сухофрукты на случай крайней необходимости. Когда вы знаете, что шоколад находится всего в нескольких метрах от вас, воздерживаться от пищи уже не так легко, но вы можете превратить это желание в медитацию — это еще одна возможность наблюдать за метаниями ума.

Вода

Во время квеста очень важно не допускать обезвоживания. Необходимо выпивать как минимум четыре литра воды в день — учитывайте это, когда будете собирать вещи. Если ваш квест визионера проходит в засушливом климате пустыни, воды понадобится еще больше — почти шесть литров в сутки. Нужно мочиться каждый час, и если это происходит с вами реже, значит, вы пьете слишком мало.

Скука

Вам будет скучно. Воспринимайте скуку как признак того, что вы приближаетесь к желанному состоянию созерцания. Тягостное ощущение однообразия и связанное с ним беспокойство — это результат работы лимбического мозга, который требует внимания к себе. Примите это состояние как часть процесса. Скука тоже пройдет, как и чувство голода.

Время

Не следите за ним. Время не ускорит свой бег оттого, что вы будете то и дело посматривать на часы. Более того, сейчас вы пытаетесь выйти во вневременное измерение. Настройте свой внутренний хронометр на солнце и звезды.

Медитация

В течение дня вы можете выполнять упражнение «Я — это мое дыхание», описанное в главе 12. Вечером, если вы разводите костер или зажигаете свечу, можно практиковать сожжение старых ролей и личностей, как описано в главе 10. Прежде чем разжечь огонь, убедитесь, что поблизости нет горючих веществ, которые могли бы воспламениться, а по окончании ритуала полностью потушите пламя.

Молитва

Во время квеста визионера молитесь, произносите слова благодарности за окружающую вас красоту и за каждый свой вдох. Выражайте признательность за чувство голода и за волков, которые наверняка мечтают вами поужинать. Возносите молитву сердцем, а не головой.

Завершение квеста визионера

Запланируйте окончить трехдневный квест до наступления темноты на третий день. Перед уходом обязательно приберитесь, мусор унесите с собой. Убедитесь, что после вас это место осталось таким же чистым, каким было до вас — или даже чище. Не оставляйте следов.

Выход из голодания

Выходить из голодания лучше вечером. Можно съесть легкий овощной бульон или суп мисо, а на следующее утро вернуться к обычной диете без глютена и молочных продуктов.

ЧАСТЬ V

ПРОГРАММА «СОЗДАЕМ НОВОЕ ТЕЛО»

ГЛАВА 15

ПОДГОТОВКА К ПРОГРАММЕ

Вы устали от чувства усталости?
Вы бываете рассеянными и забывчивыми?
Вам надоело бороться с лишним весом?
Вы готовы восстановить свое здоровье?

Примечание. Эту программу не следует выполнять во время беременности или кормления грудью, при наличии рака и любых заболеваний сердца или кишечника. Перед началом программы проконсультируйтесь с врачом.

Принципы программы «Создаем новое тело»:

- Вы исцелите свое тело с помощью режима питания.
- Вы обновите мозг с помощью нейронутриентов.
- Вы узнаете, что качество вашей жизни, старости и смерти определяется способом питания и мышления.

Программа «Создаем новое тело» основана на малокалорийной растительной диете, богатой питательными веществами, с низким содержанием белка и высоким содержанием жиров. Программа поддерживается суперфудами и нутриентами для мозга. В течение семи дней вы будете питать свое тело пищевыми добавками, которые активируют гены долголетия и очищают мозг. Так вы вступите на путь к выращиванию нового тела, которое стареет неспешно и грациозно, сохраняет здоровье и не поддается болезням сердца, деменции и раку — всему, что мы называем бичом современной цивилизации.

Программа требует, чтобы вы отбросили свои истории, как змея сбрасывает кожу, прошли путь ягуара за пределы смерти и чтили Божественную женственность, обрели внутренний покой, подобно колибри, питались только нектаром жизни и открыли для себя возвышенное личное видение и миссию. В этом случае вы проживете свой преклонный возраст с ясным умом и спокойным ощущением осмысленной жизни, а затем бесстрашно шагнете в запредельное.

Для этого вы соедините передовую современную нейробиологию с древней мудростью шаманов.

Шаманы и современные нейробиологи понимают, что мы создаем свою судьбу (а также здоровье или болезнь) с помощью бессознательных убеждений, хранящихся в световом энергетическом поле (СЭП) и в нейронных сетях мозга. Например, уверенно заявляя, что в вашей семье женщины по материнской линии умирают молодыми или по наследству передается деменция, вы создаете пророчества, которые будут исполняться сами собой. Существуют также ошибочные убеждения, например: «Пятидесятипроцентная вероятность развития болезни Альцгеймера в возрасте восьмидесяти пяти лет — это норма» или: «Рак и сердечно-сосудистые заболевания — это нечто естественное». Все это можно изменить. Но для обновления убеждений необходимо сначала обновить мозг.

Несколько лет назад я спросил пожилого целителя из тропического леса Амазонии, что он делал, чтобы избежать болезней старости. «Это просто, — ответил он. — Надо жить долгой и здоровой жизнью». Я засмеялся и предположил, что он не понял вопроса: я хотел знать, как избежать болезней старости. Он улыбнулся и повторил тот же ответ.

Сегодня я понимаю, что он имел в виду. Диеты и духовные практики — ежедневные компоненты шаманского пути, поддерживают веру в долгую и здоровую жизнь. Пусть это станет вашим самоисполняющимся пророчеством!

Вы будете принимать суперфуды — активаторы Nrf2, в которых находятся ключи разблокировки кодов ДНК для выращивания нового тела. Чтобы это сработало, сначала необходимо провести детоксикацию мозга, устраняя вредные вещества, которые вы поглощали с едой, водой и воздухом на протяжении многих лет.

Вот на какие полезные результаты можно рассчитывать непосредственно после прохождения программы.

- Замедление развития хронических болезней.
- Исчезновение или ослабление аллергических реакций.
- Прекращение насморка и головных болей.
- Стабилизация уровня сахара в крови.
- Улучшение качества сна.
- Исчезновение боли в суставах и когнитивной дисфункции.

К третьему или четвертому дню программы «Создаем новое тело» многие участники сообщают о резком снижении симптомов — от тревожности и депрессии до аллергии и боли в суставах. Во многих случаях к концу семидневной программы исчезают семьдесят или даже семьдесят пять процентов симптомов. Я не могу гарантировать, что каждый пациент достигнет таких поразительных результатов, однако велика вероятность, что вы заметите существенное улучшение самочувствия. Вы сможете отслеживать свои успехи с помощью опросного листа, приведенного в главе 16. Он составлен на основе разработок доктора Марка Хаймана и с его разрешения используется в нашей программе детоксикации.

К концу недели вы перезапустите свои естественные системы детоксикации, исчезнет когнитивная дисфункция, и вы станете лучше спать. Вы начнете выращивать новое тело, которое по-другому стареет, лечится и умирает.

После программы вы обнаружите, что вам легче переходить между двумя мирами — видимым, физическим миром чувств и повседневных задач, с одной стороны, и невидимым миром Духа, с другой. Вы будете подобны изящному ягуару — уравновешивающей силе тропического леса, которая служит посредником между видимыми и невидимыми мирами.

Как подготовиться к программе «Создаем новое тело»

Если вы непревзойденный мясоед, любитель утренних круассанов или вечерних спагетти, то вам нужно будет изменить свои пищевые привычки и перейти на растительную диету до начала программы. Придется также отказаться от сахара, молочных продуктов и глютена.

Самое трудное — преодолеть привычку к сахару. Вы узнаете, как своими руками приготовить мощный пробиотик, чтобы очистить организм от грибковой угрозы Candida albicans.

С помощью пробиотиков вы восстановите кишечник и обновите полезные инстинкты. Это значительно снизит тягу к сахару.

Важно не только что́ вы едите, но и когда вы едите. Вы увидите плоды ежедневного восемнадцатичасового воздержания от потребления сахаров и научитесь использовать мощные растительные добавки, которые включают гены долголетия и заглушают гены болезни.

Вы узнаете, что диета с высоким содержанием белка может привести к преждевременной смерти. Для обеспечения долголетия и здоровья вы сумеете в основном перейти на растительную диету и употреблять белок лишь в небольших количествах.

В течение трех недель вы будете готовиться с помощью диеты и пищевых добавок, описанных в главе 6, а потом сможете приступить к семидневной программе «Создаем новое тело». Подготовка запустит жиросжигающие механизмы, включит каскад генов, которые создают здоровье и восстанавливают организм, и введет вас в легкой кетоз. После начала программы «Создаем новое тело» вы погрузитесь в глубокий кетоз, и откроется процесс регенерации.

Шаг 1. В течение трех недель соблюдайте диету и принимайте добавки, как описано в главе 6 и кратко изложено на следующих нескольких страницах. Организм и мозг начнут очищаться от токсинов и включать жиросжигающие механизмы. Обязательно исключите из рациона сахар и все, что в него превращается (быстрые углеводы), а также молочные продукты и глютен. Без этой подготовки применять программу «Создаем новое тело» ни в коем случае не следует, поскольку она может вызвать интоксикацию, и вы будете чувствовать себя довольно плохо.

Шаг 2. Начните программу «Создаем новое тело». Ваша диета будет состоять из пищи с очень низким содержанием белка, небольшим количеством углеводов и обилием полезных жиров. Этот способ питания даст телу возможность включить гены долголетия и начать выработку стволовых клеток в мозге и других органах. В течение семидневной программы «Создаем новое тело» не следует использовать обычные витамины или добавки. Принимайте мощные регуляторы, перечисленные в этой главе, и любые лекарства, которые вам прописаны.

После завершения программы «Создаем новое тело» вернитесь к диете и добавкам из главы 6. Эта диета поможет предотвратить современные недуги жителей Запада, в том числе деменцию, сердечно-сосудистые болезни и рак.

Шаг 3. Теперь вы готовы к трехдневному квесту визионера — голоданию на одной питьевой воде.

Вышеуказанные шаги можно повторять каждые три месяца, вместе со сменой времен года. Вы можете следовать этому плану до конца своей долгой и здоровой жизни.

Ежедневное питание и пищевые добавки вне программы «Создаем новое тело»

Принципы

- Ежедневно практикуйте восемнадцатичасовое воздержание от сахара и всего, что превращается в сахар в кишечнике, — не ешьте с 18:00 до следующего полудня.
- Соблюдайте в основном растительную диету, низкокалорийную и богатую питательными веществами.
- Ешьте, когда голодны, — часто устраивайте маленькие приемы пищи с хорошими жирами (омега-3, оливковое масло, орехи, авокадо).

- Избегайте сахара и всего, что превращается в сахар (быстрые углеводы) в вашем организме.
- Уменьшите потребление белка до двадцати восьми граммов в день, и пусть это будет растительный белок. Избегайте животного белка или молочных продуктов. Необходимо максимально уменьшить mTOR.

Что делать

- Пейте от восьми до десяти стаканов отфильтрованной воды в день.
- Старайтесь испражняться раз или два в день. При необходимости добавляйте в еду две столовые ложки семян льна, пробиотики или до 1000 мг цитрата магния в день.
- Обильно потейте не менее трех раз в неделю, используя сауну или парную.
- Подбирайте еду по цвету. Выберите разноцветные овощи, богатые фитонутриентами.
- По возможности старайтесь использовать органические продукты.
- Исключите мясо и другие продукты животного происхождения.

Что следует употреблять

- Сырые овощи, салаты с авокадо и оливками (если вы питаетесь вне дома, заказывайте овощи на гриле или на пару).
- Орехи (миндаль, макадамия, грецкие орехи, фундук и т. д., но не арахис).
- Ореховые пасты (из миндаля и кешью).
- Полезные масла (кокосовое, оливковое, ореховые масла холодного отжима).
- Специи и зелень, в том числе имбирь, куркума, кинза.

- Лук и чеснок.
- Травяные чаи (без кофеина).

Чего не следует употреблять
- Молочные продукты (молоко, сыры, йогурт, сливочное и топленое масло).
- Красное мясо.
- Глютен (ячмень, рожь, овес, полба, пшеница и другие глютеносодержащие продукты).
- Кукурузу, сою, арахис.
- Овощи семейства пасленовых (помидоры, баклажаны, перец, картофель).
- Сахара (белый сахар, мед, кленовый сироп, кукурузный сироп).
- Продукты, содержащие дрожжи (вино, уксус, хлеб).

Пищевые добавки, ежедневно используемые перед программой «Создаем новое тело»

Докозагексаеновая кислота: в дозировке 3 г в день.

Альфа-линоленовая кислота: от 300 до 600 мг в день каждые три дня.

Куркума: один грамм в день в липосомальной форме (или в блюдах, таких как карри).

Витамин B$_{12}$: 2500 мкг в день.

Витамин C: 1 г (1000 мг) в день.

Витамин D$_3$: 5000 МЕ в день.

Кокосовое масло и масло ТСЦ: две столовые ложки каждого масла два раза в сутки — утром и днем.

Убихинол: 200 мг в день.

Поливитамины: дозировка указана на упаковке продукта.

Цинк: 15 мг в день.

Магний: 350 мг в день.

Цитрат кальция: 1000 мг в день, натощак.

Витамин К$_2$: 100 мкг в день.

Бикарбонат натрия: ½ чайной ложки вечером, через два часа после еды.

Никотинамида рибозид: 100 мг в день.

Пищевые добавки — это мощные средства, и они должны использоваться с осторожностью. Если вы решили принимать добавки, указанные выше, проконсультируйтесь с лечащим врачом или диетологом. При выборе пищевых добавок помните, что гелевые капсулы лучше обычных, а обычные капсулы лучше таблеток: так вашему кишечнику будет легче усваивать ингредиенты.

Режим семидневной программы «Создаем новое тело»

Без вашего ведома или согласия вы стали участником крупнейшего биологического эксперимента в истории человечества. Это диета западных стран, очень кислая, бедная питательными веществами и богатая сахаром, мясом, ГМО и обработанными злаками. Результаты этого эксперимента очевидны: в настоящее время в США аутизмом страдает каждый двенадцатый мальчик (примечание 1 к главе 15), у половины американцев старше восьмидесяти пяти лет диагностирована деменция (примечание 2 к главе 15), каждый четвертый умрет от болезней сердца, а ваши шансы получить онкологический диагноз составляют почти сорок процентов.

Если вы не хотите участвовать в этом биологическом эксперименте, вы должны провести свой собственный, с выборкой, равной единице — это вы сами.

Следующие рекомендации составят основу вашего эксперимента для незаурядного здоровья. Это не универсальное решение, а лишь протокол, который вы должны адаптировать к своей индивидуальной биологии. Обязательно прислушивайтесь к своему телу, подбирайте дозировки в соответствии со своими потребностями и проводите собственные исследования, чтобы найти наилучшие решения.

Меню: ешьте органику

Меню программы «Создаем новое тело» включает свежие овощи, богатые клетчаткой; полезные орехи, семена и масла, а также хорошие жиры, такие как кокосовое и оливковое масла и авокадо. Эти продукты обеспечат достаточное количество жиров для питания мозга. Для поддержки работы кишечника и митохондрий (энергетические центры в клетках) старайтесь получать бо́льшую часть жиров из орехов, семечек, авокадо и таких полезных масел, как кокосовое, льняное и оливковое (холодного отжима).

Бытовой вакуумирующий аппарат поможет сохранять продукты свежими в холодильнике по несколько дней, а в замороженном виде и по несколько месяцев. Это относительно недорогой кухонный инструмент, а привыкнув к нему, вы будете удивлены, как это вам раньше удавалось без него обходиться. Я держу у себя в кабинете гималайскую соль, перец, оливковое масло холодного отжима и уксус, чтобы добавлять их в овощные салаты.

Старайтесь есть много волокнистых овощей из семейства крестоцветных, таких как брокколи, цветная капуста, брюссельская и кочанная капуста. Крестоцветные включают сигнальный путь Nrf2, производят антиоксиданты и детокс-ферменты, которые активируют гены долголетия внутри клеток. Избегайте корнеплодов с высоким гликемическим индексом — они повышают уровень сахара в крови.

Во время программы «Создаем новое тело» ограничьте потребление фруктов до небольших порций замороженных ягод. Следуйте режиму, приведенному ниже, и особенно — мудрости своего тела. Если чувствуете головную боль, головокружение или тошноту, то прекратите программу, пейте много воды для гидратации и подождите одну-две недели, чтобы тело лучше подготовилось.

Примерный план питания для программы «Создаем новое тело»

При пробуждении	Стакан воды с лимонным соком, по желанию зеленый чай и сахаромицеты буларди
8:00	Свежевыжатый сок
10:00	Овощной бульон
11:00	Смузи (по желанию)
13:00	Обед из сырых овощей
15:00	Полдник (по желанию): орехи, семечки
18:00	Ужин: легкая еда, богатая клетчаткой

При пробуждении: выпейте стакан чистой воды с соком из половинки лимона. Это поможет установить pH (кислотно-щелочной баланс) ближе к щелочному. Щелочная среда кишечника идеальна для полезной флоры и некомфортна для вредных бактерий и вирусов. Типичная западная диета включает избыток кислотообразующих продуктов, что, среди прочего, приводит к потере плотности костей.

Можно пить зеленый или черный чай, по желанию добавляя в него миндальное молоко домашнего приготовления. Рецепт миндального молока вы найдете в главе 17.

Затем примите одну столовую ложку сахаромицетов буларди, чтобы сократить популяцию грибков Candida в кишечнике. Это предотвратит «голодную раздражительность» во время семидневной программы «Создаем новое тело».

Если эта раздражительность все же возникает — значит, не очень приятные дрожжевые грибки в кишечнике жаждут пищи (сахара) и выделяют химические соединения, которые стимулируют центры голода в мозге. Сахаромицеты буларди принимайте только натощак. В противном случае они будут питаться в кишечнике сахаром и не смогут выполнить важную работу по вытеснению Candida. Помните: этот пробиотик должен вытеснять Candida через желудочно-кишечный тракт, чтобы грибки выводились из организма при дефекации.

8:00. Свежий сок поставляет вам фитохимические вещества овощей и фруктов. Как мы уже знаем, это способствует профилактике рака. Эта природная мудрость позволяет включать гены здоровья и усмиряет гены болезни.

10:00. Овощной бульон богат питательными микроэлементами, необходимыми организму для восстановления. Добавьте одну столовую ложку масла ТСЦ и столько же кокосового масла в качестве готового топлива для поддержания пищевого кетоза.

11:00. Ваш утренний смузи должен быть богат фитонутриентами и хорошими жирами.

13:00. Когда вы покупаете экологически чистые продукты для салата и промываете листовую зелень и овощи, то помните, что их стебли и листья богаты пробиотиками из почвы. Салат можно посыпать семечками или орехами (примечание 3 к главе 15). Помните о растительных белках! В брокколи приходится больше белка на одну калорию, чем в говядине! На время этой программы следует отказаться от яиц. И старайтесь потреблять не более двадцати восьми граммов белков в сутки. Пятьдесят орехов миндаля содержат около четырнадцати граммов хорошего белка и много полезных жиров!

15:00. Если вы чувствуете голод, то можете съесть на полдник горсть орехов, семечек или стебли сельдерея с соусом тапенада на оливковом масле.

18:00. Для ужина годится легкая пища, богатая клетчаткой, она хорошо питает внутреннюю флору. Ужин должен быть теплым, чтобы его было легче переваривать. Обязательно добавьте полезные жиры. Можно съесть столовую ложку хумуса (содержит почти семь граммов белка) и листовой салат, припущенный в растительном бульоне или обжаренный в кокосовом масле, с соусом тапенада на оливковом масле, и ложку гуакамоле (закуска на основе авокадо). Во время программы «Создаем новое тело» я обычно готовлю на ужин овощной суп и салат из авокадо с большим количеством орехов и семечек. Только не забудьте, что после шести часов вечера мы не принимаем никакой пищи. Это обеспечит вам полный восемнадцатичасовой период голодания, с учетом ночи, и ваши клетки войдут в состояние аутофагии, перерабатывая полезные аминокислоты.

Чтобы сделать блюда вкуснее, вы можете добавлять в них орехи, семечки и полезные масла, а также свежие или сушеные травы. Используйте льняное и оливковое масла только для заправки салатов или готовых блюд — эти жиры разрушаются при нагревании. Для приготовления горячих блюд используйте только кокосовое масло, которое хорошо выдерживает высокие температуры.

Никогда не варите овощи и тем более не делайте из них пюре, иначе вы разрушите клетчатку и уничтожите фитонутриенты и витамины. Вместо этого готовьте их на пару или быстро припускайте в овощном бульоне с зеленью. Можно также смазать их кокосовым маслом и слегка обжарить на гриле. Или ешьте их сырыми, добавляя полезные масла.

Пищевые добавки для программы «Создаем новое тело»

Во время семидневной программы «Создаем новое тело» запланируйте каждый день принимать *только* добавки, перечисленные в этом разделе. Не используйте никаких других витаминов или пищевых добавок, если это не предписано вашим лечащим врачом.

Для получения дополнительной информации о пищевых добавках, рекомендуемых до и после программы «Создаем новое тело», см. главу 6 «Суперфуды и супердобавки».

Очень важно, чтобы в эти семь дней вы не следовали привычному режиму приема пищевых добавок, чтобы клетки тела могли сосредоточить свои ресурсы на детоксикации, обновлении и ремонте.

Утро

Транс-ресвератрол: дозировка составляет 500 мг в день.

Птеростильбен: дозировка составляет 500 мг в день.

Куркумин, липосомальная форма: дозировка составляет 1000 мг в день.

Сульфорафан: дозировка составляет 200 мг в день.

S-ацетил-глутатион: дозировка составляет 1000 мг в день.

Пробиотик от компании Ascended Health: доза составляет 10 капель, смешанных с водой.

Кокосовое масло и масло ТСЦ: принимайте по столовой ложке каждого из них утром и днем во время еды.

Витамин B$_{12}$: дозировка составляет 2500 мкг в день.

Витамин C: дозировка составляет 2000 мг в день.

Цинк: дозировка составляет 30 мг в день.

Обед

Альфа-липоевая кислота: дозировка составляет 600 мг в день.

Цитрат магния: дозировка составляет 1000 мг в день.

Травяные слабительные: по мере необходимости.

Пищевые добавки для приема с утренним смузи

Транс-ресвератрол — соединение, содержащееся в красном вине, кожуре красного винограда и некоторых ягодах. Это наиболее биодоступная форма ресвератрола. Транс-ресвератрол включает гены долголетия и запускает выработку антиоксидантов, в том числе супероксиддисмутазы (СОД) и глутатиона. Дозировка составляет 500 мг в сутки.

Птеростильбен, содержащийся в чернике и винограде, снижает уровни холестерина, глюкозы и кровяного давления. Действуя вместе, птеростильбен и транс-ресвератрол предотвращают рак, сердечно-сосудистые заболевания, диабет и другие недуги. Транс-ресвератрол действует «снизу вверх», регулируя гены активации апоптоза — генетически запрограммированной гибели (или самоубийства) клеток, а птеростильбен работает «сверху вниз» и отключает гены, которые позволяют раковым клеткам расти и пролиферировать. Дозировка составляет 500 мг в сутки.

Куркумин, фитохимическое вещество растения куркумы (из семейства имбирных), обладает необычайными противовоспалительными свойствами, а также регулирует содержание сахара в крови, восстанавливает уровень холестерина и улучшает работу мозга. Куркуму можно использовать ежедневно, получая пользу от ее противовоспалительных свойств, но куркумин гораздо сильнее, и во избежание перегрузки организма его не следует принимать каждый день. Куркумин включает гены долголетия SIRT-1 и активирует Nrf2. Принимайте в липосомальной форме. В этом случае «больше» не значит «лучше», потому что куркумин следует использовать максимум семь дней подряд и затем сделать перерыв. Помните, что сигнальный путь Nrf2 зависит от дозы. Дозировка составляет 1000 мг в сутки в липосомальной форме.

Сульфорафан — это природное органическое соединение серы, которое обладает противораковыми свойствами и помогает восстанавливать ткани, даже кости. Сульфорафан — это суперзвезда среди активаторов и детоксификаторов Nrf2. Три порции брокколи в неделю снижают риск рака простаты на шестьдесят процентов (примечание 4 к главе 15)! Это вещество получается из глюкорафанина, когда он вступает в контакт с ферментом мирозиназой, поэтому продажная пищевая добавка должна содержать этот фермент. Если это невозможно, то ешьте руколу, которая богата сульфорафаном. Доктор Джо Меркола делает отличную добавку с мирозиназой, ее можно купить по интернету. Я люблю проращивать семена брокколи: в трехдневных ростках содержится в сто раз более высокая доза глюкорафанина, чем в соцветиях этого растения. Благодаря низкому молекулярному весу сульфорафан обладает наибо́льшей биодоступностью среди всех активаторов Nrf2. Если вы серьезно относитесь к созданию нового тела, прорастите брокколи самостоятельно. Это легко и увлекательно. Дозировка составляет 200 мг в день.

S-ацетил-глутатион — первая по-настоящему биодоступная форма глутатиона, удаляющая свободные радикалы. S-ацетил-глутатион защищает ДНК от повреждений и играет решающую роль в энергообмене и оптимальном функционировании митохондрий (примечание 5 к главе 15). Он также способствует детоксикации печени, легких, почек и других органов (примечание 6 к главе 15). Дозировка составляет 1000 мг в день.

Пробиотики восстанавливают здоровую флору в кишечнике и облегчают пищеварение. Я покупаю исключительно полезные пробиотики из серии Active Detox, но вы можете использовать и другой высококачественный пробиотик. Принимайте по 10 капель, разведенных в воде. Пробиотики Active Detox можно заказать на сайте www.ascendedhealth.com. Следуйте дозировке, указанной на этикетке.

Кокосовое масло и масло ТСЦ — реактивное топливо для мозга. Принимайте по одной столовой ложке каждого вида масла утром и во второй половине дня.

Витамин B$_{12}$ необходим для детоксикации печени и сохранения интактной ДНК, что важно для роста клеток. У большинства американцев наблюдается дефицит B_{12}. Обязательно принимайте сублингвальный метилкобаламин, улучшенную версию B_{12}, которая быстро растворяется под языком. Дозировка составляет 2500 мкг в день.

Витамин C необходим для избавления от токсинов. Дозировка составляет 2000 мг в сутки.

Цинк незаменим для процессов детоксикации печени. По оценкам Всемирной организации здравоохранения, каждый третий человек испытывает дефицит цинка. Дозировка составляет 30 мг в сутки.

Вечер (через два часа после обеда)

Альфа-липоевая кислота помогает выводить токсины и тяжелые металлы, накопленные в тканях мозга. Дозировка составляет 600 мг в сутки.

Цитрат магния способствует дефекации, устранению отходов. Он также расслабляет мышцы. Дозировка составляет 1000 мг в сутки.

Природные слабительные препараты помогут вам поддерживать проходимость кишечника. Старайтесь освобождать кишечник не менее одного раза в день.

Чего следует ожидать

В течение первых двух или трех дней программы «Создаем новое тело», когда вы выводите токсины, нормальным явлением будут чувство усталости, тошнота и дискомфорт, газы в кишечнике, неприятный запах изо рта или головная боль. Пейте много воды — это поможет ускорить процесс выведения токсинов через почки. Часть этих веществ выходит через кожу, так что вы можете потеть больше обычного. В первые дни устраивайте себе дополнительный отдых. Удобно начинать программу в выходные.

Не удивляйтесь, если в первые пару дней вы почувствуете рассеянность и вам будет трудно собраться с мыслями. Токсины обычно хранятся в жировой ткани мозга, и сейчас он начинает выпускать их в кровоток, чтобы затем они вышли через кишечник.

Могут также появиться раздражительность и капризность. Физическая детоксикация имеет тенденцию высвобождать давно похороненные эмоции. Я убежден, что физические токсины связаны с эмоциональными ядами, и ваше тело будет усердно работать над устранением тех и других. Обращайте внимание на любые чувства или воспоминания, которые всплывают в течение этих дней, — вы можете вновь заметить старые раны. Постарайтесь не реагировать: сейчас не время принимать важные решения или спорить с другими из-за личных неурядиц. Не спеша проститесь со старыми чувствами, которые высвобождаются и уходят прочь. Они часто растворяются сами по себе по мере детоксикации тела.

Я рекомендую вести дневник и фиксировать в нем мысли и чувства, чтобы ваша раздражительность не сказывалась на окружающих. Документирование состояния ума поможет вам пересмотреть прошлые неприятности, которые в эти дни всплывают на поверхность. С помощью этого метода вы избавитесь от старых страданий и сумеете испытать чувство прощения. Скорее всего, через несколько дней, когда в голове прояснится, воспоминание о давних душевных болячках вызовет лишь улыбку.

После четвертого дня появится давно забытое растущее чувство ясности, и затуманенность сознания исчезнет (а вы и не думали, что у вас бывает затуманенность сознания). Настроение поднимется, пищеварение улучшится. Начнут исчезать незначительные болевые ощущения (и значительные тоже, если они были), и устранятся аллергические реакции.

Тело будет функционировать лучше, и вы сможете обнаружить, что стали меньше спать, но чувствуете себя более отдохнувшими.

Где-то между четвертым и пятым днем вы обнаружите у себя удивительно обильный стул и удивитесь, как это возможно, ведь вы очень мало едите. Причина в том, что тело выводит токсины, накопленные в клетках, и теперь они попадают в желудочно-кишечный тракт. Следите за тем, чтобы ваш кишечник опорожнялся ежедневно!

Примерно на пятый день вы заметите изменения в восприятии мира. Цвета будут казаться ярче, воздух — свежее, настроение — светлее, а жизнь — прекраснее. К седьмому дню в работу включится высший мозг, и вы обнаружите, что многие сложные вопросы растворяются сами по себе. Сахар в крови начнет стабилизироваться на здоровом уровне, и в значительной степени исчезнет тяга к еде. В ДНК заработают ранее неактивные программы, которые запустят производство стволовых клеток в каждом органе тела.

Мониторинг прогресса

Один из способов контролировать прогресс — отслеживание уровня глюкозы натощак. Вы можете делать это с помощью глюкометра, который продается в аптеках.

Проверяйте уровень сахара в крови утром до еды. Очень хорошее значение — от 75 до 90 мг/дл, а идеальное — ниже 85. В следующий раз стоит проверить уровень глюкозы непосредственно перед обедом, через два часа после утреннего смузи. Значение глюкозы должно быть не более чем на 40 единиц выше первоначального. Нормальным считается уровень глюкозы натощак в 105 мг/дл, однако во избежание диабета и деменции стремитесь к более низкому. Чтобы запустить гены SIRT-1 и создать новое тело, лучше всего добиться значения от 75 до 80 мг/дл[5].

Нужно иметь точное представление об изменении уровня глюкозы, поэтому ежедневно проверяйте уровень сахара в крови в течение нескольких дней перед началом программы «Создаем новое тело», во время и после нее. Также периодически измеряйте его, когда меняете диету, переходя на питание мозга жирами и растениями с большим количеством питательных веществ. Понижая уровень глюкозы, вы увеличиваете продолжительность здоровой жизни.

Режим «Создаем новое тело» снизит также уровень IGF-1, а с ним и ваши шансы на развитие рака и некоторых других заболеваний. Когда участники нашей программы сдают анализы крови, мы обнаруживаем, что всего за семь дней уровень IGF-1 у них падает на тридцать-пятьдесят процентов.

Кардиологические исследования в Институте сердца Межгорного медицинского центра в Солт-Лейк-Сити обнаружили, что голодание снижает риск развития диабета и ишемической болезни сердца — статистически это основные причины смерти жителей США. Даже суточное воздержание от пищи повышает уровень гормона роста (который восстанавливает организм и поддерживает метаболический баланс) на невероятные

---

[5]   75 мг/дл — 4,2 ммоль/л. 85 мг/дл — 4,7 ммоль/л. 90 мг/дл — 5,0 ммоль/д. 105 мг/дл — 5,8 ммоль/л (прим. ред.).

тысячу триста процентов у мужчин и две тысячи — у женщин (примечание 7 к главе 15). Во время программы «Создаем новое тело» вы будете ежедневно голодать с восемнадцати часов до следующего полудня.

Будьте терпеливы

Помните, что детоксикация и обновление тела — это процесс. Ваш лимбический мозг, король-тиран, наверняка восстанет против попыток свергнуть его с трона, богатого сахаром и дофамином, и отобрать рычаги управления вашими решениями, эмоциями и восприятием. Он попытается убедить вас, что никаких изменений все равно не происходит, так что незачем продолжать программу. Чем бы он ни оправдывал свои примитивные инстинкты — не слушайте его назойливых увещеваний!

Во время программы проявляйте терпение, прежде всего, к самим себе. Ваш кишечник не способен восстановиться без легкого дискомфорта, и за несколько дней невозможно полностью переломить вредные привычки, которым вы следовали много лет. Но польза даже от небольшого положительного изменения состоит в том, что очень скоро — как правило, в первые же пару дней, вы почувствуете себя намного лучше, и это побудит вас и в дальнейшем вести здоровый образ жизни.

Другие средства детоксикации: бани, сауны и механическая очистка кожи

Кожа — один из важнейших органов, участвующих в детоксикации. Вы можете ускорить процесс выведения токсинов с помощью детокс-ванн, саун или очистки кожи методом «браш».

Детокс-ванны стимулируют организм выводить токсины через кожу вместе с потом. Очень теплая вода вызовет потливость, и для облегчения процесса в теплую ванну можно добавлять соль Эпсома, которая на самом деле представляет собой не обычную поваренную соль, а сульфат магния. Магний поглощается организмом и помогает выводить токсины из тела и печени. Соль Эпсома способствует здоровому кровообращению и лучшему использованию кислорода и минеральных веществ, она также может снижать кровяное давление и уменьшать воспаление. В качестве дополнительного бонуса соль Эпсома расслабит ваши мышцы и снимет стресс.

Добавление эфирных масел в теплую ванну для детоксикации расслабит вас еще больше. Замечено, что аромат лавандового масла уменьшает мышечное напряжение. В ванну можно добавлять также пищевую соду, яблочный уксус или гималайскую соль, эти ингредиенты способствуют детоксикации кожи.

Оставайтесь в детокс-ванне около двадцати минут. Когда будете выходить из нее, будьте осторожны, чтобы не упасть: расслабленные мышцы не сразу адаптируются к движению.

Сауна тоже улучшает способность кожи к детоксикации. Обычная финская баня, в которой циркулирует сухой горячий воздух, вызывает у некоторых людей осложнения с дыханием и не так эффективна для детоксикации, как сауна дальнего инфракрасного диапазона. Здесь понятие «дальний» означает положение в самом конце светового спектра, а инфракрасные лучи дальнего диапазона в саунах такого типа фактически проникают под кожу на глубину примерно двух с половиной сантиметров, помогая высвобождать токсины, хранящиеся под эпидермисом.

Чистка кожи методом «браш» стимулирует кровообращение и тем самым способствует детоксикации. Такую чистку можно производить перед принятием детокс-ванны или непосредственно во время этой процедуры. Щеточку для чистки можно купить в специализированном магазине или через интернет. Ее необходимо регулярно промывать и полностью высушивать перед использованием.

Шаманские медитации

Врачи говорят, что мы — продукт генетики, и если ваши родные страдали от болезней сердца, то у вас есть факторы риска или предрасположенность к таким заболеваниям. Психологи уверяют, что мы — продукт нашего детства и семейных драм. Это правда, некоторые программы по умолчанию срабатывают и в наших любовных историях, и в историях болезни. Но все может быть и по-другому.

Ваша генетическая судьба определилась в момент вашего зачатия. В те самые мгновения, когда сперматозоид отца проник в яйцеклетку матери, вы получили от каждого из родителей по двадцать три хромосомы. У вас не было возможности выбрать себе здоровое сердце и разумный мозг — за вас это сделала природа. И как мы знаем, иногда ее выбор оставляет желать лучшего.

Во время квеста визионера, сидя в одиночестве на природе, вы можете на время вернуться к моменту зачатия и узнать, какие гены и качества вы унаследовали. Конечно, нельзя отправиться в прошлое и увидеть все, что было до нашего рождения. Однако есть упражнение, которое поможет вам повторить процесс экспрессии генов и выбрать хорошее сердце, крепкие кости и здоровый мозг. Нет необходимости верить в путешествия во времени, чтобы заработала эта мощная визуализация. Достаточно быть открытыми для нового опыта и понимать, что визуализация может улучшить не только спортивные результаты, но и само здоровье. Очень важно также простить своих родителей за любые проступки, которые они якобы совершили по отношению к вам, и за любой вред, который они вам якобы причинили.

Это необходимо для создания нового тела, и если мы носим в себе остаточный гнев или обиду на родителей, мы становимся жертвой их генетических «подписей».

Путешествие в прошлое можно записать на диктофон (сегодня в каждом телефоне есть такая опция), а затем прослушать запись, находясь на природе.

Упражнение
Возвращение души на природе во время квеста визионера
Техника возвращения души поможет нам избавиться от ограничивающих убеждений, травмирующих переживаний и отживших неприятных историй из детства и отрочества. Вернувшись к своему подлинному «я», вы сможете лучше служить биологическому процессу создания нового тела.

Закройте глаза и сделайте несколько глубоких расслабляющих вдохов и выдохов. Считайте вдохи от одного до десяти, а затем от десяти до одного и так далее, пока не почувствуете, что погружаетесь в состояние глубокой расслабленности.

А теперь представьте хронологию событий вашей жизни — она возникает перед вами, как на киноэкране. Она может выглядеть как золотая нить с множеством бусин или моментов времени. Можно также просто видеть дорогу, направленную из прошлого в будущее.

Представьте, что вы можете перемещаться по своей шкале времени, в общих чертах вспоминая события последних нескольких дней. Шагайте дальше в прошлое, на несколько недель и месяцев назад, а затем и на несколько лет, вплоть до детства и до самых ранних детских воспоминаний. Смотрите на образы так, будто видите фильм, который можете по желанию перемотать вперед или назад.

Если события или ситуации больше не вспоминаются, используйте воображение. Представьте себя младенцем на руках у матери. Представьте, что находитесь в ее чреве. Представьте себе момент зачатия, когда яйцеклетка матери окружена многочисленными сперматозоидами отца и все они пытаются ее оплодотворить.

Представьте себя сидящим внутри этой светящейся яйцеклетки. В этом пузыре очень спокойно. Знайте, что вы наполняете его своим безмятежным сиянием. А теперь обратите внимание на ослепительный свет, возникающий в момент зачатия. Представьте себе, как яйцеклетка приглашает для оплодотворения самый лучший из всех сперматозоидов. Он входит в нее, и вы становитесь свидетелем самой необычайной алхимии — вашего зачатия.

Ядра сперматозоида и яйцеклетки растворяются друг в друге; сливаются молекулы ДНК вашего отца и матери. В мгновение ока яйцеклетка делится и образует две крошечные идентичные клетки. Они начинают дублироваться, удваиваться, делиться на четыре — и затем число их копий возрастает экспоненциально и с необычайной скоростью.

Наблюдая за этим удивительным процессом, вы твердо придерживаетесь своего намерения — призываете лучшие качества предков. Мужество бабушек, силу всех родственниц отца. Мудрость дедушки, который в свои девяносто лет обладал совершенно ясным умом. Вы омываете эти зарождающиеся клетки своим великим покоем, уравновешенностью и светом. Вы наполняете этот святой союз — самого себя, любовью и прощением, независимо от обстоятельств зачатия.

И тогда вы прощаете своих родителей. Вы видите их святыми, славными, невиновными существами. Вы омываете их своей любовью, зная, что все хорошо.

Теперь продвигайтесь по оси времени, рассматривая детство и задерживаясь на любом серьезно травмирующем событии. Заметьте, кто вас напугал, и обратитесь к нему или к ней, чтобы этот человек знал, что все будет хорошо, его любят и о нем заботятся. Обратите внимание на то, как он узнает вас, когда вы возвращаетесь из будущего и устанавливаете зрительный контакт, чтобы ободрить этого человека своей любовью. Продолжайте продвигаться к настоящему, привнося с собой в «здесь и сейчас» чувства покоя и сияния, радость и восторг, невинность и игривость, способность доверять и веселиться.

Скажите себе: «Добро пожаловать домой».

Создание новой героической истории жизни

У нас есть две главные великие истории, которые определяют нашу судьбу. Одна записана в нашем коде ДНК и велит жить, болеть и умирать так, как это делали наши родители. Другую историю мы рассказываем себе и другим — она о том, кто мы, откуда пришли и куда направляемся.

Следующее упражнение покажет вам, как стать автором более креативной и мощной истории, которая определит ваш жизненный путь.

Упражнение
История вашей жизни

Напишите одностраничную сказку, которая начинается словами «Как-то раз...»

Пусть в ней будут как минимум три персонажа: принцесса или принц, воин и дракон. Если вам кажется, что это звучит по-детски, разрешите себе немного побыть ребенком.

Прочитайте рассказ вслух другу или партнеру и подумайте над сюжетом. Какой это жанр: приключения, романтика, драма или сказка о поисках любви и удачи? Кто главный герой: принцесса, дракон или другой персонаж?

Теперь смените время с прошлого на настоящее и возьмите на себя все действия каждого персонажа. Например, у вас было написано: «Поэтому принц покинул отца, чтобы уплыть за море и увидеть дальние страны», — а сейчас вы пишете: «Поэтому я покидаю отца...»

Обратите внимание на то, как меняются тон и смысл истории. Как все герои наших сновидений служат зеркалом, отражающим какие-то аспекты нас самих, так и здесь все персонажи сказки представляют ваши качества. Наблюдайте за испытаниями и препятствиями, с которыми вы сталкиваетесь, и за тем, как вам удается или не удается их преодолеть.

Теперь перепишите историю, выступив в роли героини или героя, который отправляется в путешествие в поисках невидимых сокровищ. Например, раньше вы были принцессой, которая бросила семью, когда замок ее отца находился в осаде. Теперь вы — девушка, которая следует зову сердца и пускается исследовать мир, чтобы найти цель всей своей жизни, добыть мудрость и взойти на королевский трон.

Затем прочитайте переписанную историю как притчу. Отождествляйтесь со всеми уроками и подарками, полученными в сказке, так, будто они достались вам в реальной жизни.

Помните, что мы — это наши истории. Сказки, в которые мы верим, обретают плоть и кровь. Когда станете автором новой, более значимой истории, представьте себе, как ваш мозг прокладывает новые пути для здоровья, радости, долголетия, внутреннего покоя и просветления.

ГЛАВА 16

ОПРОСНИК ДЛЯ ПРОГРАММЫ «СОЗДАЕМ НОВОЕ ТЕЛО»

Этот опросник составлен на основе разработок доктора Марка Хаймана и с его разрешения используется в нашей программе детоксикации.

Вспомните и оцените по шкале от 0 до 4 свои симптомы, которые вы наблюдали в прошлом месяце. Оцените свое состояние до и после завершения программы «Создаем новое тело».

Шкала баллов

0 = не испытывал никогда или почти никогда.

1 = иногда, в легкой форме.

2 = иногда, в тяжелой форме.

3 = часто, в легкой форме.

4 = часто, в тяжелой форме.

Голова

_____ головные боли   _____ головокружение

_____ обмороки   *Сумма* _____

Мозг

_____ Плохая память   _____ Невнятная речь

_____ Затуманенность   _____ Забывчивость
сознания

_____ Плохая концентрация   _____ Неспособность к обучению

_____ Плохая координация   *Сумма* _____

Рот/горло

_____ Хронический кашель   _____ Боль в горле, потеря голоса

_____ Постоянное откашливание   _____ Отеки языка и десен

_____ Язвы в полости рта   *Сумма* _____

Глаза

_____ Слезящиеся глаза, зуд   _____ Мешки, круги под глазами

_____ Отеки, покраснения глаз   *Сумма* _____

Нос

_____ Заложенный нос   _____ Приступы чихания

_____ Отек придаточных пазух   _____ Избыток слизи

_____ Сенная лихорадка   _____ Частые простуды

          Сумма _____

Уши

_____ Зуд в ушах

_____ Боли, ушные инфекции

_____ Выделения из ушей

_____ Звон в ушах, потеря слуха

Сумма _____

Пищеварение

_____ Тошнота или рвота

_____ Рефлюкс

_____ Диарея

_____ Запор

_____ Ощущение вздутия живота

_____ Отрыжка или газы

_____ Изжога

_____ Кишечная / желудочная боль

Сумма _____

Легкие

_____ Грудная гиперемия

_____ Астма, бронхит

_____ Затрудненное дыхание

_____ Одышка

Сумма _____

Кожа

_____ Прыщи

_____ Сыпь, сухость кожи

_____ Выпадение волос

_____ Приливы жара к лицу

_____ Чрезмерное потоотделение

Сумма _____

Суставы и мышцы

_____ Боль

_____ Артрит

_____ Скованность

_____ Ограничение подвижности

_____ Слабость
или утомляемость

_____ Упадок сил

Сумма _____

Вес

_____ Излишества в еде
или напитках

_____ Тяга к сладкому

_____ Общая тяга к еде

_____ Компульсивное
переедание

_____ Задержка воды

_____ Отсутствие аппетита

Сумма _____

Эмоции

_____ Перепады настроения

_____ Тревога, страх,
нервозность

_____ Гнев, раздражительность

_____ Депрессия

_____ Нерешительность

_____ Навязчивые мысли

Сумма _____

Сердце

_____ Аритмия

_____ Боль в груди

_____ Высокое
артериальное давление

_____ Учащенное сердцебиение

Сумма _____

Сон

_____ Бессонница

_____ Метание
и переворачивание

_____ Трудности с засыпанием

_____ Ночные кошмары

_____ Ночные пробуждения

_____ Трудности с пробуждением

Сумма _____

Энергия/активность

_____ Усталость /
медлительность

_____ Гиперактивность

_____ Апатия

_____ Ажитация

Сумма _____

Общий итог _____

В строке «_Сумма_» запишите сумму баллов по всем симптомам в данной группе. Затем сложите все суммы, чтобы получить _общий итог_.

Оценка общего итога:

- Оптимально: менее 10.
- Легкая токсичность: 10–50.
- Умеренная токсичность: 50–100.
- Тяжелая токсичность: более 100.

ГЛАВА 17

РЕЦЕПТЫ ДЛЯ ВНУТРЕННЕГО ИСЦЕЛЕНИЯ

Миру не нужна очередная поваренная книга. Есть десятки способов приготовить смузи, и вы наверняка уже нашли тот, который вам больше всего нравится. В этой главе перечисляются рецепты блюд, которые в этой книге уже упоминались, — это лишь базовые идеи, и вы можете улучшать их по своему усмотрению. Добавляйте свои любимые ингредиенты, чтобы блюдо стало по-настоящему вашим и доставляло удовольствие.

Эти изысканные рецепты были разработаны в нашем Центре энергетической медицины в Чили, где готовят еду повара мирового класса. Но помните, что программа «Создаем новое тело» — это не приглашение на банкет. Она должна тонко воздействовать на организм, чтобы вызвать его творческую реакцию — переход в режим обновления и регенерации.

Это не ужин в вашем любимом итальянском ресторане. Эта программа имитирует голодание, но при этом предоставляет достаточное количество питательных веществ для организма.

Сахаромицеты буларди домашнего приготовления

Вырастить собственный штамм пробиотика сахаромицеты буларди, который поможет вам значительно сократить кишечную популяцию грибков Candida, — очень простая задача. Сахаромицеты буларди — это живые организмы, и они будут реагировать на ваши мысли и чувства. Мне нравится произносить над ними благословение, как будто я читаю молитву перед едой.

Приготовив порцию сахаромицетов, можно оставить одну столовую ложку этого вещества в качестве закваски для следующей порции. Вот алгоритм приготовления:

- Соберите примерно четыре стакана спелых фруктов из собственного сада или продуктового магазина. Лучше всего подойдут богатые сахаром перезрелые груши или манго, которые продавец вот-вот уберет с прилавка, а также замороженные ягоды. Я люблю использовать чернику или малину, но они должны быть очень спелыми. Можно взять и яблоки, но не срезайте с них кожицу.
- Смешайте фрукты в блендере с одним стаканом родниковой воды.
- В течение двадцати минут варите фруктово-водную смесь на медленном огне.
- Остудите смесь до температуры тела. Затем добавьте содержимое двух желатиновых капсул сахаромицетов буларди. Позаботьтесь о том, чтобы препарат был самого высокого качества. Я сам предпочитаю марки Klaire Labs и Pure Encapsulations.

- Перелейте смесь в большую миску. По мере брожения смесь будет увеличиваться в объеме, поэтому в начале миска должна быть как минимум наполовину пустой.

- Поставьте все в духовку, но не включайте ее. Тепло от освещения духовки — это все, что нужно для поддержания умеренной температуры в течение следующих двух или трех дней.

- Наблюдайте за тем, как смесь растет и бродит, превращаясь в сильнодействующее лекарство!

Через два-три дня сахаромицеты буларди переработают весь сахар в плодах. Можно попробовать смесь на второй день. Если в ней не осталось сладкого привкуса, то она готова. Поставьте миску в холодильник и в течение двух недель до начала программы «Создаем новое тело» принимайте ежедневно по одной столовой ложке перед завтраком, а по окончании программы — по мере необходимости. Благодаря незначительному содержанию спирта одна порция сахаромицетов буларди может две недели храниться в холодильнике.

Завтрак

Сок «Зеленая богиня»
2 порции

Для приготовления этого необычного сока я использую соковыжималку Omega, потому что обычный блендер превратит его в смузи. Здесь меня интересуют фитонутриенты, а не клетчатка: ее я получу из смузи двумя часами позже.

Этому восхитительному напитку шпинат придает мягкость, кейл — пикантный привкус, лимон и имбирь — остроту, а огурец добавляет обилие минеральных веществ.

1 стакан листьев шпината

1 стакан листьев капусты кейл

¼ зеленого яблока без сердцевины

1 небольшая горстка листьев и стеблей петрушки

1 средний огурец

Ломтик свежего имбиря толщиной около сантиметра

Половинка лимона средней величины

Измельчите все ингредиенты, чтобы они легко поместились в соковыжималку. Срежьте кожуру с лимона, оставив мякоть. Разрежьте лимон на четвертинки. Отожмите сок из всех ингредиентов и в последнюю очередь добавьте лимон по вкусу.

Если вкус имбиря для вас слишком непривычен, добавьте вначале немного и постепенно увеличивайте дозу.

Зеленый смузи

2 порции

½ стакана шпината

½ стакана капусты кейл

1 очищенный огурец

1 очищенный и нарезанный лимон (или половинка лимона, по вкусу)

2 ломтика свежего имбиря толщиной около сантиметра

1 горсть листьев мяты

½ зеленого яблока без сердцевины

2 стакана отфильтрованной воды

1 столовая ложка масла ТСЦ

1 столовая ложка кокосового масла

1 маленький спелый авокадо без косточки и кожи

Смешайте в блендере шпинат, кейл, огурец, лимон, имбирь, мяту, яблоко и воду. В конце добавьте авокадо и масла, перемешайте. Это очень мощная смесь. Если вкус будет слишком сильным, добавьте больше огурца.

Вариация: воду можно заменить стаканом домашнего миндального молока. Чтобы приготовить миндальное молоко, замочите в чистой воде на ночь примерно 12 сырых орехов миндаля, а утром смешайте их в блендере с одним стаканом воды до однородного состояния.

Утренний бульон
6 порций

2 нарезанные морковки

1 большая нарезанная луковица

1 стакан корня и зелени дайкона

1 стакан зимней тыквы, нарезанной кубиками

1 стакан репы

2 стакана нарезанной зелени (кейл, листья свеклы или мангольда)

4 стебля сельдерея

1 стакан морской капусты

1 стакан кочанной капусты

1 стакан свежих или сушеных грибов шиитаке

Морская соль по вкусу

Вскипятите два литра воды в большой суповой кастрюле. Добавьте все ингредиенты. Накройте крышкой и двадцать минут кипятите на слабом огне, затем уменьшите огонь и варите еще час. Процедите и наслаждайтесь.

После охлаждения бульон можно хранить в стеклянных контейнерах в холодильнике в течение недели.

Обед

Во время семидневной программы «Создаем новое тело» у вас, несомненно, будут деловые встречи за обеденным столом. Прежде всего, во время таких мероприятий не ешьте хлеб. Заказывайте салат или свежие сезонные овощи, приготовленные на гриле. Выбирайте рестораны, в которых готовят свежие, органические, местные продукты, и вам будет легко оставаться в рамках нашей программы.

Домашний салат-бар

Салат-бар — прекрасный вариант обеда, если вы внимательно подходите к покупке и приготовлению продуктов. Ингредиенты салат-бара, не нуждающиеся в охлаждении, я храню в стеклянных банках, а остальные — в герметичных пакетах в холодильнике.

Можно нарезать овощи на порционные кусочки и изготовить обеденный салат еще утром, перед выходом на работу. Каждый день выбирайте разные варианты, укладывайте салаты в вакуумные контейнеры и на работе храните их в холодильнике.

Не забудьте использовать зелень в качестве основы, добавляя овощи, жиры и белки.

Овощи	
Артишоки	Травы — душица, кинза, базилик и укроп по вкусу
Брокколи	Спаржа на пару
Зеленый лук	Грибы (вареные)
Стручковый горошек	Вяленые помидоры
Огурцы	Редис
Ростки (можно самостоятельно прорастить дома фасоль)	Цукини
Зелень	
Рукола	Кейл
Смесь молодой зелени	Шпинат
Жиры и белки	
Авокадо или гуакамоле (сколько хотите)	Семена: тыква, подсолнечник, чиа, конопля, кунжут и т. д.
Соус тапенада на оливковом масле	Орехи: кешью, миндаль, грецкие орехи и т. д.
Хумус	Соус тапенада с использованием грецких орехов
Приправы и соусы	
Гуакамоле	Кейл
Заправка для салата	Шпинат

Приправы и соусы

Заправка для салата
6 порций

½ стакана оливкового масла

¼ стакана лимонного сока

2 столовые ложки нарезанной свежей зелени (петрушка, эстрагон, зеленый лук, базилик, кинза, орегано)

1 чайная ложка дижонской горчицы

Смешайте все ингредиенты или взбейте их вместе в небольшом блендере.

Гуакамоле
От 4 до 6 порций

2 спелых авокадо сорта Хасс

1 чайная ложка гималайской или морской соли

3 столовые ложки свежего лимонного сока

1/4 стакана рубленого красного лука

2 столовые ложки мелко нарезанных листьев кинзы

Щепотка свежемолотого черного перца

2 зубчика чеснока

Щепотка паприки

1 вяленый помидор, размоченный в воде (или больше, по вкусу)

Разрежьте авокадо пополам и удалите косточки. Извлеките мякоть ложкой. Используя вилку, разомните авокадо. Добавьте соль и лимонный сок.

Замочите измельченный красный лук в холодной воде с небольшим количеством соли на десять минут, затем слейте воду. Это уменьшит остроту лука.

В пюре из авокадо добавьте лук, кинзу, черный перец, мелко нарезанный чеснок и паприку.

Нарежьте вяленые помидоры и добавьте их в гуакамоле непосредственно перед подачей на стол.

Хумус
4 порции

2 стакана горошка нут

3 зубчика чеснока

⅓ стакана тахини

От 4 до 8 капель острого соуса

1 большой лимон, только сок

От 2 до 4 столовых ложек отфильтрованной воды

1 чайная ложка гималайской или морской соли

2 столовые ложки оливкового масла холодного отжима

¼ чайной ложки паприки

Если вы используете консервированный нут: промойте нут и слейте воду. Полностью нагрейте нут в кастрюле на среднем огне. Пересыпьте в блендер или кухонный комбайн. Добавьте мелко нарезанный чеснок, тахини, острый соус, лимонный сок и две столовые ложки воды. Мешайте в блендере, пока хумус не превратится в пюре, по мере необходимости добавляя воду.

Добавьте гималайскую соль по вкусу. Поместите в сервировочную миску, залейте оливковым маслом и посыпьте паприкой.

Хумус можно хранить в закрытой посуде в холодильнике в течение пяти дней.

Если вы используете сырой нут: замачивайте нут в большом количестве воды в течение четырех часов, потом промойте. Положите в кастрюлю 1/4 луковицы, один зубчик чеснока, немного паприки, порошка куркумы и черного перца, а также веточку сельдерея, залейте холодной водой и поставьте на огонь. Когда смесь закипит, снимите пену ложкой. Готовьте на среднем огне, пока нут не станет мягким.

Оливковый соус тапенада
6 порций

Мне нравится использовать для этого вкусного соуса тапенада маслины каламата, но это хорошая возможность попробовать и другие маслины с рынка. Обычно берутся черные маслины из рассола.

Полтора стакана маслин без косточек

¼ стакана каперсов

2 чайные ложки рубленой петрушки

2 зубчика чеснока

Сок из 2 лимонов

1 чайная ложка черного перца

1 чайная ложка пасты из анчоусов (по желанию)

¼ стакана оливкового масла

Гималайская соль по вкусу

Поместите в блендер маслины, каперсы, петрушку, мелко нарезанный чеснок, лимонный сок, черный перец и (если хотите) пасту из анчоусов. Мешайте до грубого измельчения.

Добавьте оливковое масло и перемешивайте в том же блендере, пока не образуется крупнозернистая паста. Следите за тем, чтобы оливки не превратились в пюре, а остались в виде мелких кусочков. Добавьте соль по вкусу.

Тапенада с использованием грецкого ореха

6 порций

¼ стакана вяленых помидоров

1 чашка грецких орехов, обжаренных в духовке в течение десяти минут при температуре 180 °C

¼ стакана свежей петрушки

2 зубчика чеснока

¼ чайной ложки соли

¼ чайной ложки молотого черного перца

½ стакана оливкового масла

1 или 2 стакана маслин каламата (по желанию)

Положите вяленые помидоры в кипящую воду на десять минут, а затем слейте воду.

Поместите все ингредиенты в блендер и смешивайте до тех пор, пока они как следует не перемешаются, сохранив при этом крупнозернистую консистенцию.

Попробуйте и приправьте солью и перцем по мере необходимости.

Тапенада может одну неделю храниться в холодильнике.

Супы

Суп из обжаренной мускатной тыквы

6 порций

Этот суп, богатый калием, способствует профилактике потери костной массы. Кроме того, он необычайно вкусный.

1 большая мускатная тыква без семян, разрезанная вертикально пополам

2 столовые ложки кокосового масла

¾ чайной ложки соли

¾ чайной ложки свежемолотого черного перца (или по вкусу)

½ стакана нарезанного лука-шалота

4 зубчика чеснока

¼ чайной ложки молотого мускатного ореха

3 стакана органического овощного бульона

2 столовые ложки оливкового масла холодного отжима

Разогрейте духовку до 220 °C. Положите тыкву на сковороду. Смажьте внутреннюю поверхность тыквы кокосовым маслом (одна столовая ложка). Посыпьте солью и перцем.

Обжаривайте тыкву, пока она не станет мягкой, то есть около сорока пяти минут.

Положите тыкву на разделочную доску и дайте остыть в течение десяти минут, затем выньте мякоть, переложите ее в миску и выбросьте кожуру.

Нагрейте оставшуюся одну столовую ложку кокосового масла в сковороде на среднем огне, добавьте нарезанный лук-шалот и ¼ чайной ложки соли. Обжаривайте четыре минуты, помешивая, пока лук-шалот не станет золотистым, затем добавьте нарезанный чеснок и обжаривайте, помешивая, еще примерно одну минуту.

Поместите приготовленный чеснок и лук-шалот в высокоскоростной блендер. Осторожно добавьте мякоть тыквы, мускатный орех и ¼ чайной ложки черного перца, и смешайте с овощным бульоном до кремообразного состояния.

Перелейте суп в кастрюлю и варите на среднем огне десять минут. Каждую порцию приправьте оливковым маслом и черным перцем.

Овощной суп «Лос-Лобос»

6 порций

Это наш основной, несложный повседневный рецепт. Зимой я добавляю в этот суп немного копченой паприки. Хороший суп обретает наилучший вкус на следующий день после приготовления и еще два-три дня может стоять в холодильнике. Используйте свежие и сезонные ингредиенты.

1 столовая ложка кокосового масла

2 стакана нарезанного лука

8 зубчиков чеснока

1 большая морковь, нарезанная кубиками

¼ чайной ложки свежемолотого черного перца

2 лавровых листа

6 стаканов отфильтрованной воды

1 измельченный стебель сельдерея

1 стакан нарезанной капусты

200 граммов свежих нарезанных грибов

2 чайные ложки соли

Полтора стакана томатного сока или 3/4 стакана томатной пасты

1 среднеспелый помидор, нарезанный кубиками

6 луковиц, пропущенных через мясорубку

1 средний цукини, нарезанный кубиками

1 горсть шпината

По одной щепотке сушеного базилика, укропа и тимьяна

Кокосовое масло положите в большую кастрюлю, добавьте лук, нарезанный чеснок, морковь, перец и один лавровый лист, и жарьте тридцать секунд на среднем огне. Добавьте шесть стаканов воды, накройте крышкой, кипятите в течение двадцать минут на среднем огне, затем добавьте оставшиеся ингредиенты. Варите на медленном огне в течение часа. Остудите и подавайте.

Густой суп из авокадо

6 порций

Этот холодный суп, богатый хорошими жирами, отлично подходит для теплых дней. Преимущество этого супа в том, что он не проходит термическую обработку и потому сохраняет все ферменты и витамины.

4 очищенных и мелко нарезанных огурца без семян

3 спелых авокадо сорта Хасс без кожи и косточек

½ стакана свежей нарезанной кинзы

¼ стакана свежего лимонного сока

½ чайной ложки копченой паприки

½ стакана отфильтрованной воды

¼ чайной ложки соли

½ красного перца, нарезать полосками для гарнира

Поместите огурцы, авокадо, кинзу, лимонный сок, паприку, воду и соль в высокоскоростной блендер и обрабатывайте до получения однородной консистенции. Добавьте специи по вкусу. Поместите в холодильник минимум на час перед подачей на стол. Разлейте суп по тарелкам и украсьте каждую порцию полоской болгарского перца.

Гарниры и ужин

Здесь приводятся ингредиенты и рецепты для ужина. Превратите ужин в торжественное событие, даже если едите в одиночку. Помните, что вы питаете свое тело и душу. Зажгите свечу, красиво накройте стол и помните, что праздник — это качество, а не количество!

Брюссельская капуста быстрой обжарки
6 порций

Должен признать, что раньше я не любил брюссельскую капусту — собственно, до тех пор, пока не попробовал вариант этого рецепта в ресторане True Food Kitchen в Лос-Анджелесе. Секрет в том, чтобы использовать маленькие, свежие, молодые кочанчики и не пережаривать их. Брюссельская капуста в изобилии содержит активаторы Nrf2 и противовоспалительные фитонутриенты.

Полторы чайные ложки кокосового масла

600 граммов маленьких кочанчиков брюссельской капусты, нарезанных пополам

3 зубчика чеснока

¼ стакана отфильтрованной воды

2 чайные ложки свежевыжатого лимонного сока

½ чайной ложки свежей тертой цедры лимона

¼ чайной ложки гималайской соли

¼ чайной ложки свежемолотого черного перца

Поставьте сковороду на сильный огонь и нагревайте кокосовое масло, пока оно полностью не растает. Добавьте брюссельскую капусту и мелко нарезанный чеснок. Обжаривайте в течение одной минуты, пока овощи не подрумянятся. Осторожно добавьте воду, перемешайте и тушите в течение двух минут под крышкой. Снимите крышку и добавьте лимонный сок, цедру лимона, соль и перец. Продолжайте готовить еще семь или восемь минут. Подавайте кочанчики горячими.

Паста из цукини

2 порции

2 цукини без кожицы

1 столовая ложка кокосового масла

2 зубчика чеснока

¼ стакана отфильтрованной воды

¼ чайной ложки гималайской соли

Свежемолотый черный перец по вкусу

Оливковое масло в качестве приправы

С помощью овощечистки нарежьте цукини «в лапшу» — тонкими полосками вдоль всей длины, не трогая семена.

Кокосовое масло нагрейте в сковороде на среднем огне, добавьте цукини и мелко нарезанный чеснок, перемешивайте в течение одной минуты. Понемногу добавляйте воду и продолжайте тушить пять-семь минут, пока кабачок не станет мягким и вся вода не испарится.

Приправьте солью и перцем, сверху полейте оливковым маслом. Добавьте свой любимый соус песто или тапенада по вкусу. Подавайте овощи горячими.

Спаржа на гриле

2 порции

400 граммов свежей спаржи

2 столовые ложки кокосового масла

¼ чайной ложки соли

¼ чайной ложки свежемолотого перца

2 столовые ложки оливкового масла

Разогрейте духовку до 220 °C. Положите спаржу в кастрюлю и сбрызните кокосовым маслом. Добавьте соль и перец. Выпекайте в разогретой духовке до готовности, примерно двенадцать — пятнадцать минут. Перед тем как подать на стол, добавьте оливковое масло.

Брокколи на пару

2 порции

1 пучок брокколи (около 300 граммов)

1 зубчик чеснока

Полторы столовые ложки оливкового масла

Полторы чайные ложки свежего лимонного сока

Соль по вкусу

Перец по вкусу

Нарежьте брокколи на порционные кусочки. Варите в пароварке, под крышкой, от четырех до пяти минут, пока овощи не станут мягкими.

Пока готовится брокколи, смешайте мелко нарезанный чеснок с оливковым маслом, лимонным соком, солью и перцем в небольшой сковороде. Жарьте на среднем огне две-три минуты. Следите за тем, чтобы оливковое масло не подгорало. Перемешайте брокколи с чесночной смесью и подавайте к столу.

Идеальное киноа

6 порций

1 стакан киноа

Полтора стакана отфильтрованной воды

2 капсулы сахаромицетов буларди (или 1 столовая ложка их домашнего приготовления)

¼ чайной ложки соли

1 столовая ложка оливкового масла

Промывайте киноа в дуршлаге с мелкой сеткой под струей холодной воды не менее тридцати секунд, пока не смоется вся пена. Всыпьте в кастрюлю с теплой водой и добавьте сахаро-мицеты буларди. Накройте крышкой и оставьте на ночь. Сахаромицеты нейтрализуют антипитательные вещества в киноа и превращают эту крупу в суперфуд.

Спустя двадцать четыре часа доведите киноа до кипения на среднем огне, затем уменьшите огонь и продолжайте варить около десяти минут, пока киноа не впитает всю воду. Снимите с огня и накройте кастрюлю крышкой на пять минут.

Взбейте киноа вилкой. Добавьте соль по вкусу. Подавайте с небольшим количеством оливкового масла.

В холодильнике готовое киноа может храниться до четырех дней.

Овощи быстрой обжарки
2 порции

 1 столовая ложка кокосового масла

 1 средняя луковица, нарезанная тонкими ломтиками

 Половинка красного перца, нарезанная полосками

 ¼ стакана моркови, нарезанной по диагонали

 ½ стакана соцветий брокколи

 ¼ стакана тонко нарезанного цукини

 ¼ стакана стручкового горошка

 1 чайная ложка кунжутного масла

 1 столовая ложка соевого соуса

 4 зубчика чеснока

 2 ломтика имбиря толщиной около сантиметра

Нагрейте кокосовое масло в воке или неглубокой сковороде на среднем огне. Добавьте лук, сладкий перец и морковь и жарьте в течение двух минут. Добавьте оставшиеся овощи и обжаривайте пять-семь минут или до готовности.

Добавьте кунжутное масло, соевый соус, мелко нарезанный чеснок и имбирь. Хорошо перемешайте и жарьте в течение двух минут.

План вашего ужина
День 1
Овощной суп «Лос-Лобос»
1 столовая ложка соуса тапенада с использованием грецких орехов
4 стебля сельдерея (в качестве ложки для соуса тапенада)
Спаржа на гриле
День 2
Густой суп из авокадо
Брюссельская капуста быстрой обжарки
1 столовая ложка оливкового тапенада
1 столовая ложка хумуса
4 стебля сельдерея (в качестве ложки для соуса тапенада и хумуса)
День 3
Салат из смешанной зелени (из вашего домашнего салат-бара)
Овощи быстрой обжарки
Идеальное киноа (всего полстакана) с добавлением оливкового масла
1 столовая ложка соуса тапенада на оливковом масле
День 4
Густой суп из авокадо
Брокколи на пару
1 столовая ложка соуса тапенада на основе грецких орехов

4 стебля сельдерея (в качестве ложки для соуса тапенада)

День 5

Суп из жареной тыквы

Брюссельская капуста быстрой обжарки

1 столовая ложка соуса тапенада на основе грецких орехов

День 6

Овощной суп «Лос-Лобос»

Овощи быстрой обжарки

Жареная спаржа

2 столовые ложки хумуса

4 стебля сельдерея (в качестве ложки для хумуса)

День 7

Суп из жареной тыквы

Брокколи на пару

1 столовая ложка соуса тапенада на оливковом масле

1 столовая ложка соуса тапенада на основе грецких орехов

4 стебля сельдерея (в качестве ложки для соуса тапенада)

После программы «Создаем новое тело»

Во время семидневной программы «Создаем новое тело» вы будете соблюдать диету с пониженной калорийностью и низким содержанием белков. В результате сигнализация mTOR резко уменьшится, и тело перейдет в режим обновления и регенерации.

Теперь вы можете ввести хорошую порцию белка — например, блюдо из рыбы или яиц пашот, чтобы активизировать mTOR и начать наращивать мышцы.

Палтус на гриле в соусе из авокадо

2 порции

Это одно из моих любимых рыбных блюд. Попробуйте его на следующий день после окончания программы, чтобы увеличить потребление белка. Палтус — это нежная рыба, которую очень хорошо готовить на гриле. Вы также можете запечь его в духовке.

Для рыбы:

Два стейка из палтуса по 230 граммов каждый

1 чайная ложка гималайской соли

½ чайной ложки молотого черного перца

Для соуса из авокадо:

1 спелый авокадо, очищенный и без косточек

¼ стакана воды или миндального молока

¼ стакана лимонного сока

1 столовая ложка нарезанного зеленого лука

1 столовая ложка кокосового масла

1 лимон, разрезанный пополам

Кинза для украшения блюда

¼ чайной ложки копченой паприки, плюс щепотка для украшения блюда

¼ чайной ложки гималайской соли

¼ чайной ложки свежемолотого черного перца

Разогрейте гриль на среднем огне, около 165 °C. Щедро приправьте рыбу солью и перцем, слегка смажьте стейки кокосовым маслом. Обжаривайте каждую сторону на гриле четыре-пять минут, пока мясо палтуса не начнет отслаиваться.

Пока рыба запекается, приготовьте соус из авокадо.

Смешайте в блендере авокадо, воду (или миндальное молоко), лимонный сок, зеленый лук, паприку, соль и перец до однородной массы. Если пюре слишком густое, добавьте больше воды или миндального молока.

Сделайте подложку из соуса авокадо и сверху положите жареный палтус. Украсьте свежей кинзой и ломтиками лимона, посыпьте рыбу щепоткой паприки.

Подавайте с жареной спаржей, брокколи на пару или брюссельской капустой.

Яйца пашот с авокадо и мангольдом
2 порции

Яйца пашот — великолепный способ приготовить яйца, не подвергая их воздействию высоких температур, из-за которых легко могут разрушиться многие питательные вещества.

2 столовые ложки яблочного уксуса

¼ чайной ложки морской соли

2 органических яйца

1 столовая ложка кокосового масла

2 листа мангольда

2 зубчика чеснока, нарезанные тонкими ломтиками

2 листа капусты кейл

¼ чайной ложки черного перца

1 авокадо, нарезанный ломтиками

1 столовая ложка нарезанных листьев петрушки

1 столовая ложка масла ТСЦ

Вскипятите в кастрюле воду, ее уровень должен быть выше пяти сантиметров. Влейте в воду уксус. Добавьте щепотку соли, а затем уменьшите огонь до медленного. По-мешайте кипящую воду ложкой, чтобы создать небольшой водоворот. Разбейте яйцо в чашку и аккуратно вылейте его в кипящую воду. Проделайте то же самое со вторым яйцом.

Положите кокосовое масло, мангольд, чеснок и капусту в сковороду и варите на среднем огне три минуты. Можно добавить несколько капель воды и накрыть крышкой.

Подавайте с ломтиками авокадо, черным перцем и рубленой петрушкой. Сбрызните маслом ТСЦ.

ГЛАВА 18

ВАШ ПЛАН ДОЛГОЛЕТИЯ: ПРОФИЛАКТИКА НА ПРАКТИКЕ

Чтобы продолжительность вашей жизни сравнялась с продолжительностью здоровья, необходимо вмешательство главным образом на двух уровнях — пищевом и духовном. Здесь многое определяют продукты, которые вы едите, и пищевые добавки, которые вы принимаете для включения генов долголетия и модернизации систем восстановления. Второе место по важности занимают духовные практики. Непосредственная польза от них заключается в том, что они исцеляют эмоции — а необузданные эмоции лимбического мозга как раз и составляют основную причину многих заболеваний.

До недавнего времени люди жили недолго и грубо. Средняя продолжительность жизни человека, родившегося в Лондоне в XVIII веке, равнялась тридцати четырем годам. Самые сильные и энергичные, но быстро стареющие люди доживали до того возраста, который тогда считался зрелой старостью, в то время как генетически предрасположенные к медленному старению погибали от эпидемий, вирусных инфекций, недоедания и отсутствия гигиены.

Благодаря нынешним достижениям в области общественного здравоохранения и медицины наши современники живут намного дольше. Те, кто сегодня стареет медленно, завтра доживут до ста лет. Но в этих, казалось бы, замечательных новостях есть одна загвоздка. В то время как продолжительность жизни увеличивается, продолжительность нашего здоровья остается в основном неизменной. Современная медицина продлила период выздоровления в пожилом возрасте, но не сделала ничего, чтобы продлить те годы, в которые мы можем наслаждаться хорошим здоровьем. Например, пятьдесят лет назад остеопороз и перелом шейки бедра довольно быстро приводили к неподвижности и смерти, а сегодня нам в больнице могут заменить тазобедренный сустав, и период выздоровления растянется на десятилетия.

Мы не хотим тратить лишние два или три десятка лет жизни на постельный режим.

Исследователь рака Михаил В. Благосклонный отмечает: «Традиционная медицина увеличивает количество пожилых людей с плохим здоровьем. Однако увеличение продолжительности жизни только за счет удлинения фазы заболеваемости сделает цену медицинской помощи неподъемной для общества. Антивозрастная медицина может разрешить этот кризис, отсрочив фазу заболеваемости (ухудшения)». Он предполагает, что ускорителем роста и старения выступает mTOR. Гиперускоренный mTOR может увеличить шансы на выживание в раннем возрасте и на успешное размножение за счет ускоренного старения (примечание 1 к главе 18).

Современная медицина продлила период выздоровления в пожилом возрасте, но не сделала ничего, чтобы продлить те годы, в которые мы можем наслаждаться хорошим здоровьем.

Благосклонный объясняет, что животные в дикой природе живут недолго и потому не испытывают старения. Пожилая антилопа на африканской равнине быстро становится пищей для молодой гиены. Поэтому живые существа должны расти как можно быстрее, чтобы успеть произвести молодое потомство, прежде чем их яйцеклетки и сперма погибнут от внешних причин, включая нападение хищников и недоедание.

В молодости mTOR регулирует двигатели роста. Этот белок обеспечивает выживание самых быстрых и тренированных, ускоряя деятельность организма по наращиванию мышц и костей. Слабые дети с менее активным mTOR часто умирали при родах или от недоедания в раннем возрасте. Биологи называют это естественным отбором: мать-природа выбирает тех особей, которые лучше всего годятся для выживания и для передачи своих генов будущим поколениям. И у этих выживших двигатели mTOR набирали обороты и зашкаливали.

Но тот же самый mTOR, который служит ускорителем роста в молодом возрасте, ускоряет и наступление старости. Верхом на коне mTOR скачет метафорический ангел смерти. Вот почему этот фермент называют двигателем старения. Следовательно, если замедлить активность mTOR, можно прекратить ускорение старения и обеспечить человеку более длительный период здоровья. Мы можем отложить на потом болезненную фазу жизни — эти ужасные последние несколько месяцев или лет. И если повезет, мы умрем от старости, возможно, даже во сне, как это часто делали наши предки.

Сегодня мы знаем, как замедлить двигатель mTOR.

Единственная проверенная стратегия, которая приводит к увеличению продолжительности жизни и здоровья, — ограничение калорийности пищи, то есть сокращение потребления калорий без недоедания. Долгое время ученые полагали, что важно именно снижение числа калорий, и это означало сокращение количества диетических сахаров и углеводов.

Недавние исследования показывают, что техника ограничения калорийности работает за счет сокращения объема незаменимых аминокислот, компонентов белков. Оказывается, в основе долголетия и пользы для здоровья лежит ограничение белка!

Присутствие определенных аминокислот, в частности лейцина, активирует mTOR, который, как мы упоминали ранее, работает со сверхзвуковой скоростью. Лейцин — это, пожалуй, самый мощный индуктор роста мышц. И самые высокие концентрации лейцина мы находим в молочных продуктах, мясе и яйцах.

Мать-природа как будто ждала, пока наши предки после удачной охоты вернутся домой с добычей, и тут же включала mTOR, чтобы привести тело в режим ускоренного наращивания мышц и настроить человека на скорейшее продолжение рода. Когда я изучал антропологию, у меня был профессор, который говорил, что миф о «великом белом охотнике» — это ложь, что охотиться на диких животных очень сложно и мы по природе не охотники и собиратели, а падальщики и собиратели. Он улыбался и рассказывал анекдот, как компания палеолитических парней, прогуливаясь на свежем воздухе, видит на дороге убитую корову. Парни распугивают стервятников, делят остатки туши между собой и несут своим женам со словами: «Посмотри, дорогая, что я добыл для тебя. Давай же прямо сейчас займемся сексом!»

Именно в эти времена обилия мяса молодые люди жили хорошо, у матерей было достаточно железа в крови, чтобы выдержать кормление растущего эмбриона и кровопотерю при родах. Все это отлично подходит для того, чтобы гарантировать долгую жизнь человечества как вида. Но не годится для индивидуального долголетия.

Оказывается, что снижение потребления белка может продлить жизнь, активизировать метаболизм и повысить стрессоустойчивость (примечание 2 к главе 18). Получается, что дело не в углеводах! Это отличная новость для вегетарианцев и веганов, которые десятилетиями слышат, что невозможно получить адекватный белок из растительных источников. Это неверно.

Оказывается, ключ к медленному старению и отсрочке дряхлости заключается в сокращении потребления мяса, молочных продуктов и яиц, богатых лейцином. Снизить уровень лейцина можно только одним способом — уменьшив потребление белков животного происхождения. Чтобы получить такое же количество лейцина, какое содержится в стограммовом стейке, нужно было бы съесть четыре килограмма белокочанной капусты или сотню яблок. Кроме того, выясняется, что полифенолы и флавоноиды растительного происхождения служат естественными ингибиторами mTOR и помогают предотвратить диабет и ожирение (примечание 3 к главе 18).

Пожалуй, самым мощным стимулятором mTOR служат молочные продукты. Подумайте об этом: материнское молоко — наилучший рацион для новорожденного в первые месяцы жизни, когда дети растут с необычайной скоростью, которая, кстати, поддерживается активацией mTOR. Молочные белки — это пища начала жизни, и после достижения трехлетнего возраста они ребенку уже не полезны. Молочные продукты обладают двойным действием: они активируют mTOR благодаря высоким концентрациям лейцина, но в то же время стимулируют сигнальный путь IGF-1, который препятствует клеточной детоксикации! К тому же материнское молоко содержит всего примерно один грамм белка на миллилитр, а коровье — около 3,4 грамма на миллилитр! Конечно, коровы растут намного быстрее (и начинают ходить раньше), чем человеческие дети, поэтому им нужен дополнительный белок. А людям — нет!

Жители Окинавы — одной из так называемых голубых зон, относятся к числу самых здоровых и долго живущих людей на планете. Их рацион всего на десять процентов состоит из белка, бóльшая часть которого поступает из растительных источников. В месяц они съедают столько же белка, сколько содержится в одном яйце и одной небольшой рыбине. По продолжительности жизни их превосходят только адвентисты из Лома Линда (Калифорния), лактовегетарианцы, употребляющие также и яйца и живущие в среднем на семь лет дольше, чем их соседи по штату.

Что делать, чтобы защитить свое здоровье

Удалите амальгамы. Если у вас во рту есть ртутные пломбы, избавьтесь от них. Эти пломбы поставляют ртуть в ваш организм, а ртуть — это нейротоксин. Собираясь к стоматологу, убедитесь в том, что он не использует амальгамные материалы для пломбирования зубов. Удаление амальгамы должно выполняться с большой осторожностью, с использованием аспираторов и коффердамов. В тот день, на который вы назначите удаление амальгам, выпейте большой стакан воды с растворенным в ней порошком хлореллы, чтобы связать ртуть, попадающую в желудок. Возьмите с собой в кабинет бутылку воды с большим количеством хлореллы и всякий раз, когда стоматолог говорит вам прополоскать рот, используйте эту воду. Выйдя из кабинета, выпейте еще один стакан воды с хлореллой. Согласно решению Европарламента, использование ртутных пломб в Европе будет запрещено с 2023 года.

Можно провести хелирование тяжелых металлов. До недавнего времени мы вообще не подвергались воздействию тяжелых металлов. Ртуть присутствовала только в составе горных пород, а метилртути не было в организмах крупных океанических рыб, таких как тунец, и она не попадала в атмосферу из-за сжигания угля в качестве топлива. Относительно недавно люди начали широко использовать алюминий, и в нашей жизни он присутствует повсеместно в виде фольги для запекания и упаковки пищевых продуктов. Свинец попадает в наш организм из сантехники (помните, как вы жили в доме со свинцовыми трубами?). Мышьяк содержится в пестицидах и во всех видах риса, даже органических — рис выращивается на затопленных полях, и мышьяк проникает из воды в рисовые побеги. Мне нравится хелирование (удаление тяжелых металлов) по способу Энди Катлера. Это проверенная и безопасная процедура, которую можно делать дома. Европейцы (в частности, немцы) значительно опережают своих американских коллег в области хелирования тяжелых металлов. Чтобы сделать внутривенное хелирование, необходима помощь опытного врача. Я работаю с Петрой Кшещински, которая практикует митохондриальную медицину и живет недалеко от Фрайбурга (Германия).

Как предотвратить рак

У каждого второго мужчины и у каждой третьей женщины в какой-то момент жизни развивается рак. Имеются в виду не доброкачественные опухоли кожи, которым мы все подвержены, а серьезные онкологические заболевания, требующие хирургических операций, лучевой или химической терапии. Рак почти никогда не встречается у охотников-собирателей или в обществах, которые не перешли на западную диету и образ жизни, однако он широко распространен в развитых странах. У каждого из нас есть родственник, который борется с раком или умер от него.

Но есть способы снизить риск развития рака. Есть также стратегии, с помощью которых мы можем вылечиться, если нам уже поставили такой диагноз. Вот они.

Повышение способности тела сжигать жир. Кетогенная диета и/или голодание — ключевая стратегия профилактики рака. Помните, что раковые клетки вернулись к более примитивному состоянию и не могут эффективно сжигать жиры. Они способны развиваться только при условии обилия углеводов (сахаров). Доктора Райнер Й. Клемент и Ульрике Кеммерер из отделения радиационной онкологии Университетской клиники Вюрцбурга в Германии обнаружили:

«Систематически сокращая количество пищевых углеводов, можно подавить или хотя бы отсрочить возникновение рака, а также замедлить пролиферацию уже существующих опухолевых клеток».

Как элегантно! Вы отключаете энергоснабжение опухолевых клеток, и они начинают умирать. Авторы утверждают: «В отличие от нормальных клеток, большинство злокачественных клеток для удовлетворения своих потребностей в энергии и биомассе зависят от постоянной доступности глюкозы в крови и не способны метаболизировать значительные количества жирных кислот или кетоновых тел из-за дисфункции митохондрий» (примечание 4 к главе 18).

Если у вас диагностирована злокачественная опухоль или в вашей семье наблюдается высокий уровень заболеваемости раком, очень важно перейти на кетогенную диету и соблюдать интервальное голодание, описанное в этой книге.

Следующая ключевая стратегия предотвращения рака — это **детоксикация тела и мозга.** Начните с установки в доме водяного фильтра, который удаляет из воды хлор и фтор. Люди получают в три раза больше токсинов из воды, которой они моются, чем из питьевой воды.

В России ученые обнаружили, что некоторые раковые опухоли содержат тяжелые металлы — возможно, так выглядит попытка организма изолировать эти вещества. Непременно удалите ртуть изо рта («серебряные» пломбы) и сдайте «стресс-тест» на тяжелые металлы с помощью орального хелирования, чтобы определить, сколько в вашем организме отложенной ртути, свинца, мышьяка и других веществ.

Прежде всего, помните, что профилактика — это ключ ко всему.

Как предотвратить болезни сердца

Сердечный приступ (инфаркт миокарда) возникает, когда блокируется приток крови к области сердца и возникает сгусток крови, образовавшийся в поврежденном кровеносном сосуде. Каждый год от сердечных приступов страдают около миллиона американцев, а инфаркт занимает одно из первых мест по причинам смертности жителей США. Однако кардиологи считают, что девяносто процентов инфарктов можно предотвратить путем изменения диеты и образа жизни (примечание 5 к главе 18).

Для этого необходимо избегать трансжиров, которые часто прячутся под маркой гидрогенизированных масел. Трансжиры повышают уровень «плохого» холестерина (ЛПНП, липопротеин низкой плотности), который образует слой налета на стенках артерий. Сахар, углеводы и обработанные продукты повышают содержание мелких частиц холестерина ЛПНП.

Насыщенные жиры, которые когда-то считались опасными, на самом деле повышают уровень безвредного холестерина. Поэтому полезно есть много овощей, свежих или прошедших легкую термообработку, органическое сливочное масло и мясо, деревенские яйца, сырые орехи и семечки, кокосовое и оливковое масла, а также масла из орехов.

В верхней части моего списка находятся ягоды. Чем ярче и разнообразнее их цвет, тем лучше. Исследователи из Гарварда обнаружили, что люди, которые ежедневно едят значительное количество фруктов, снижают риск сердечно-сосудистых заболеваний почти на тридцать процентов (примечание 6 к главе 18). Но будьте осторожны с очень сладкими фруктами и помните, что арбуз в этом отношении мало чем отличается от эскимо, потому что он полон сахара и почти не содержит клетчатки.

Как предотвратить болезнь Альцгеймера и деменцию

Сегодня около пятидесяти миллионов человек в мире страдают деменцией, хотя всего лишь столетие назад об этой болезни почти никто и не слышал. Нет ничего более пугающего, чем мысль, что мы можем потерять рассудок и забыть имена своих близких.

Иногда болезнь Альцгеймера называют диабетом третьего типа из-за его связи с высоким уровнем сахара в крови и диетой, насыщенной углеводами и сахарами. И сегодня мы знаем, что продукты, которые усиливают воспалительные процессы, в том числе обработанные зерна и рафинированные углеводы, также повышают риск развития болезни Альцгеймера. Статистика этого заболевания ужасающая. Она показывает, что если вы доживете до восьмидесяти пяти лет, то у вас с пятидесятипроцентной вероятностью будет диагностирована болезнь Альцгеймера.

Сегодня человек вполне может дожить до ста лет, если сумеет избежать непредсказуемых трагических происшествий. Как же нам подстраховаться на случай долгой жизни и предотвратить деменцию?

Причина этих заболеваний состоит в особенностях питания, но в них же заключается и лекарство. Я говорю об этом на всех страницах этой книги. Откажитесь от сахара, ограничьте потребление углеводов, ешьте белки главным образом растительного происхождения и хорошие жиры. Существуют и дополнительные рекомендации.

Принимайте витамин D₃. Исследователи в течение почти тридцати лет наблюдали за пятьюдесятью пациентами с риском болезни Паркинсона (БП) и обнаружили, что у пациентов с самым высоким уровнем витамина D₃ риск развития этой болезни был почти на семьдесят пять процентов ниже, чем у контрольной группы, которая не принимала этот необходимый витамин (примечание 7 к главе 18). Ученые пришли к выводу, что витамин D₃, по-видимому, обладает нейрозащитными свойствами и способен предотвращать возникновение БП.

Причина, по которой вы не слышали об этом исследовании, опубликованном в журнале *Archives of Neurology*, заключается в том, что витамин D₃ невозможно запатентовать. Ни одна фармацевтическая компания не станет вкладывать средства в долгосрочные клинические испытания витамина, который можно купить без рецепта за двадцать центов, хотя он на семьдесят пять процентов снижает риск развития БП!

Принимайте докозагексаеновую кислоту. Другое исследование, результаты которого были опубликованы в *Archives of Neurology*, показало, что у людей, в плазме которых обнаруживался самый высокий уровень докозагексаеновой кислоты — нашей любимой омега-3 жирной кислоты, риск развития болезни Альцгеймера снижался на восемьдесят пять процентов (примечание 8 к главе 18). И опять-таки, ни одно серьезное предприятие не стало бы спонсировать дорогостоящее исследование, чтобы проверить, может ли таблетка рыбьего жира стоимостью пятьдесят центов способствовать профилактике этого разрушительного недуга.

Регулярно делайте физические упражнения. Исследование доктора Кирка Эриксена из Калифорнийского университета в Лос-Анджелесе и его коллег из Медицинской школы Университета Питтсбурга показало, что регулярные занятия аэробными упражнениями, независимо от возраста человека, снижают риск развития болезни Альцгеймера на пятьдесят процентов (примечание 9 к главе 18).

Пять самых важных показателей анализа крови

Сегодня чрезвычайно чувствительные анализы крови позволяют выявлять изменения в организме человека и помогать исправлять дисбаланс, который может привести к заболеванию. Я сдаю эти анализы раз в год и разбираюсь в результатах вместе со своим лечащим врачом.

1. CBC (полный анализ крови).

Этот недорогой клинический анализ крови дает наиболее общее представление о вашем здоровье и может показать наличие инфекций, анемии, уровень холестерина и глюкозы в крови, а также критические значения минеральных веществ. Оценка результатов этого анализа не займет много времени. Обратите внимание, что оптимальные диапазоны отличаются от лабораторных эталонных диапазонов.

Оптимальные диапазоны (примечание 10 к главе 18):

- Глюкоза 70–85 мг/дл.
- Холестерин 180–200 мг/дл.
- Липопротеины низкой плотности менее 100 мг/дл.

- Липопротеины высокой плотности более 55 мг/дл.
- Триглицериды менее 100 мг/дл.

2. С-реактивный белок.

Каждое серьезное заболевание либо начинается с воспаления, либо сопровождается воспалительным процессом. С-реактивный белок — это чувствительный маркер воспаления, он довольно быстро (в течение нескольких дней) реагирует на перемену рациона или образа жизни. Это надежный прогностический фактор ишемической болезни сердца.

Оптимальные диапазоны:

- Мужчины < 0,55 мг/л.
- Женщины < 1,5 мг/л.

3. Гемоглобин A1C.

Этот тест измеряет уровень глюкозы в крови за последние два-три месяца и служит надежным указателем сердечных заболеваний, особенно у людей с диабетом. Высокий уровень сахара в крови и воспаление — идеальные условия для рака. Этот тест покажет, насколько ваша внутренняя среда способствует развитию рака и других патологий.

Оптимальный диапазон: < 4,5%.

4. Гомоцистеин.

Эта аминокислота образуется в процессе метаболизма серосодержащего метионина. Высокие уровни гомоцистеина связаны с повышенным риском сердечных приступов и переломов костей, в том числе тазобедренных, а также снижением когнитивных функций.

Оптимальный диапазон: < 7,2 мкмоль/л.

5. Инсулиноподобный фактор роста (IGF-1).

Этот гормон наряду с гормоном роста регулирует рост костей и других тканей у молодых людей. Если нам не нужны дополнительные руки или пальцы, то по мере взросления нам лучше поддерживать низкий уровень IGF-1. Мы уже объясняли, что IGF-1 служит сигнальной молекулой, которая включает и отключает программы восстановления и утилизации клеток. В первую очередь его уровень повышают IGF-1 — сенсор белковых нутриентов (аминокислот), красное мясо, рыба и морепродукты, а возрастание концентрации IGF-1 ассоциируется с высоким риском развития сердечно-сосудистых заболеваний и рака.

Кроме того, IGF-1 — маркер раковой опухоли. Для инсулиноподобного фактора нет абсолютных референтных диапазонов, так что его лучше всего использовать для оценки качества вашей реакции на программу «Создаем новое тело». Я заметил, что после запуска программы уровни этого опухолевого маркера за неделю падают на тридцать-пятьдесят процентов. Это недорогой тест, который дает вам измеримую обратную связь, показывая, насколько хорошо ваше тело устраняет клеточные отходы и включает гены долголетия.

Я говорю своим студентам, что профилактика подобна замене масла в автомобиле, а лечение — замене двигателя. Наши системы здравоохранения не вкладывают средства в профилактику. Операция шунтирования коронарной артерии (англоязычные хирурги в шутку называют эту процедуру «капустой» из-за созвучия ее аббревиатуры — CABG, coronary artery bypass graft — со словом cabbage) стоит пятьдесят тысяч долларов и относится к числу наиболее частых хирургических операций в США. Когда артерия забивается, кардиохирурги вырезают поврежденный фрагмент и заменяют его новыми трубками, как городские строители чинят ржавые водопроводные сети. Успех этой операции сомнителен, потому что это сосудистое заболевание поражает весь организм, а не пару сантиметров артерии. Кроме того, это состояние легко предотвратить с помощью диеты или дешево и эффективно лечить хелирующими агентами.

Я приглашаю вас взять на себя ответственность за наш общий эксперимент по долголетию и здоровью. Мы можем сделать мудрый выбор, который приведет к длительному здоровью и яркой жизни; для этого необходимы профилактика и опыт Единства!

ЗАКЛЮЧЕНИЕ

МЕДИЦИНА ЕДИНОГО ДУХА И КОЕ-ЧТО ЕЩЕ

Мы не оставим исканий,
И поиски кончатся там,
Где начали их; оглянемся,
Как будто здесь мы впервые.

<small>Томас Стернз Элиот (перевод Сергея Степанова)</small>

Будущему Будде предстояло пройти множество испытаний. Как только он сел под деревом Бодхи, к нему приблизился демон-бог Мара, повелитель смерти, с оружием в руках и большим войском. Легенда гласит, что все защитные божества вселенной в испуге сбежали, но Сиддхартха остался неподвижным. Демон запускал в него молнии и пылающие стрелы, но они превращались в цветы и тихо опускались на землю у ног Сиддхартхи. Наконец, будущий Будда протянул правую руку вниз и коснулся земли. Так сама богиня земных недр стала свидетельницей его просветления. С громким хохотом она прогнала прочь всех демонов.

Предание гласит, что долгой ночью, которая предшествовала его просветлению, Будда обрел три дара: божественное око всеведения и знания всех предыдущих существований, понимание кармы — цепи причинности и освобождения, и Четыре благородные истины, которые представляют собой фундаментальный закон бытия. Говорят, что поначалу Будда решил оставить эту мудрость себе, поскольку сомневался, что люди готовы к восприятию такого учения, но вмешался Брахма и убедил Будду передать людям и богам те глубокие истины, которые он открыл.

Что мы делаем после получения медицины единого Духа? Подобно Будде, идем в мир и учим тому, что узнали? Или жаждем покинуть поле битвы и отвернуться от проблем, подобно Арджуне, поскольку пребываем в отчаянии от неспособности предотвратить страдания жизни? Или, подобно большинству из нас, как выразился Джозеф Кэмпбелл, «придумываем ложный, в конечном итоге неоправданный образ себя как исключительного явления в мире, не виновного, как другие, но оправданного в неизбежном грехе, потому что мы представляем сторону добра. Такое самодовольство ведет к неправильному пониманию не только самого себя, но и природы человека и космоса» (примечание 1 к «Заключению»).

Мифические и реальные герои, мужчины и женщины, чьи путешествия мы исследовали на этих страницах, напоминают нам о том, что наша цель — установить отношения с универсальным руководящим принципом, который мы называем единым Духом. И тогда мы можем приступить к восстановлению нарушенной ткани нашей собственной жизни и к помощи человечеству, которому отчаянно нужна любая имеющаяся у нас мудрость.

MEDICINA ЕДИНОГО ДУХА И КОЕ-ЧТО ЕЩЕ

Исправление:

Исцеление мира

Как же нам принести миру свои дары? Глобальная ситуация становится все более тревожной на всех уровнях — политическом, экономическом, социальном и экологическом. Первое десятилетие XXI века было самым жарким в истории человечества. В 2007 году эксперты-климатологи объяснили, что во избежание необратимых последствий необходимо поддерживать концентрацию углекислого газа в атмосфере не выше 350 ppm (частей на миллион). Но к 2014 году мы уже преодолели отметку в 400 ppm без признаков замедления. Биологи непосредственно связывают темпы вымирания разных видов животных и растений с выбросами парниковых газов и предупреждают, что мы находимся на грани массового исчезновения живых организмов. С тех пор, как около трех с половиной миллиардов лет назад на Земле появилась жизнь, массовые вымирания происходили только пять раз. Сейчас мы сталкиваемся с шестым таким катастрофическим событием.

Когда мы застываем в старых парадигмах и верованиях, мы предполагаем, что каждый из нас слишком беспомощен, чтобы спасать китов, планету или человечество. Это правда: никто из нас в одиночку не может остановить терроризм, уничтожить токсины окружающей среды, предотвратить таяние полярных льдов или экономический кризис. Однако мы можем вылечиться от болезней, угрожающих нашему выживанию. Мы можем исцелить свое внутреннее мужское начало, отказавшись от насилия как способа разрешения конфликта. Мы можем исцелить свою внутреннюю женственность, став хранителями Земли. И мы узнали, что все время участвуем в творении мира вместе с Духом и друг с другом. Мы всегда можем сделать эту работу лучше.

Программа «Создаем новое тело» повышает способность организма выводить токсины, будь то загрязняющие вещества в воздухе, воде и пище или психические яды нездорового мышления и вредных верований. Она также позволяет модернизировать мозг, чтобы он поддерживал сознание, создающее здоровье. И бонус в том, что помогая себе, мы также помогаем Земле. Отбросив ядовитые убеждения и хищническое поведение, мы все вместе формируем лучшую жизнь на этой планете.

Индейцы из племени лакота-сиу говорят: «Митакуе оясин». Это значит: «Мы все родственники». Мы все связаны, мы все вместе. Восстановление действует в обе стороны: исцеляя себя, исцеляешь мир, и наоборот. Как только вы посвятите себя улучшению своего здоровья, а также здоровья Земли и всех живых созданий, мир Духа сплотится позади вас, чтобы поддержать вас в этом благородном намерении.

Внутренняя гармония

Покой и гармония в мире начинаются с вашего внутреннего покоя. Кишечник человека — это отдельный мир, чрезвычайно сложная экосистема. Безусловно, умение жить в гармонии с микроорганизмами внутри своего тела имеет решающее значение для нашего выживания. А устойчивое здоровье достигается не только за счет навыков выживания, но и благодаря способности к развитию в сотрудничестве со всеми бактериями, вирусами и другими клетками организма.

Ваше тело — это основа, почва, на которой покоится ваша жизнь. Вбрасывать в него вредные лекарственные препараты — недальновидное поведение. В настоящее время из-за чрезмерного использования антибиотиков и антимикробных моющих средств, на редкость изобретательные микроорганизмы научились превращаться в лекарственно-устойчивые штаммы, поэтому мы сталкиваемся со вспышками смертельно опасных бактериальных инфекций. Ваше здоровье и здоровье планеты зависят от того, сумеете ли вы построить новые отношения со всеми существами, в том числе с бактериями в теле и митохондриями в клетках.

Ответственность и мечта

Авраамические религии — христианство, иудаизм и ислам, отводят человеку место хозяина природы. Для этого образа мышления наш земной дом — это просто перевалочный пункт, в котором мы задерживаемся на пути к блаженству вечной жизни. Забота о планете и всех ее созданиях в значительной степени оставлена на волю случая — как бы там ни было, человечество не несет за это ответственность. Однако ученые видят насущную необходимость, чтобы мы взяли заботу о Земле на себя. Большинство из них согласны с тем, что мы обременяем нашу планету непосильным налогом и должны сделать жесткий политический и экономический выбор ради блага будущих поколений.

Посвятив много лет исследованию индейских племен, я очень хорошо понимаю, насколько мировоззрение коренного населения обеих Америк отличается от научной парадигмы Запада. Для аборигенов благосостояние планеты находится на первом месте. Оно включает в себя благополучие всех жителей Земли в равной степени — как людей, так и прочих живых созданий. Индейцы считают, что эта планета — вовсе не временное пристанище, предоставленное нам далеким Богом, а напротив, Мать-Земля есть наш постоянный дом, в котором мы перерождаемся на протяжении многих жизней.

Кришна говорит Арджуне:

Как человек сбрасывает изношенную одежду и надевает новую, так и воплощенное «я» оставляет старое тело и входит в новое… Это индивидуальное «я» не рассечь оружием, не воспламенить огнем, не намочить водой, не развеять по ветру… Это «я» невозможно ни порезать на куски, ни сжечь, ни растворить, ни иссушить… Вечное, всепроникающее, неизменное, неподвижное, это «я» всегда одно и то же (примечание 2 к «Заключению»).

Земля — это рай, который мы получаем в награду после долгого путешествия по царствам Духа, и его следует считать нашим Эдемом. В противном случае планета перестанет кормить и поддерживать своих самых жадных детей. Самые жадные — это мы, которые освоили большую часть ресурсов Земли ради удовлетворения собственных нужд и поставили под угрозу жизнь остальных — ни в чем не повинных ее обитателей.

Для исцеления и сохранения Земли нам сейчас нужна новая мечта.

Выбор в пользу эволюции

Несмотря на все разрушения, которые мы производим на Земле, есть и обнадеживающие знаки. Во всем мире люди создают новые формы на замену старым, разрушенным и не подлежащим ремонту, — будь то инфраструктура, правительство, экономика, здравоохранение или социальное обеспечение.

Учреждения, как и человеческое тело и мозг, адаптируются к текущим потребностям.

Адаптация — это краткосрочные изменения, которые происходят в отдельном человеке или группе людей и приспосабливают их к новой среде. Во времена стресса и глобального кризиса (как сегодня) мы можем или заболеть, или стать необычайно здоровыми, если научимся адаптироваться и процветать в быстро меняющихся условиях. В отличие от адаптации, эволюция — это долгосрочные генетические изменения для обеспечения выживания вида, она движется в темпе сползания ледника. Но сейчас появились доказательства, что наша физиология собирается совершить эволюционный скачок. За последние несколько веков человеческий мозг неуклонно сокращался в размерах. Он уже потерял около десяти процентов своего объема (примечание 3 к «Заключению») — то есть скопление нейронов размером с теннисный мяч. С точки зрения эволюции это резкое изменение, прелюдия к так называемому квантовому видообразованию — скачку, который может произойти, когда виды находятся под угрозой исчезновения.

Мы встали перед эволюционным порогом. В прошлом мы обеспечивали свое выживание, убивая конкурирующие виды — или даже дальних родственников, как в случае с неандертальцами. Мы уничтожили вовсе не пару видов млекопитающих, плавниковых или пернатых животных, а гораздо больше. Сейчас возможен новый эволюционный скачок, который позволит нашему виду выжить, но нельзя совершить такой скачок, используя архаичные методы лимбического мозга, нашего короля-тирана. Это можно сделать только с помощью творческих ресурсов, доступных нам из высшего мозга.

Другой мозг

Джунгли — шумное место, и этим они схожи с виртуальным миром интернета и социальных сетей. Несомненно, будущее принадлежит тем, кто приспособлен к виртуальному миру, чувствует себя как дома в виртуальных джунглях и знает, когда на шорох листвы нужно реагировать, а когда его можно пропустить мимо ушей.

Поколение нынешних восемнадцатилетних выросло в электронном мире. Они общаются при помощи компьютерных технологий с тех самых пор, как в раннем детстве впервые сумели дотянуться до клавиатуры. Сегодня электронная почта, мобильные телефоны, онлайн-форумы и социальные сети служат важнейшим каналом связи во всем, что имеет значение в нашей жизни, от устранения причин глобальной бедности до планирования вечеринки с друзьями в субботу вечером. Отныне каждому поколению придется переключаться между виртуальным миром и миром чувственного восприятия так же легко, как ягуар перемещается между видимой и невидимой сферой.

Мать-Земля — это родной дом человечества, и мы здесь отвечаем за все.

Из хаоса приходит творение

Шаманы верят, что в давние времена в невидимом мире был составлен план творения. Хаос стал упорядоченным космосом благодаря действиям отважных существ, которые сумели придумать новые миры, подобно тому, как сегодня геймеры создают виртуальные пространства. Наша Земля из мечты превратилась в реальность с идеальными условиями для поддержания жизни, с постоянными температурами в узком промежутке между точками замерзания и кипения воды.

Вся жизнь на Земле началась в первичном бульоне, и сегодня мы снова оказываемся в первичном бульоне творческого потенциала. Мы можем превратить хаос в красоту и порядок. Исцеление — одна из форм порядка. Когда мы привносим в тело больше порядка и гармонии, болезнь исчезает, и мы выздоравливаем. Мы создаем условия для здоровья, и недуги уходят.

Сегодня крупнейшими прорывами в науке о мозге стали открытия нейропластичности (способности мозга изменяться и адаптироваться, формируя новые нейронные связи в ответ на наш опыт и требования окружающей среды) и эпигенетики (изменений в способе экспрессии генов). Из главы 3, в которой мы свергли короля-тирана, вы теперь знаете, что мозг можно перенастроить на сотрудничество и радость вместо соперничества и страха. А из главы 6 «Суперфуды и супердобавки» вы помните, что с помощью диеты, богатой фитонутриентами, можно сбалансировать микроорганизмы в кишечнике, создавая здоровье и ясность ума, а также влияя на экспрессию генов. В этой жизни вы действительно можете испытать новое тело — «новый костюм», о котором говорит «Бхагавадгита». Нейропластичность и эпигенетика утверждают, что нам не обязательно болеть тем же, чем болели наши предки, или увековечивать их убеждения. Мы можем переживать такие состояния физического благополучия и остроты ума, каких и представить себе не могли, и такую мудрость, о которой и не подозревали. И обрести покой.

Поиски внутреннего покоя — это одно из самых фундаментальных человеческих стремлений. Существует известная история о том, как к учителю чань-буддизма Бодхидхарме приходит искатель и просит умиротворить его душу. «Принеси мне свою душу, и я умиротворю ее», — ответствует Бодхидхарма. «Это сложно, — говорит искатель. — Я искал ее много лет, но не смог найти». В ответ Бодхидхарма заявляет: «Ну вот видишь — твое желание исполняется». Искатель соглашается и уходит умиротворенный.

Искатель понимает, что душа — основная истина о том, кто мы есть, неотделима от тела. Это не что-то «там», что можно найти. Вот как объясняет это Джозеф Кэмпбелл: «Вечное не только живет в вас, но и вы, и все вещи — это на самом деле и есть Вечное. Кто это знает, тот обитает среди деревьев, исполняющих желания, пьет нектар бессмертия и повсюду внимает неслыханной музыке вечного согласия» (примечание 4 к «Заключению»).

Протяните руку и возьмите плод древа жизни, которое всегда рядом!

ПРИЛОЖЕНИЕ

Создаем свое спа долголетия

В нашем спа «Лос-Лобос» в Чили используются самые современные технологии для создания нового тела. Я расскажу о нескольких устройствах, которые могут оказаться очень важными для вашего здоровья, и возможно, вы захотите их приобрести.

Не каждый может позволить себе оснастить дом спа-устройствами, которые помогают защитить здоровье и обеспечить долголетие. Но если вы практикующий физиотерапевт (или такой фанатик здоровья, как я), вы можете приобрести следующее оборудование для домашнего спа-салона или рабочего кабинета.

Инфракрасная (FIR) сауна дальнего диапазона — это обязательно. FIR-сауна помогает уменьшить воспаление, сжечь жировые отложения, повысить метаболизм и улучшить функцию митохондрий. У меня две FIR-сауны — в кабинете и дома. В то время как обычная сауна нагревает лишь поверхность кожи, лучи FIR-сауны проникают под кожу на расстояние до трех сантиметров, помогая человеку избавиться от эндогенных токсинов и ядов из окружающей среды. Это одна из лучших инвестиций в ваше здоровье.

Аппарат для интервальной гипокси-гипероксиальной терапии (IHHT) производится в Германии фирмой Cell Gym. Он регулирует концентрацию кислорода, который вы получаете через маску, наложенную на лицо. По сути, этот прибор каждые шесть минут переносит вас с пляжа (высокая концентрация кислорода) на вершину Эвереста (низкий уровень кислорода, гипоксия). В результате слабые митохондрии в вашем теле испытывают недостаток кислорода и начинают отмирать. Прерывистая гипоксия стимулирует сигнальный путь Nrf2, включает гены долголетия и естественную выработку антиоксидантов внутри каждой клетки. Это одна из лучших инвестиций, какие я когда-либо делал, поскольку эта терапия запускает производство новых, здоровых митохондрий. Сайт https://cellgym.de.

Озонотерапия применяется европейскими врачами более пятидесяти лет. Озон действует путем включения сигнальных путей детоксикации Nrf2, активирует антиоксидантные ферменты и поглотители свободных радикалов. Мы проводим лечение озоном ректально, используя небольшой катетер. Шприц на 100 мл заполняют газообразным озоном и в течение трех минут вводят газ в организм, а затем процедуру повторяют с новой порцией в 100 мл. Я использую оборудование немецкого производителя Humares, который уже несколько десятилетий работает на рынке приборов медицинского назначения. Если вы собираетесь приобрести устройство для личного пользования, обязательно выбирайте качественный продукт, который обеспечивает чистые, точные дозы. Это один из важнейших инструментов для профилактики болезней и обеспечения долголетия. Сайт http://humares.de.

ПРИМЕЧАНИЯ

Введение

1. Roman Thaler et al., "Anabolic and Antiresorptive Modulation of Bone Homeostasis by the Epigenetic Modulator Sulforaphane, a Naturally Occurring Isothiocyanate", *Journal of Biological Chemistry* 291 (March 2016): 6754–6771. DOI: 10.1074/jbc.M115.678235.
2. "Risk Factors", Alzheimer's Association, http://www.alz.org/alzheimers_disease_causes_risk_factors.asp.
3. "FastStats: Obesity and Overweight", Centers for Disease Control and Prevention, updated May 14, 2014, http://www.cdc.gov/nchs/fastats/obesity-overweight.htm.
4. M. Kivipelto et al., "The Finnish Geriatric Intervention Study to Prevent Cognitive Impairment and Disability (FINGER): Study Design and Progress", *Alzheimer's & Dementia* 9, no. 6 (November 2013): 657–65. DOI: 10.1016/j.jalz.2012.09.012.

Глава 1

1. Raj Chetty et al., "The Association Between Income and Life Expectancy in the United States, 2001–2014", *Journal of the American Medical Association* 315, no. 16 (April 26, 2016): 1750–1766. DOI: 10.1001/jama.2016.4226.

Глава 3

1. Wei-Yi Ong et al., "Protective Effects of Ginseng on Neurological Disorders", *Frontiers in Aging Neuroscience* 7, no. 129 (July 2015). DOI: 10.3389/fnagi.2015.00129.

2. Jared Diamond, "The Worst Mistake in the History of the Human Race (from the May 1987 issue)", *Discover Magazine*, May 1, 1999, http://discovermagazine.com/1987/may/02-the-worst-mistake-in-the-history-of-the-human-race.

3. Vincent J. Felitti et al., "Relationship of Childhood Abuse and Household Dysfunction to Many of the Leading Causes in Death in Adults: The Adverse Childhood Experiences (ACE) Study", *American Journal of Preventive Medicine* 14, no. 4 (May 1998): 245–258.

4. Bogdan Draganski et al., "Temporal and Spatial Dynamics of Brain Structure Changes during Extensive Learning", *Journal of Neuroscience* 26, no. 23 (June 7, 2006): 6314–6317.

Глава 4

1. "The Medicare Prescription Drug Benefit Fact Sheet", Kaiser Family Foundation, September 19, 2014, http://www.kaiseredu.org/Issue-Modules/Prescription-Drug-Costs/Background-Brief.aspx.

2. Kathrin Endt et al., "The Microbiota Mediates Pathogen Clearance from the Gut Lumen after Non-Typhoidal Salmonella Diarrhea", *PLoS Pathogens* 6, no. 9 (September 9, 2010), https://doi.org/10.1371/journal.ppat.1001097.

3. United States Department of Agriculture, "Profiling Food Consumption in America", chap. 2 in *Agriculture Fact Book,*

2001–2002 (Washington, DC: U. S. Government Printing Office, 2003), 20.

4. Owen Dyer, "Is Alzheimer's Really Just Type III Diabetes?", *National Review of Medicine* 2, no. 21 (December 15, 2005), http://www.nationalreviewofmedicine.com/issue/2005/12_15/2_advances_medicine01_21.html.

5. Magalie Lenoir et al., "Intense Sweetness Surpasses Cocaine Reward", *PLoS One 2*, no. 8 (2007): e698. DOI: 10.1371/journal.pone.0000698.

6. Kokab Namkin, Mahmood Zardast, and Fatemeh Basirinejad, "*Saccharomyces boulardii* in *Helicobacter pylori* Eradication in Children: A Randomized Trial from Iran", *Iranian Journal of Pediatrics* 26, no. 1 (February 2016): e3768. DOI: 10.5812/ijp.3768.

7. C. Costalos et al., "Enteral Feeding of Premature Infants with *Saccharomyces boulardii*", *Early Human Development* 74, no. 2 (November 2003): 89–96. PMID: 14580749.

8. Lund University, "Estrogen in Birth Control Pills Has a Negative Impact on Fish", *ScienceDaily*, March 4, 2016, www.sciencedaily.com/releases/2016/03/160304092230.htm.

9. Chia-Yu Chang, Der-Shin Ke, and Jen-Yin Chen, "Essential Fatty Acids and Human Brain", *Acta Neurologica Taiwanica* 18, no. 4 (December 2009): 231–241. PMID: 20329590.

10. Vazquez et al., "Intragastric and Intraperitoneal Administration of Cry1Ac Protoxin from *Bacillus thuringiensis* Induces Systemic and Mucosal Antibody Responses in Mice", *Life Sciences* 64, no. 21 (1999): 1897–1912.

11. A. Aris and S. Leblanc, "Maternal and Fetal Exposure to Pesticides Associated to Genetically Modified Foods in Eastern Townships of Quebec, Canada", *Reproductive*

Toxicology 31, no. 4 (May 2011): 528–33. DOI: 10.1016/j. reprotox.2011.02.004.

12. A. Fasano, "Zonulin and Its Regulation of Intestinal Barrier Function: The Biological Door to Inflammation, Autoimmunity, and Cancer", *Physiological Reviews* 91, no. 1 (Jan 2011): 151–75. DOI: 10.1152/physrev.00003.2008.

13. Henry C. Lin, "Small Intestinal Bacterial Overgrowth: A Framework for Understanding Irritable Bowel Syndrome", *Journal of the American Medical Association* 292, no. 7 (August 18, 2004): 852–858.

14. Els van Nood et al., "Duodenal Infusion of Donor Feces for Recurrent *Clostridium difficile*", *New England Journal of Medicine* 368, no. 5 (January 31, 2013): 407–415.

Глава 5

1. Ioannis Delimaris, "Adverse Effects Associated with Protein Intake above the Recommended Dietary Allowance for Adults", *ISRN Nutrition* 2013, (June 2013), Article ID126929. DOI: 10.5402/2013/126929.

2. M. N. Corradetti and K. — L. Guan, "Upstream of the Mammalian Target of Rapamycin: Do All Roads Pass Through mTOR?", *Oncogene* 25 (16 October 2006): 6347–6360. DOI: 10.1038/sj.onc.1209885.

3. Luigi Fontana et al., "Long-Term Effects of Calorie or Protein Restriction on Serum IGF-1 and IGFBP-3 Concentration in Humans", *Aging Cell* 7, no. 5 (October 2008): 681–687. DOI: 10.1111/j.14749726.2008.00417.x.

4. Roberto Zoncu, Alejo Efeyan, and David M. Sabatini, "mTOR: From Growth Signal Integration to Cancer, Diabetes

and Ageing", *Nature Reviews Molecular Cell Biology* 12, no. 1 (January 2011): 21–35. DOI: 10.1038/nrm3025.

5. Luigi Fontana et al., "Decreased Consumption of Branched Chain Amino Acids Improves Metabolic Health", *Cell Reports* 16, no. 2 (July 12, 2016): 520–530. DOI: 10.1016/j.celrep.2016.05.092.

6. Chia-Wei Cheng et al., "Prolonged Fasting Reduces IGF-1/PKA to Promote Hematopoietic-Stem-Cell-Based Regeneration and Reverse Immunosuppression", *Cell Stem Cell* 13, no. 6 (June 5, 2014): 810–823. https://www. sciencedirect. com/science/article/pii/S1934590914001519.

7. Suzanne Wu, "Fasting Triggers Stem Cell Regeneration of Damaged, Old Immune System", *USC News*, June 5, 2014, https://news.usc.edu/63669/ fasting-triggers-stem-cell-regeneration-of-damaged-old-immune-system/.

8. Marwan A. Maalouf, Jong M. Rho, and Mark P. Mattson, "The Neuroprotective Properties of Calorie Restriction, the Ketogenic Diet, and Ketone Bodies", *Brain Research Reviews* 59, no. 2 (March 2009): 293–315. DOI: 10.1016/j. brainresrev.2008.09.002.

9. Penny Kris-Etherton et al., "AHA Science Advisory: Lyon Diet Heart Study. Benefits of a Mediterranean-Style, National Cholesterol Education Program/American Heart Association Step I Dietary Pattern on Cardiovascular Disease", *Circulation* 103, no. 13 (April 3, 2001): 1823–1825.

Глава 6

1. Hervé Vaucheret and Yves Chupeau, "Ingested Plant miRNAs Regulate Gene Expression in Animals", *Cell Research* 22, no. 1 (January 2012): 3–5.

2. Jo Robinson, "Breeding the Nutrition Out of Our Food", *New York Times*, May 25, 2013, http://www.nytimes. com/2013/05/26/opinion/sunday/ breeding-the-nutrition-out-of-our-food.html?smid=pl-share.

3. Kaitlyn N. Lewis, James Mele, John D. Hayes, and Rochelle Buffenstein, "Nrf2, a Guardian of Healthspan and Gatekeeper of Species Longevity", *Integrative and Comparative Biology* 50, no. 5 (November 2010): 829–843. DOI: 10.1093/icb/icq034.

4. Britta Harbaum et al., "Identification of Flavonoids and Hydroxycinnamic Acids in Pak Choi Varieties (*Brassica campestris* L. ssp. *chinensis* var. *communis*) by HPLC-ESI–MSn and NMR and Their Quantification by HPLC- DAD", *Journal of Agricultural and Food Chemistry* 55, no. 20 (October 3, 2007): 8251–8260.

5. Haitao Luo et al., "Kaempferol Inhibits Angiogenesis and VEGF Expression through Both HIF Dependent and Independent Pathways in Human Ovarian Cancer Cells", *Nutrition and Cancer* 61, no. 4 (2009): 554–563.

6. Morgan E. Levine et al., "Low Protein Intake Is Associated with a Major Reduction in IGF-1, Cancer, and Overall Mortality in the 65 and Younger but Not Older Population", *Cell Metabolism* 19, no. 3 (March 2014): 407–417. DOI: 10.1016/j.cmet.2014.02.006.

7. Thanks to Larry Furtsch of the American Museum of Natural History for this information.

8. Sally Fallon and Mary G. Enig, Ph.D., "Lacto-Fermentation", The Weston A. Price Foundation, January 1, 2000, http:// www.westonaprice.org/ food-features/lacto-fermentation.

9. Elizabeth P. Ryan et al., "Rice Bran Fermented with *Saccharomyces boulardii* Generates Novel Metabolite Profiles

with Bioactivity", *Journal of Agricultural and Food Chemistry* 59, no. 5 (March 9, 2011): 1862–1870. DOI: 10.1021/jf1038103.

10. Martha Clare Morris, Sc.D., et al., "Consumption of Fish and N-3 Fatty Acids and Risk of Incident Alzheimer Disease", *Archives of Neurology* 60, no. 7 (July 2003): 940–946.
11. J. S. Buell, Ph.D., et al., "25-Hydroxyvitamin D, Dementia, and Cerebrovascular Pathology in Elders Receiving Home Services", *Neurology* 74, no. 1 (January 5, 2010): 18–26.
12. Michael F. Holick, M.D., Ph.D., "Vitamin D Deficiency", *New England Journal of Medicine* 357, no. 3 (July 19, 2007): 266–281.

Глава 7

1. Joyce C. McCann and Bruce N. Ames, "Vitamin K, an Example of Triage Theory: Is Micronutrient Inadequacy Linked to Diseases of Aging?", *The American Journal of Clinical Nutrition* 90, no. 4 (1 October 2009): 889–907. DOI: 10.3945/ajcn.2009.27930.
2. John Neustadt and Steve R. Pieczenik, "Medication-Induced Mitochondrial Damage and Disease", *Molecular Nutrition & Food Research* 52, no. 7 (July 2008): 780.
3. Reiner J. Klement and Ulrike Kämmerer, "Is There a Role for Carbohydrate Restriction in the Treatment and Prevention of Cancer?", *Nutrition & Metabolism* 8, no. 75 (October 2011), http://www.nutritionandmetabolism. com/content/pdf/1743-7075-8-75.pdf.
4. George F. Cahill and Richard L. Veech, "Ketoacids? Good Medicine?", *Transactions of the American Clinical and Climatological Association* 114 (2003): 149–163.

5. W. F. Stewart et al., "Risk of Alzheimer's Disease and Duration of NSAID Use", *Neurology* 48, no. 3 (March 1997): 626–632. PMID: 9065537.

6. H. Chen et al., "Nonsteroidal Anti-inflammatory Drugs and the Risk of Parkinson's Disease", *Annals of Neurology* 58, no. 6 (December 2005): 963–967. DOI: 10.1002/ana.20682.

Глава 8

1. Jill Bolte Taylor, Ph.D., *My Stroke of Insight: A Brain Scientist's Personal Journey* (New York: Viking Penguin, 2008), 146.

2. Richard Horton, "Offline: What Is Medicine's 5 Sigma?", *Lancet* 385, no. 9976 (April 11, 2015): 1380. DOI: 10.1016/S0140–6736(15)60696–1.

3. Douglas Dean and John Mihalasky, *Executive ESP* (Englewood Cliffs, NJ: Prentice-Hall, 1974).

4. Daniel Kahneman, *Thinking, Fast and Slow* (New York: Farrar, Straus and Giroux, 2011), 11.

5. Peter Gray, Ph.D., "The Decline of Play and Rise in Children's Mental Disorders", *Psychology Today*, January 26, 2010, http://www.psychologytoday. com/blog/freedom-learn/201001/the-decline-play-and-rise-in-childrens-mental-disorders; "Any Mental Illness (AMI) among Adults", National Institute of Mental Health, http://www.nimh.nih.gov/statistics/1ANY- DIS_adult. shtml; "Major Depression among Adults", National Institute of Mental Health, http://www.nimh.nih.gov/health/statistics/prevalence/major-depression-among-adults. shtml; "Any Anxiety Disorder among Adults", National

Institute of Mental Health, http://www.nimh.nih.gov/ health/statistics/prevalence/any-anxiety-disorder-among-adults.shtml.

6. Jean M. Twenge et al., "Birth Cohort Increases in Psychopathology among Young Americans, 1938–2007: A Cross-Temporal Meta-analysis of the MMPI", *Clinical Psychology Review* 30, no. 2 (March 2010): 152.

7. William J. Broad, "Seeker, Doer, Giver, Ponderer", *New York Times*, July 7, 2014, D1.

Глава 9

1. Carl Jung, "The Concept of the Collective Unconscious", in *The Portable Jung*, ed. Joseph Campbell (New York: Viking Penguin, 1971), 60.

Глава 11

1. Rainer J. Klement and Ulrike Kämmerer, "Is There a Role for Carbohydrate Restriction in the Treatment and Prevention of Cancer?", *Nutrition & Metabolism* 8, no. 75 (October 2011), http://www.nutritionandmetabolism.com/content/pdf/1743-7075-8-75.pdf.

Глава 12

1. Stephen Mitchell, *Bhagavad Gita: A New Translation* (New York: Three Rivers Press, 2000), 95.

2. Mitchell, *Bhadavad Gita*, 21.

3. Mitchell, *Bhadavad Gita*, 88.

Глава 13

1. Marta Alda et al., "Zen Meditation, Length of Telomeres, and the Role of Experiential Avoidance and Compassion", *Mindfulness* 7, no. 3 (June 2016): 651–659. DOI: 10.1007/s12671–016–0500–5.
2. *The Essential Rumi*, trans. Coleman Barks with John Moyne (San Francisco: HarperSanFrancisco, 1995), 30.
3. "Nagara Sutta: The City", Sutta Nipata 12:65, trans. Thanissaro Bhikkhu (1997), http://www.accesstoinsight.org/tipitaka/sn/sn12/sn12.065.than.html.
4. Chögyam Trungpa, *The Truth of Suffering and the Path of Liberation*, ed. Judith L. Lief (Boston: Shambhala Publications, 2009), 49.
5. Dalai Lama, "10 Questions for the Dalai Lama", *Time*, June 14, 2010, http://content.time.com/time/magazine/article/0,9171,1993865,00.html.

Глава 14

1. Edwin A. M. Gale, "The Rise of Childhood Type 1 Diabetes in the 20th Century", *Diabetes* 51, no. 12 (December 2002): 3353–3361.
2. Dean Ornish et al., "Changes in Prostate Gene Expression in Men Undergoing an Intensive Nutrition and Lifestyle Intervention", *Proceedings of the National Academy of Sciences USA* 105, no. 24 (June 2008): 8369–8374.

Глава 15

1. Johns Hopkins University Bloomberg School of Public Health, "US Autism Rate Unchanged in New CDC Report: Researchers Say It's Too Early to Tell If Rate Has Stabilized", *ScienceDaily*, March 31, 2016, www.science- daily.com/releases/2016/03/160331154247.htm.

2. Ingmar Skoog et al., "Decreasing Prevalence of Dementia in 85-Year-Olds Examined 22 Years Apart: The Influence of Education and Stroke", *Scientific Reports* 7, no. 6136 (2017).

3. F. B. Hu et al., "Frequent Nut Consumption and Risk of Coronary Heart Disease in Women: Prospective Cohort Study", *BMJ* 317, no. 7169 (November 14, 1998): 1341–1345.

4. Jae Kwang Kim and Sang Un Park, "Current Potential Health Benefits of Sulforaphane", *EXCLI Journal* 15 (October 13, 2016): 571–577. DOI: 10.17179/excli2016–485.

5. Parris M. Kidd, Ph. D., "Glutathione: Systemic Protectant Against Oxidative and Free Radical Damage", *Alternative Medicine Review* 2, no. 3 (1997): 155–176.

6. Jeffrey D. Peterson et al., "Glutathione Levels in Antigen-Presenting Cells Modulate Th1 Versus Th2 Response Patterns", *Proceedings of the National Academy of Sciences USA* 95, no. 6 (March 17, 1998): 3071–3076.

7. Jess Gomez, "New Research Finds Routine Periodic Fasting Is Good for Your Health, and Your Heart", *Intermountain Healthcare*, April 3, 2011, http://intermountainhealthcare.org/about/careers/working/news/pages/home.aspx?NewsID=71.

Глава 18

1. Mikhail V. Blagosklonny, "Why Human Lifespan Is Rapidly Increasing: Solving 'Longevity Riddle' with 'Revealed Slow Aging' Hypothesis", *Aging* (Albany NY) 2, no. 4 (April 2010): 177–182. DOI: 10.18632/aging.100139.
2. J. Gallinetti, E. Harputlugil, and J. R. Mitchell, "Amino Acid Sensing in Dietary-Restriction-Mediated Longevity: Roles of Signal-Transducing Kinases GCN2 and TOR", *Biochemical Journal* 449, no. 1 (January 1, 2013): 1–10. DOI: 10.1042/BJ20121098.
3. Bodo C. Melnik, "Leucine Signaling in the Pathogenesis of Type 2 Diabetes and Obesity", *World Journal of Diabetes* 3, no. 3 (March 15, 2012): 38–53. DOI: 10.4239/wjd. v3.i3.38.
4. Rainer J. Klement and Ulrike Kämmerer, "Is There a Role for Carbohydrate Restriction in the Treatment and Prevention of Cancer?", *Nutrition & Metabolism* 8 (2011): 75. DOI: 10.1186/1743-7075-8-75.
5. S. Yusuf et al., "Effect of Potentially Modifiable Risk Factors Associated with Myocardial Infarction in 52 Countries (the INTERHEART Study): Case-Control Study", *Lancet* 364, no. 9438 (September 11–17, 2004): 937–52.
6. The Nutrition Source, What Should I Eat? "Vegetables and Fruits", Harvard T. H. Chan School of Public Health, https://www.hsph.harvard.edu/nutritionsource/what-should-you-eat/vegetables-and-fruits.
7. P. Knekt et al., "Serum Vitamin D and the Risk of Parkinson Disease", *Archives of Neurology* 67, no. 7 (July 2010): 808–811. DOI: 10.1001/archneurol.2010.120.

8. M. C. Morris et al., "Consumption of Fish and N-3 Fatty Acids and Risk of Incident Alzheimer Disease", *Archives of Neurology* 60, no. 7 (July 2003): 940–946.

9. "Burning More Calories Associated with Greater Gray Matter Volume in Brain, Reduced Alzheimer's Risk", UPMC/University of Pittsburgh Schools of the Health Sciences, March 11, 2016, http://www.upmc.com/media/NewsReleases/2016/Pages/gray-matter.aspx.

10. Penny Baron, "The 10 Most Important Blood Tests", *Life Extension Magazine*, May 2006, http://www.lifeextension.com/magazine/2006/5/report_blood/Page-01.

Заключение

1. Joseph Campbell, *The Hero with a Thousand Faces* (Novato, CA: New World Library, 2008), 205.

2. Swami Nikhilananda, trans., *The Bhagavad Gita* (New York: Ramakrishna-Vivekananda Center, 1944), 77–78.

3. Jean-Louis Santini, "Are Brains Shrinking to Make Us Smarter?", *Discovery News*, February 6, 2011, https://phys.org/news/2011-02-brains-smarter.html.

4. Campbell, *Hero with a Thousand Faces*, 142.

ОБ АВТОРЕ

Альберто Виллолдо, доктор философии, получил образование психолога и медицинского антрополога и более 25 лет изучал лечебные практики амазонских и андских шаманов. Будучи адъюнкт-профессором в государственном университете Сан-Франциско, он основал Лабораторию биологической саморегуляции для исследования процессов, посредством которых мозг создает психосоматическое здоровье и болезни. Убежденный в том, что разум способен создавать здоровье, Виллолдо покинул свою лабораторию и отправился в Амазонию, чтобы поработать с целителями из тропического леса, познакомиться с их методами лечения и мифологией.

Альберто руководит Обществом четырех ветров, в котором обучает людей из США и Европы практике шаманской энергетической медицины. Он стал основателем школы *Light Body School*, кампусы которой расположены в Нью-Йорке, Калифорнии и Германии. Он также руководит Центром энергетической медицины в Чили, где исследует и практикует нейробиологию просветления. Альберто написал множество бестселлеров, в том числе «Шаман, мудрец, целитель», «Город Солнца», «Исправление прошлого и исцеление будущего с помощью практики восстановления души», «Мечтайте смело. Шаманский метод превращения мечты в реальность»; «Четыре направления — четыре ветра», «Мудрость шаманов для превращения мечты в поступок».

Издание для досуга

ЭНЕРГИЯ ЗДОРОВЬЯ

Альберто Виллолдо

КАК СОЗДАТЬ СВОЕ НОВОЕ ТЕЛО

Главный редактор *Р. Фасхутдинов*. Руководитель направления *М. Виноградова*
Ответственный редактор *Е. Никищихина*. Редактор *Л. Гречаник*
Младший редактор *М. Гусарова*. Художественный редактор *Г. Булгакова*
Компьютерная верстка *Н. Зенков*. Корректоры *И. Львова, Л. Снеговая*

В оформлении обложки использованы фотографии и иллюстрации:
kelvn, Crocus / Shutterstock.com
Используется по лицензии от Shutterstock.com

ООО «Издательство «Эксмо»
123308, Москва, ул. Зорге, д. 1. Тел.: 8 (495) 411-68-86.
Home page: www.eksmo.ru E-mail: info@eksmo.ru
Өндіруші: «ЭКСМО» АҚБ Баспасы, 123308, Мәскеу, Ресей, Зорге көшесі, 1 үй.
Тел.: 8 (495) 411-68-86.
Home page: www.eksmo.ru E-mail: info@eksmo.ru.
Тауар белгісі: «Эксмо»
Интернет-магазин : www.book24.ru
Интернет-магазин : www.book24.kz
Интернет-дукен : www.book24.kz
Импортёр в Республику Казахстан ТОО «РДЦ-Алматы».
Қазақстан Республикасындағы импорттаушы «РДЦ-Алматы» ЖШС.
Дистрибьютор и представитель по приему претензий на продукцию,
в Республике Казахстан: ТОО «РДЦ-Алматы».
Қазақстан Республикасында дистрибьютор және өнім бойынша арыз-талаптарды
қабылдаушының өкілі «РДЦ-Алматы» ЖШС,
Алматы қ., Домбровский көш., 3-а, литер Б, офис 1.
Тел.: 8 (727) 251-59-90/91/92; E-mail: RDC-Almaty@eksmo.kz
Өнімнің жарамдылық мерзімі шектелмеген.
Сертификация туралы ақпарат сайтта: www.eksmo.ru/certification
Сведения о подтверждении соответствия издания согласно законодательству РФ
о техническом регулировании можно получить на сайте Издательства «Эксмо»
www.eksmo.ru/certification
Өндірген мемлекет: Ресей. Сертификация қарастырылмаған

Подписано в печать 21.10.2019. Формат 60x84$^1/_{16}$.
Печать офсетная. Усл. печ. л. 23,33.
Тираж 3000 экз. Заказ 8054/19.

Отпечатано в соответствии с предоставленными
материалами в ООО «ИПК Парето-Принт», 170546,
Тверская область, Промышленная зона Боровлево-1,
комплекс №3А, www.pareto-print.ru

16+

Видения перуанского шамана

Серия: Тайное знание. Подарочное издание

Книга включает 48 красочных работ Пабло Амаринго (1938–2009) – потомственного шамана и одного из величайших в мире художников-визионеров. Возможно, вы уже встречали эти образы в своих снах и фантазиях: большинство из них – архетипы, а значит, знакомы людям с древних времен.

Каждая картина сопровождается подробным пояснением художника. Основываясь на богатой мифологии амазонских индейцев и собственном опыте, Амаринго рассказывает об изображенных на картине существах, об их происхождении, характере и значении для мира. На его полотнах делятся знаниями шаманы и пришельцы из космоса, лесные духи и русалки, звери и птицы, рыбы и змеи.

В книгу также включены статьи известных западных исследователей шаманизма: Ховарда Г. Черинга, Питера Клаудсли, Денниса Маккенны, Джереми Нарби, Грэма Хэнкока, Жана Кунена, Роберта Венозы и Штефана В. Бейера.

Эта не просто книга. Это – путеводитель по невидимым мирам, который позволит погрузиться в глубины собственного воображения, недоступные ранее.